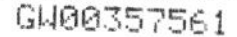

Ami lecteur

C'est en 1898 que je suis né. Voici donc cent ans que je vous accompagne sur toutes les routes du monde, soucieux du confort de votre conduite, de la sécurité de votre déplacement, de l'agrément de vos étapes.

L'expérience et le savoir-faire que j'ai acquis, c'est au Guide Rouge, apparu avec ce siècle, que je les confie chaque année.

L'indépendance de sa sélection d'adresses, la rigueur de ses inspecteurs, l'actualité de son information constituent ainsi pour vous les meilleures garanties d'un voyage réussi.

N'hésitez pas à m'écrire…

Je reste à votre service pour un nouveau siècle de découvertes.

En toute confiance,

Bibendum

Sommaire

5 *Comprendre*
Catégories – Agrément et tranquillité – Installation – Les étoiles – Les prix

27 *Restaurants*
Les bonnes tables à étoiles – Pour souper après le spectacle – Le plat que vous recherchez – Spécialités Étrangères – Bistrots et brasseries de tradition – Restaurants proposant des menus de 100 F à 160 F – Restaurants de plein air – Restaurants avec salons particuliers – Restaurants ouverts samedi et dimanche.

45 *Paris*

161 *Environs*

219 *Transports*
RER et SNCF – Métro – Taxi

226 *Renseignements pratiques*

228 *Index*

PNEU MICHELIN
46, Av. de Breteuil, 75324 PARIS CEDEX 07
Tél. 01 45 66 12 34 - Fax : 01 45 66 11 63
Boutique Michelin :
32, Av. de l'Opéra, 75002 PARIS
Tél. 01 42 68 05 20 - Fax : 01 47 42 10 50

Comprendre

Catégories ______
Agrément et tranquillité ______
Installation ______
Les étoiles ______
Les prix ______

Pour faciliter votre séjour à Paris,
ce Guide vous propose une sélection d'hôtels
et restaurants, classés selon leur confort
et cités par ordre de préférence
dans chaque catégorie.

Catégories

🏨🏨🏨🏨🏨	XXXXX	*Grand luxe et tradition*
🏨🏨🏨🏨	XXXX	*Grand confort*
🏨🏨🏨	XXX	*Très confortable*
🏨🏨	XX	*De bon confort*
🏨	X	*Assez confortable*
M		*Dans sa catégorie, hôtel d'équipement moderne*
sans rest.		*L'hôtel n'a pas de restaurant*
	avec ch.	*Le restaurant possède des chambres*

Agrément et tranquillité

Certains établissements se distinguent dans le guide
par les symboles rouges indiqués ci-après.
Le séjour dans ces hôtels se révèle particulièrement
agréable ou reposant.
Cela peut tenir d'une part au caractère de l'édifice,
au décor original, au site, à l'accueil
et aux services qui sont proposés,
d'autre part à la tranquillité des lieux.

🏨🏨🏨🏨🏨 à 🏨	*Hôtels agréables*
XXXXX à X	*Restaurants agréables*
« Jardin »	*Élément particulièrement agréable*
🐦	*Hôtel très tranquille ou isolé et tranquille*
🐦	*Hôtel tranquille*
⋖ Notre-Dame	*Vue exceptionnelle*
⋖	*Vue intéressante ou étendue*

Installation

Les chambres des hôtels que nous recommandons possèdent, en général, des installations sanitaires complètes. Il est toutefois possible que dans les catégories 🏘 et 🏠, certaines chambres en soient dépourvues.

30 ch	*Nombre de chambres*
	Ascenseur
	Air conditionné (dans tout ou partie de l'établissement)
TV	*Télévision dans la chambre*
	Chambres réservées aux non-fumeurs
☎	*Téléphone dans la chambre, direct avec l'extérieur*
	Prise Modem-Minitel dans la chambre
♿	*Chambres accessibles aux handicapés physiques*
	Repas servis au jardin ou en terrasse
	Salle de remise en forme
	Piscine : de plein air ou couverte
	Jardin de repos
	Tennis à l'hôtel
25 à 150	*Salles de conférences : capacité maximum*
	Garage dans l'hôtel (généralement payant)
P	*Parking réservé à la clientèle*
P	*Parking clos réservé à la clientèle*
	Accès interdit aux chiens (dans tout ou partie de l'établissement)
Fax	*Transmission de documents par télécopie*
fermé 3 août-15 sept.	*Période de fermeture, communiquée par l'hôtelier En l'absence de mention, l'établissement est ouvert toute l'année.*

Les étoiles

Certains établissements méritent d'être signalés à votre attention pour la qualité de leur cuisine. Nous les distinguons par **les étoiles de bonne table.** *Nous indiquons, pour ces établissements, trois spécialités culinaires qui pourront orienter votre choix.*

❀❀❀ **Une des meilleures tables, vaut le voyage**

On y mange toujours très bien, parfois merveilleusement. Grands vins, service impeccable, cadre élégant... Prix en conséquence.

❀❀ **Table excellente, mérite un détour**

Spécialités et vins de choix... Attendez-vous à une dépense en rapport.

❀ **Une très bonne table dans sa catégorie**

L'étoile marque une bonne étape sur votre itinéraire. Mais ne comparez pas l'étoile d'un établissement de luxe à prix élevés avec celle d'une petite maison où à prix raisonnables, on sert également une cuisine de qualité.

Les prix

Les prix que nous indiquons dans ce guide ont été établis en automne 1997. Ils sont susceptibles de modifications, notamment en cas de variations des prix des biens et services.

Ils s'entendent taxes et service compris. Aucune majoration ne doit figurer sur votre note, sauf éventuellement la taxe de séjour.

Les hôtels et restaurants figurent en gros caractères lorsque les hôteliers nous ont donné tous leurs prix et se sont engagés, sous leur propre responsabilité, à les appliquer aux touristes de passage porteurs de notre guide.

En dehors de la saison touristique et des périodes de salons, certains établissements proposent des conditions avantageuses, renseignez-vous lors de votre réservation.

Entrez à l'hôtel le guide à la main, vous montrerez ainsi qu'il vous conduit là en confiance.

Repas

enf. 60 — *Prix du menu pour enfants*

⊛ — *Établissement proposant un menu simple*
à moins de 85 F

Repas à prix fixe :

Repas *(52)* — *Prix d'un repas composé d'un plat principal, accompagné d'une entrée ou d'un dessert, généralement servi le midi en semaine*

90 (déj.) — *Menu servi au déjeuner uniquement*

110/150 — *Prix du menu : minimum* 110, *maximum* 150

100/150 — *Menu à prix fixe minimum* 100 *non servi les fins de semaine et jours fériés*

bc — *Boisson comprise*

🍷 — *Vin servi au verre*

🍶 — *Vin de table en carafe*

Repas à la carte

Repas carte 140 à 310	*Le premier prix correspond à un repas normal comprenant : entrée, plat garni et dessert. Le 2e prix concerne un repas plus complet (avec spécialité) comprenant : deux plats, fromage et dessert (boisson non comprise)*

Chambres

ch 365/620	*Prix minimum* 365 *pour une chambre d'une personne, prix maximum* 620 *pour une chambre de deux personnes*
29 ch ☕ 360/750	*Prix des chambres petit déjeuner compris*
☕ 40	*Prix du petit déjeuner (généralement servi dans la chambre)*
appart.	*Se renseigner auprès de l'hôtelier*

Demi-pension

1/2 P 350/650	*Prix minimum et maximum de la demi-pension (chambre, petit déjeuner et un repas) par personne et par jour, en saison. Il est indispensable de s'entendre par avance avec l'hôtelier pour conclure un arrangement définitif.*

Les arrhes

Certains hôteliers demandent le versement d'arrhes. Il s'agit d'un dépôt-garantie qui engage l'hôtelier comme le client. Bien faire préciser les dispositions de cette garantie.

Cartes de crédit

AE ⓓ VISA CB JCB	*Cartes de crédit acceptées par l'établissement : American Express – Diners Club – Carte Bancaire (Visa, Eurocard, Mastercard) – Japan Credit Bureau*

Dear Reader

I was born in 1898. During my hundred years as Bibendum I have accompanied you all over the world, attentive to your safety while travelling and to your comfort and enjoyment on and off the road.

The knowledge and experience I acquire each year is summarised for you in the Red Guide which first appeared at the beginning of the century. The thouroughness of my inspectors, their impartial selection of hotels and restaurants and the up-to-date information they collect are your best guarantee of a successful trip.

I look forward to receiving your comments...

I remain at your service for a new century of discoveries.

Bibendum

Contents

13 *How to use this guide*
Categories – Peaceful atmosphere and setting – Hotel facilities – Stars – Prices – Glossary of menu terms

27 *Restaurants*
Star-rated restaurants - Where to eat after a show - That special dish - Foreign specialities - In the traditional style : "bistrots" and "brasseries" - Restaurants offering menus from 100 F to 160 F - Openair restaurants - Restaurants with private dining rooms - Restaurants open Saturday and Sunday.

45 *Paris*

161 *Environs*

219 *Public transport*
RER and SNCF - Métro - Taxis

226 *Practical information*

228 *Index*

How to use this guide

Categories ________
Peaceful atmosphere and setting
Hotel facilities ________
Stars ________
Prices ________
Glossary of menu terms ________

In order to make your stay in Paris easier, this Guide offers a selection of hotels and restaurants which have been categorised by level of comfort and listed in order of preference within each category.

Categories

Hotels	Restaurants	
🏨🏨🏨🏨🏨	XXXXX	*Luxury in the traditional style*
🏨🏨🏨🏨	XXXX	*Top class comfort*
🏨🏨🏨	XXX	*Very comfortable*
🏨🏨	XX	*Comfortable*
🏨	X	*Quite comfortable*
M		*In its category, hotel with modern amenities*
sans rest.		*No restaurant in the hotel*
	avec ch.	*The restaurant also offers accommodation*

Peaceful atmosphere and setting

Certain establishments are distinguished in the guide by the red symbols shown below.

Your stay in such hotels will be particularly pleasant or restful, owing to the character of the building, its decor, the setting, the welcome and services offered, or simply the peace and quiet to be enjoyed there.

🏨🏨🏨🏨🏨 to 🏨	*Pleasant hotels*
XXXXX to X	*Pleasant restaurants*
« Jardin »	*Particularly attractive feature*
(very quiet symbol)	*Very quiet or quiet, secluded hotel*
(quiet symbol)	*Quiet hotel*
← Notre-Dame	*Exceptional view*
←	*Interesting or extensive view*

Hotel facilities

In general the hotels we recommend have full bathroom and toilet facilities in each room. However, this may not be the case for certain rooms in categories 🏘 *and* 🏠.

30 rm	*Number of rooms*
	Lift (elevator)
	Air conditioning (in all or part of the hotel)
TV	*Television in room*
	Rooms reserved for non-smokers
	Direct-dial phone in room
	Minitel-modem point in the bedrooms
	Rooms accessible to the physically handicapped
	Meals served in garden or on terrace
	Exercise room
	Outdoor or indoor swimming pool
	Garden
	Hotel tennis court
25 à 150	*Equipped conference hall (minimum and maximum capacity)*
	Hotel garage (additional charge in most cases)
P	*Car park for customers only*
P	*Enclosed car park for customers only*
	Dogs are excluded from all or part of the hotel
Fax	*Telephone document transmission*
fermé 3 août-15 sept.	*Dates when closed, as indicated by the hotelier. Where no date or season is shown, establishments are open all year round*

Stars

Certain establishments deserve to be brought to your attention for the particularly fine quality of their cooking. ***Michelin stars*** *are awarded for the standard of meals served.*
For each of these restaurants we indicate three culinary specialities to assist you in your choice.

✿✿✿ **Exceptional cuisine, worth a special journey**

One always eats here extremely well, sometimes superbly. Fine wines, faultless service, elegant surroundings. One will pay accordingly!

✿✿ **Excellent cooking, worth a detour**

Specialities and wines of first class quality. This will be reflected in the price.

✿ **A very good restaurant in its category**

The star indicates a good place to stop on your journey. But beware of comparing the star given to an expensive «de luxe» establishment to that of a simple restaurant where you can appreciate fine cuisine at a reasonable price.

Prices

Prices quoted are valid for autumn 1997. Changes may arise if goods and service costs are revised.

The rates include tax and service and no extra charge should appear on your bill, with the possible exception of visitor's tax.

Hotels and restaurants in bold type have supplied details of all their rates and have assumed responsibility for maintaining them for all travellers in possession of this guide.

Certain establishments offer special rates apart from during high season and major exhibitions. Ask when booking.

Your recommendation is self-evident if you always walk into a hotel Guide in hand.

Meals

enf. 60	*Price of children's menu*
⊗	*Establishment serving a simple menu for less than 85 F*

Set meals

Repas *(52)*	*Price for a 2 course meal, generally served weekday lunchtimes*
90 (déj.)	*Set meal served only at lunch time*
110/150	*Lowest* 110 *and highest* 150 *prices for set meals*
100/150	*The cheapest set meal* 100 *is not served on Saturdays, Sundays or public holidays*
bc	*House wine included*
🍷	*Wine served by the glass*
carafe symbol	*Table wine by the carafe*

«A la carte» meals

Repas carte 140 à 310	*The first figure is for a plain meal and includes first course, main dish of the day with vegetables and dessert.* *The second figure is for a fuller meal (with «spécialité») and includes 2 main courses, cheese, and dessert (drinks, not included)*

Rooms

ch 365/620	*Lowest price* 365 *for a single room and highest price* 620 *for a double.*
29 ch ☕ 360/750	*Price includes breakfast*
☕ 40	*Price of continental breakfast (generally served in the bedroom)*
appart.	*Enquire at hotel for rates*

Half board

1/2 P 350/650	*Lowest and highest prices of half board (room, breakfast and a meal) per person, per day in the season. It is advisable to agree on terms with the hotelier before arriving.*

Deposits

Some hotels will require a deposit, which confirms the commitment of customer and hotelier alike. Make sure the terms of the agreement are clear.

Credit cards

AE ⓓ VISA CB JCB	*Credit cards accepted by the establishment: American Express – Diners Club – Carte Bancaire (includes Eurocard, MasterCard and Visa) – Japan Credit Bureau*

Glossary of menu terms

This section provides translations and explanations of many terms commonly found on French menus. It will also give visitors some idea of the specialities listed under the "starred" restaurants which we have recommended for fine food. Far be it from us, however, to spoil the fun of making your own inquiries to the waiter, as, indeed, the French do when confronted with a mysterious but intriguing dish!

A

Agneau – *Lamb*
Aiguillette (caneton or ***canard)*** – *Thin, tender slice of duckling, cut lengthwise*
Ail – *Garlic*
Andouillette – *Sausage made of pork or veal tripe*
Artichaut – *Artichoke*
Avocat – *Avocado pear*

B

Ballotine – *A variety of galantine (white meat moulded in aspic)*
Bar – *Sea bass (see* Loup au Fenouil*)*
Barbue – *Brill*
Baudroie – *Burbot*
Béarnaise – *Sauce made of butter, eggs, tarragon, vinegar served with steaks and some fish dishes*
Belons – *Variety of flat oyster with delicate flavor*
Beurre blanc – *"White butter", a sauce made of butter wellwhipped with vinegar and shallots, served with pike and other fish*
Bœuf bourguignon – *Beef stewed in red wine*
Bordelaise (à la) – *Red wine sauce with shallots and bone marrow*
Boudin grillé – *Grilled pork blood-sausage*
Bouillabaisse – *A soup of fish and, sometimes, shellfish, cooked with garlic, parsley, tomatoes, olive oil, spices, onions and saffron. The fish and the soup are served separately. A Marseilles specialty*
Bourride – *Fish chowder prepared with white fish, garlic, spices, herbs and white wine, served with* aïoli
Brochette (en) – *Skewered*

C

Caille – *Quail*
Calamar – *Squid*
Canard à la rouennaise – *Roast or fried duck, stuffed with its liver*
Canard à l'orange – *Roast duck with oranges*
Canard aux olives – *Roast duck with olives*
Carré d'agneau – *Rack of lamb (loin chops)*
Cassoulet – *Casserole dish made of white beans, condiments, served (depending on the recipe) with sausage, pork, mutton, goose or duck*
Cèpes – *Variety of mushroom*
Cerfeuil – *Chervil*
Champignons – *Mushrooms*
Charcuterie d'Auvergne – *A region of central France, Auvergne is reputed to produce the best country-prepared pork-meat specialities, served cold as a first course*
Charlotte – *A moulded sponge cake although sometimes made with vegetables*
Chartreuse de perdreau – *Young partridge cooked with cabbage*
Châtaigne – *Chestnuts*
Châteaubriand – *Thick, tender cut of steak from the heart of the fillet or tenderloin*
Chevreuil – *Venison*
Chou farci – *Stuffed cabbage*
Choucroute garnie – *Sauerkraut, an Alsacian speciality, served hot and "garnished" with ham, frankfurters, bacon, smoked pork, sausage and boiled potatoes. A good dish to order in a* brasserie
Ciboulette – *Chives*
Civet de gibier – *Game stew with wine and onions (*civet de lièvre = *jugged hare)*
Colvert – *Wild duck*
Confit de canard or d'oie – *Preserved duck or goose cooked in its own fat sometimes served with* cassoulet
Coq au vin – *Chicken (literally, "rooster") cooked in red wine sauce with onions, mushrooms and bits of bacon*
Coques – *Cockles*
Coquilles St-Jacques – *Scallops*
Cou d'oie farci – *Stuffed goose neck*
Coulis – *Thick sauce*
Couscous – *North African dish of semolina (crushed wheat grain) steamed and served with a broth of chick-peas and other vegetables, a spicy sauce, accompanied by chicken, roast lamb and sausage.*
Crêpes – *Thin, light pancakes*
Crevettes – *Shrimps*
Croustades – *Small moulded pastry (puff pastry)*
Crustacés – *Shellfish*

D - E

***Daube (Bœuf en)** – Beef braised with carrots and onions in red wine sauce*
***Daurade** – Sea bream*
***Écrevisses** – Fresh water crayfish*
***Entrecôte marchand de vin** – Rib steak in a red wine sauce with shallots*
***Escalope de veau** – (Thin) veal steak, sometimes served* panée, *breaded, as with* Wiener Schnitzel
***Escargot** – Snails, usually prepared with butter, garlic and parsley*
***Estragon** – Tarragon*

F

***Faisan** – Pheasant*
***Fenouil** – Fennel*
***Feuillantine** – See* feuilleté
***Feuilleté** – Flaky puff pastry used for making pies or tarts*
***Filet de bœuf** – Fillet (tenderloin) of beef*
***Filet mignon** – Small, round, very choice cut of meat*
***Flambé(e)** – "Flamed", i.e., bathed in brandy, rum, etc., which is then ignited*
***Flan** – Baked custard*
***Foie gras au caramel poivré** – Peppered caramelized goose or duck liver*
***Foie gras d'oie or de canard** – Liver of fatted geese or ducks, served fresh* (frais) *or in* pâté *(see p 22)*
***Foie de veau** – Calf's liver*
***Fruits de mer** – Seafood*

G

***Gambas** – Prawns*
***Gibier** – Game*
***Gigot d'agneau** – Roast leg of lamb*
***Gingembre** – Ginger*
***Goujon** or **goujonnette de sole** – Small fillets of fried sole*
***Gratin (au)** – Dish baked in the oven to produce thin crust on surface*
***Gratinée** – See : onion soup under* soupe à l'oignon
***Grenadin de veau** – Veal tournedos*
***Grenouilles (cuisses de)** – Frogs' legs, often served* à la provençale *(see p 22)*
***Grillades** – Grilled meats, mostly steaks*

H - J - L

***Homard** – Lobster*
***Homard à l'américaine** or **à l'armoricaine** – Lobster sauted in butter and olive oil, served with a sauce of tomatoes, garlic, spices, white wine and cognac*
***Huîtres** – Oysters*
***Jambon** – Ham (raw or cooked)*

Jambonnette de barbarie – *Stuffed leg of Barbary duck*
Joue de bœuf – *A very tasty piece of beef, literally the cheek of the beef*
Julienne – *Vegetables, fruit, meat or fish cut up in small sticks*
Lamproie – *Lamprey, often served* à la bordelaise *(see p 18)*
Langoustines – *Large prawns*
Lapereau – *Young rabbit*
Lièvre – *Hare (for* civet de lièvre, *see p 19)*
Lotte – *Burbot*
Loup au fenouil – *In the south of France, sea bass with fennel (same as* bar*)*

M

Magret – *Duck steak*
Marcassin – *Young wild boar*
Mariné – *Marinated*
Marjolaine – *A pastry of different flavors often with a chocolate base*
Marmite dieppoise – *Fish soup from Dieppe*
Matelote d'anguilles or de lotte – *Eel or burbot stew with red wine, onions and herbs*
Méchoui – *A whole roasted lamb*
Merlan – *Whiting*
Millefeuille – *Napoleon, vanilla slice*
Moelle (à la) – *With bone marrow*
Morilles – *Morel mushroom*
Morue fraîche – *Fresh cod*
Mouclade – *Mussels prepared without shells, in white wine and shallots wit cream sauce and spices*
Moules farcies – *Stuffed mussels (usually filled with butter, garlic and parsley)*
Moules marinières – *Mussels steamed in white wine, onions and spices*

N - O

Nage (à la) – *A court-bouillon with vegetables and white wine*
Nantua – *Sauce made with fresh water crayfish tails and served with* quenelles *fish, seafood, etc.*
Navarin – *Lamb stew with small onions, carrots, turnips and potatoes*
Noisettes d'agneau – *Small, round, choice morsels of lamb*
Œufs brouillés – *Scrambled eggs*
Œufs en meurette – *Poached eggs in red wine sauce with bits of bacon*
Œufs sur le plat -- *Fried eggs, sunnyside up*
Omble chevalier – *Fish : Char*
Omelette soufflée – *Souffled omelette*
Oseille – *Sorrel*
Oursin – *Sea urchin*

P

Paëlla – *A saffron-flavored rice dish made with a mixture of seafood, sausage, chicken and vegetables*
Palourdes – *Clams*
Panaché de poissons – *A selection of different kinds of fish*
Pannequet – *Stuffed* crêpe *(see p 19)*
Pâté – *Also called terrine. A common French hors-d'œuvre, a kind of cold, sliced meat loaf which is made from pork, veal, liver, fowl, rabbit or game and seasoned appropriately with spices. Also served hot in pastry crust* (en croûte)
Paupiette – *Usually, slice of veal wrapped around pork or sausage meat*
Perdreau – *Young partridge*
Petit salé – *Salt pork tenderloin, usually served with lentils or cablage*
Petits-gris – *Literally, "small grays"; a variety of snail with brownish, pebbled shell*
Pétoncles – *Small scallops*
Pieds de mouton Poulette – *Sheep's feet in cream sauce*
Pigeonneau – *Young pigeon*
Pintade – *Guinea fowl*
Piperade – *A Basque dish of scrambled eggs and cooked tomato, green pepper and Bayonne ham*
Plateau de fromages – *Tray with a selection of cheeses made from cow's or goat's milk (see* cheeses *p 24)*
Poireaux – *Leek*
Poivron – *Red or green pepper*
Pot-au-feu – *Beef soup which is served first and followed by a joint of beef cooked in the soup, garnished with vegetables*
Potiron – *Pumpkin*
Poule au pot – *Boiled chicken and vegetables served with a hot broth*
Poulet à l'estragon – *Chicken with tarragon*
Poulet au vinaigre – *Chicken cooked in vinegar*
Poulet aux écrevisses – *Chicken with crayfish*
Poulet de Bresse – *Finest breed of chicken in France, grain-fed*
Pré-salé – *A particularly fine variety of lamb raised on salt marshes near the sea*
Provençale (à la) – *With tomato, garlic and parsley*

Q

Quenelles de brochet – *Fish-balls made of pike;* quenelles *are also made of veal or chicken farcemant*
Queue de bœuf – *Oxtail*
Quiche lorraine – *Hot custard pie flavored with chopped bacon and baked in an unsweetened pastry shell*

R - S

Ragoût – *Stew*
Raie aux câpres – *Skate fried in butter garnished with capers*
Ris de veau – *Sweetbreads*
Rognons de veau – *Veal kidneys*
Rouget – *Red mullet*
St-Jacques – *Scallops, as* coquilles St-Jacques
St-Pierre – *Fish : John Dory*
Salade niçoise – *A first course made of lettuce, tomatoes, celery, olives, green pepper, cucumber, anchovy and tuna, seasoned to taste. A favorite hors-d'œuvre*
Sandre – *Pike perch*
Saucisson chaud – *Pork sausage, served hot with potato salad, or sometimes in pastry shel* (en croûte)
Saumon fumé – *Smoked salmon*
Scampi fritti – *French-fried shrimp*
Selle d'agneau – *Saddle of lamb*
Soufflé – *A light, fluffy baked dish made of eggs yolks and whites beaten separately and combined with cheese or fish, for example, to make a first course, or with fruit or liqueur as a dessert*
Soupe à l'oignon – *Onion soup with grated cheese and* croûtons *(small crisp pieces of toasted bread)*
Soupe de poissons – *Fish chowder*
Steak au poivre – *Pepper steak, often served flamed*
Suprême – *Usually refers to poultry or fish served with a white sauce*

T - V

Tagine – *A stew with either chicken, lamb, pigeons or vegetables*
Tartare – *Raw meat or fish minced up and then mixed with eggs, herbs and other condiments before being shaped into a patty*
Terrine – *See* pâté *p. 22*
Tête de veau – *Calf's head*
Thon – *Tuna*
Tournedos – *Small, round tenderloin steak*
Tourteaux – *Large crab (from Atlantic)*
Tripe à la mode de Caen – *Beef tripe with white wine and carrots*
Truffe – *Truffle*
Truite – *Trout*
Volaille – *Fowl*
Vol-au-Vent – *Puff pastry shell filled with chicken, meat, fish, fish-balls* (quenelles) *usually in cream sauce with mushrooms*

Desserts

Baba au rhum – *Sponge cake soaked in rum, sometimes served with whipped cream*
Beignets de pommes – *Apple fritters*
Clafoutis – *Dessert of apples (cherries, or other fruit) baked in batter*
Glace – *Ice cream*

Gourmandises – *Selection of desserts*
Nougat glacé – *Iced nougat*
Pâtisseries – *Pastry, cakes*
Profiteroles – *Small round pastry puffs filled with cream or ice cream and covered with chocolate sauce*
St-Honoré – *Cake made of two kinds of pastry and whipped cream, names after the patron saint of pastry cooks*
Sorbet – *Sherbet*
Soufflé – *See p. 23*
Soupe de pêches – *Peaches in syrup or in wine*
Tarte aux pommes – *Open apple tart*
Tarte Tatin – *Apple upside-down tart, caramelized and served warm*
Vacherin – *Meringue with ice-cream and whipped cream*

Fromages

Several famous French cheeses
Cow's milk – *Bleu d'Auvergne, Brie, Camembert, Cantal, Comté, Gruyère, Munster, Pont-l'Évêque, Tomme de Savoie*
Goat's milk – *Chabichou, Crottin de Chavignol, Ste-Maure, Selles-sur-Cher, Valençay*
Sheep's milk – *Roquefort*

Fruits

Airelles – *Cranberries*
Cassis – *Blackcurrant*
Cerises – *Cherries*
Citron – *Lemon*
Fraises – *Strawberries*
Framboises – *Raspberries*
Pamplemousse – *Grapefruit*
Pêches – *Peaches*
Poires – *Pears*
Pomme – *Apple*
Pruneaux – *Prunes*
Raisin – *Grapes*

Restaurants

Nous vous présentons ci-après une liste d'établissements sélectionnés pour la qualité de leur table ou pour leurs spécialités françaises ou étrangères.
Vous trouverez également des adresses pour souper après le spectacle, pour déjeuner en plein air à Paris ou en banlieue...

You will find below a list of establishments selected for the quality of their cuisine or for the traditional French and foreign dishes which they offer.
In addition we give suggestions where to eat after a show and where to enjoy a meal out of doors in Paris or in the suburbs.

Les bonnes tables à étoiles

✿✿✿

Page	Confort	Restaurant
98	XXXXX	Lucas Carton *(Senderens)* - 8e
98	XXXXX	Taillevent *(Vrinat)* - 8e
141	XXXX	Alain Ducasse - 16e
64	XXXX	Ambroisie (L') *(Pacaud)* - 4e
84	XXXX	Arpège *(Passard)* - 7e
99	XXXX	Pierre Gagnaire - 8e

✿✿

Page	Confort	Restaurant
98	XXXXX	Ambassadeurs (Les) - 8e
54	XXXXX	Espadon (L') - 1er
98	XXXXX	Lasserre - 8e
98	XXXXX	Laurent - 8e
98	XXXXX	Ledoyen - 8e
74	XXXXX	Tour d'Argent - 5e
55	XXXX	Carré des Feuillants - 1er
99	XXXX	Élysées (Les) - 8e
141	XXXX	Faugeron - 16e
55	XXXX	Gérard Besson - 1er
55	XXXX	Goumard-Prunier - 1er
54	XXXX	Grand Vefour - 1er
150	XXXX	Guy Savoy - 17e
84	XXXX	Le Divellec - 7e
150	XXXX	Michel Rostang - 17e
110	XXXX	Rest. Opéra - 9e
213	XXXX	Trois Marches (Les) Versailles
141	XXXX	Vivarois - 16e
151	XXX	Apicius - 17e
141	XXX	Jamin - 16e
173	XXX	Relais Ste-Jeanne Cergy-Pontoise Ville Nouvelle

✿

Page	Confort	Restaurant
98	XXXXX	Bristol - 8e
98	XXXXX	Régence - 8e
99	XXXX	Astor (L') - 8e
129	XXXX	Célébrités (Les) - 15e
99	XXXX	Chiberta - 8e
99	XXXX	Clovis - 8e
169	XXXX	Comte de Gascogne (Au) Boulogne-Billancourt
55	XXXX	Drouant - 2e
150	XXXX	Étoile d'Or (L') - 17e
144	XXXX	Grande Cascade - 16e
84	XXXX	Jules Verne - 7e
99	XXXX	Marée (La) - 8e
55	XXXX	Meurice (Le) - 1er
130	XXXX	Montparnasse 25 - 14e
110	XXXX	Muses (Les) - 9e
144	XXXX	Pré Catelan - 16e
141	XXXX	Prunier-Traktir - 16e
151	XXX	Amphyclès - 17e
159	XXX	Beauvilliers - 18e
85	XXX	Cantine des Gourmets - 7e
55	XXX	Céladon - 2e
173	XXX	Chiquito Cergy-Pontoise Ville Nouvelle
100	XXX	Copenhague - 8e
130	XXX	Duc (Le) - 14e
151	XXX	Faucher - 17e

Page		Restaurant
55	XXX	Il Cortile - 1er
74	XXX	Jacques Cagna - 6e
99	XXX	Jardin - 8e
194	XXX	Maxim's Orly (Aéroports de Paris)
74	XXX	Paris - 6e
84	XXX	Paul Minchelli - 7e
142	XXX	Pergolèse - 16e
142	XXX	Port Alma - 16e
119	XXX	Pressoir (Au) - 12e
141	XXX	Relais d'Auteuil - 16e
75	XXX	Relais Louis XIII - 6e
151	XXX	Sormani - 17e
110	XXX	Table d'Anvers - 9e
185	XXX	Tastevin Maisons-Laffitte
151	XXX	Timgad - 17e
84	XXX	Violon d'Ingres - 7e
177	XX	Aub. du Château "Table des Blot" Dampierre-en-Yvelines
85	XX	Bellecour - 7e
64	XX	Benoît - 4e
153	XX	Braisière - 17e
142	XX	Conti - 16e
101	XX	Marius et Janette - 8e
152	XX	Petit Colombier - 17e
56	XX	Pierre Au Palais Royal - 1er
85	XX	Récamier - 7e
75	XX	Timonerie - 5e
120	XX	Trou Gascon (Au) - 12e
192	XX	Truffe Noire Neuilly-sur-Seine

Pour souper après le spectacle

(Nous indiquons entre parenthèses l'heure limite d'arrivée)

Page	Catégorie	Restaurant
110	XXX	Charlot "Roi des Coquillages" - 9e (1 h)
130	XXX	Dôme - 14e (0 h 30)
142	XXX	Pavillon Noura - 16e (0 h)
56	XXX	Pierre " A la Fontaine Gaillon " - 2e (0 h 30)
75	XXX	Procope (Le) - 6e (1 h)
100	XXX	Yvan - 8e (0 h)
102	XX	Alsace (L') - 8e (jour et nuit)
153	XX	Ballon des Ternes - 17e (0 h 30)
131	XX	Bistro 121 - 15e (0 h)
64	XX	Blue Elephant - 11e (0 h)
64	XX	Bofinger - 4e (1 h)
110	XX	Brasserie Café de la Paix - 9e (0 h)
111	XX	Brasserie Flo - 10e (1 h 30)
131	XX	Coupole (La) - 14e (2 h)
110	XX	Grand Café Capucines - 9e (jour et nuit)
56	XX	Gallopin (0 h 30)
57	XX	Grand Colbert - 2e (1 h)
110	XX	Julien - 10e (1 h 30)
201	XX	Pavillon Joséphine (0 h) Rueil-Malmaison
111	XX	Petit Riche (Au) - 9e (0 h 15)
102	XX	Pichet (Le) - 8e (0 h)
56	XX	Pied de Cochon (Au) - 1er (jour et nuit)
56	XX	Pierre Au Palais Royal 1er (0 h)
204	XX	Régency 1925 (1 h) St-Maur-des-Fossés
56	XX	Rôtisserie Monsigny - 2e (0 h)
111	XX	Terminus Nord - 10e (0 h 30)
56	XX	Vaudeville - 2e (2 h)
102	XX	Village d'Ung et Li Lam - 8e (0 h)
131	XX	Vin et Marée - 14e (0 h)
142	XX	Zébra Square - 16e (0 h)
78	X	Balzar - 5e (0 h 30)
112	X	Bistro des Deux Théâtres - 9e (0 h 30)
144	X	Bistrot de l'Étoile - 16e (0 h)
76	X	Bookinistes (Les) - 6e (0 h)
76	X	Bouillon Racine - 6e (1 h)
143	X	Butte Chaillot - 16e (0 h)
57	X	Café Marly - 1er (1 h)
102	X	Cap Vernet - 8e (0 h)
112	X	I Golosi - 9e (0 h)
121	X	Paul (Chez) - 13e (0 h)
133	X	Père Claude (0 h)
65	X	Petit Bofinger - 4e (0 h)
193	X	Petit Bofinger (0 h) Neuilly-sur-Seine
57	X	Poule au Pot - 1er (5 h)
134	X	Régalade (La) - 14e (0 h)
77	X	Rotonde (1 h 15)
121	X	Sipario (0 h)
87	X	Thoumieux - 7e (0 h)

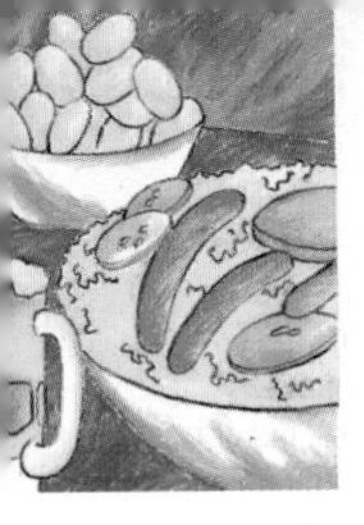

Le plat que vous recherchez

Une andouillette
64 Ambassade d'Auvergne - 3e
66 Anjou-Normandie - 11e
154 Caves Petrissans - 17e
65 Chardenoux - 11e
133 Château Poivre - 14e
131 Coupole - 14e
121 Escapade en Touraine (L') - 12e
102 Ferme des Mathurins - 8e
87 Fontaine de Mars - 7e
132 Gauloise - 15e
57 Georges (Chez) - 2e
65 Grizzli - 4e
75 Marty - 5e
78 Moissonnier - 5e
121 Paul (Chez) - 13e
134 Petit Mâchon - 15e
120 Petit Marguery - 13e
56 Pied de Cochon (Au) - 1er
133 Pierre (Chez) - 15e
197 Pouilly Reuilly (Au) à Le Pré St-Gervais
121 Rhône - 13e
144 Scheffer - 16e
134 St-Vincent - 15e

Du boudin
64 Ambassade d'Auvergne - 3e
120 Aub. Etchégorry - 13e
65 Bascou (Au) - 3e
86 Chez Eux (D') - 7e
87 Fontaine de Mars - 7e
77 Marlotte - 6e
78 Moissonnier - 5e
121 Paul (Chez) - 13e
197 Pouilly Reuilly (Au) à Le Pré St-Gervais
121 Rhône - 13e

Une bouillabaisse
76 Arrosée (L') - 6e
151 Augusta - 17e
110 Charlot "Roi des Coquillages" - 9e
130 Dôme - 14e
120 Frégate - 12e
55 Goumard-Prunier - 1er
192 Jarrasse à Neuilly-sur-Seine
143 Marius - 16e
130 Moniage Guillaume - 14e
210 Orée du Bois à Vélizy-Villacoublay
132 Senteurs de Provence (Aux) - 15e

Un cassoulet
120 Aub. Etchégorry - 13e
64 Benoît - 4e
86 Chez Eux (D') - 7e
133 Gastroquet - 15e
110 Julien - 10e
153 Léon (Chez) - 17e
130 Lous Landès - 14e
56 Pays de Cocagne - 2e
111 Quercy - 9e
120 Quincy - 12e
100 Sarladais - 8e
64 Sousceyrac (A) - 11e
184 St-Pierre à Longjumeau
206 Table d'Antan à Ste-Geneviève-des-Bois
87 Thoumieux - 7e
120 Trou Gascon (Au) - 12e
75 Truffière - 5e
132 Vendanges (Les) - 14e

Une choucroute
102 Alsace (L') - 8e
113 Alsaco Winstub (L') - 9e
64 Bofinger - 4e
111 Brasserie Flo - 10e
131 Coupole - 14e
111 Terminus Nord - 10e

Un confit
120 Aub. Etchégorry - 13e
178 Aub. Landaise à Enghien-les-Bains
65 Bascou (Au) - 3e
203 Capucins (Aux) à St-Mandé
202 Cazaudehore à St-Germain-en-Laye
86 Chez Eux (D') - 7e
111 Comme Chez Soi - 9e
112 Deux Canards (Aux) - 10e
166 Escargot (A l') à Aulnay-sous-Bois
121 Françoise (Chez) - 13e
133 Gastroquet - 15e
58 Lescure - 1er
130 Lous Landès - 14e
65 Monde des Chimères - 4e
143 Paul Chêne - 16e
56 Pays de Cocagne - 2e
111 Quercy - 9e
112 Relais Beaujolais - 9e
111 Saintongeais - 9e

100 Sarladais - 8e
152 Table de Pierre - 17e
87 Thoumieux - 7e
120 Trou Gascon (Au) - 12e
132 Vendanges (Les) - 14e

Un coq au vin

185 Bourgogne à Maisons-Alfort
121 la Biche au Bois (A) - 12e
160 Marie-Louise - 18e
77 Moulin à Vent "Chez Henri" - 5e
133 Pierre (Chez) - 15e
77 Rôtisserie du Beaujolais - 5e
134 St-Vincent - 15e
141 Vivarois - 16e

Des coquillages, crustacés, poissons

102 Alsace (L') - 8e
174 Amphitryon (L') à Charenton-le-Pont
151 Augusta - 17e
153 Ballon des Ternes - 17e
65 Bistrot du Dôme - 4e
64 Bofinger - 4e
111 Brasserie Flo - 10e
102 Cap Vernet - 8e
110 Charlot "Roi des Coquillages" - 9e
75 Closerie des Lilas - 6e
131 Coupole - 14e
152 Dessirier - 17e
130 Dôme - 14e
130 Duc (Le) - 14e
120 Frégate - 12e
86 Gaya Rive Gauche - 7e
86 Glénan (Les) - 7e
55 Goumard-Prunier - 1er
110 Grand Café Capucines - 9e
154 Huitrier (L') - 17e
192 Jarrasse à Neuilly-sur-Seine
110 Julien - 10e
84 Le Divellec - 7e
100 Luna - 8e
214 Marée de Versailles à Versailles
99 Marée (La) - 8e
152 Marines de Pétrus (Les) - 17e
101 Marius et Janette - 8e
75 Marty - 5e
84 Paul Minchelli - 7e
151 Pétrus - 17e
56 Pied de Cochon (Au) - 1er
142 Port Alma - 16e
141 Prunier-Traktir - 16e
101 Stella Maris - 8e
153 Taïra - 17e
111 Terminus Nord - 10e
131 Vin et Marée - 14e
144 Vin et Marée - 16e

Des escargots

77 Allard - 6e
113 Alsaco Winstub (L') - 9e
64 Benoît - 4e
86 Champ de Mars - 7e
111 Comme Chez Soi - 9e
166 Escargot (A l') à Aulnay-sous-Bois
184 Escargot de Linas (L') à Linas
153 Léon (Chez) - 17e
78 Moissonnier - 5e
77 Moulin à Vent "Chez Henri" - 5e
120 Quincy - 12e
112 Relais Beaujolais - 9e

Une paëlla

120 Aub. Etchégorry - 13e
178 Aub. Landaise à Enghien-les-Bains
121 Françoise (Chez) - 13e
143 Rosimar - 16e
192 San Valero à Neuilly-sur-Seine

Une grillade

102 Alsace (L') - 8e
111 Brasserie Flo - 10e
204 Coq de la Maison Blanche à St-Ouen
131 Coupole - 14e
144 Driver's - 16e
101 Fermette Marbeuf 1900 - 8e
77 Joséphine "Chez Dumonet" - 6e
110 Julien - 10e
56 Pied de Cochon (Au) - 1er
153 Rôtisserie d'Armaillé - 17e
77 Rôtisserie d'en Face - 6e
77 Rôtisserie du Beaujolais - 5e
56 Rôtisserie Monsigny - 2e
111 Terminus Nord - 10e
119 Train Bleu - 12e
56 Vaudeville - 2e

De la tête de veau

151 Apicius - 17e
65 Astier - 11e
131 Bistro 121 - 15e
154 Caves Petrissans - 17e
153 Georges (Chez) - 17e
121 Jacky (Chez) - 13e
153 Léon (Chez) - 17e
75 Marty - 5e
166 Petite Auberge à Asnières-sur-Seine
143 Petite Tour - 16e
134 Petit Mâchon - 15e
56 Pied de Cochon (Au) - 1er
133 Pierre (Chez) - 15e
132 Pierre Vedel - 15e
121 Rhône - 13e
87 Thoumieux - 7e

Des tripes

66 Anjou-Normandie - 11e
77 Bistrot d'Alex - 6e
65 Chardenoux - 11e
66 Fernandises (Les) - 11e
56 Pharamond - 1er
56 Pied de Cochon (Au) - 1er
87 Thoumieux - 7e

Des fromages

101 Androuët - 8e

CUISINE VÉGÉTARIENNE

58 Entre Ciel et Terre - 1er
58 Victoire Suprême du Coeur - 1er

Spécialités étrangères

Anglaises

Page	Couverts	Restaurant
138		Bertie's (H. Baltimore) - 16e

Chinoises, Thailandaises et Vietnamienne

Page	Couverts	Restaurant
130	XXX	Chen - 15e
142	XXX	Ngo (Chez) - 16e
142	XXX	Tsé-Yang - 16e
64	XX	Blue Elephant - 11e
175	XX	Bonheur de Chine à Chennevières-sur-Marne
200	XX	Bonheur de Chine à Rueil-Malmaison
131	XX	Erawan - 15e
86	XX	Foc Ly - 7e
192	XX	Foc Ly à Neuilly-sur-Seine
102	XX	Kok Ping - 8e
171	XX	Lotus de Brou à Brou-sur-Chantereine
171	XX	Panoramic de Chine à Carrière-sur-Seine
111	XX	P'tite Tonkinoise - 10e
86	XX	Tan Dinh - 7e
142	XX	Tang - 16e
102	XX	Village d'Ung et Li Lam - 8e
78	X	Palanquin - 6e

Espagnoles

Page	Couverts	Restaurant
192	XXX	San Valero à Neuilly-sur-Seine
143	X	Rosimar - 16e

Grecques

Page	Couverts	Restaurant
75	XX	Mavrommatis - 5e
88	X	Apollon - 7e

Hongroises

Page	Couverts	Restaurant
111	XX	Paprika - 9e

Indiennes

Page	Couverts	Restaurant
100	XXX	Indra - 8e
130	XX	Lal Qila - 15e
131	XX	Vishnou - 14e
75	XX	Yugaraj - 6e

Italiennes

Page	Couverts	Restaurant
55	XXX	Il Cortile - 1er
151	XXX	Il Ristorante - 17e
175	XXX	Romantica à Clichy
151	XXX	Sormani - 17e
85	XX	Beato - 7e
143	XX	Bellini - 16e
110	XX	Chateaubriant (Au) - 10e
142	XX	Conti - 16e
86	XX	Gildo - 7e
142	XX	Giulio Rebellato - 16e
185	XX	Ribot à Maisons-Laffitte
101	XX	Stresa - 8e
143	XX	Villa Vinci - 16e
77	X	Bauta - 6e
77	X	Cafetière - 6e
132	X	Fontana Rosa - 15e
112	X	I Golosi - 9e
121	X	Sipario - 12e
92		Carpaccio (H. Royal Monceau) - 8e

Japonaises

Page	Couverts	Restaurant
75	XX	Inagiku - 5e
56	XX	Kinugawa - 1er
101	XX	Kinugawa - 8e
101	XX	Suntory - 8e
126		Benkay (H. Nikko) - 15e
148		Yamato (H. Méridien) - 17e

Libanaises

Page	Couverts	Restaurant
142	XXX	Pavillon Noura - 16e

Nord-Africaines

151	XXX	Timgad - 17e
142	XX	Al Mounia - 16e
131	XX	Caroubier - 14e
100	XX	El Mansour - 8e
192	XX	Riad (Le) à Neuilly-sur-Seine
165	XX	Tour de Marrakech à Antony
111	XX	Wally Le Saharien - 9e
65	X	Mansouria - 11e

Portugaises

57	XX	Saudade - 1er

Russes

76	X	Dominique - 6e

Scandinaves

100	XXX	Copenhague - 8e
112	X	Petite Sirène de Copenhague - 9e
100		Flora Danica (Copenhague) - 8e

Dans la tradition bistrots et brasseries

Les bistrots

1er arrondissement

56	XX	Pharamond
57	X	Bistrot St-Honoré
58	X	Lescure
57	X	Poule au Pot
57	X	Souletin

2e arrondissement

57	X	Georges (Chez)

3e arrondissement

65	X	Bascou (Au)

4e arrondissement

64	XX	Benoît
65	X	Grizzli
65	X	Petit Bofinger

5e arrondissement

78	X	Moissonnier
77	X	Moulin à Vent "Chez Henri"

6e arrondissement

77	X	Allard
77	X	Joséphine "Chez Dumonet"

7e arrondissement

86	X	Bistrot de Paris
87	X	Côté 7eme (Du)
87	X	Fontaine de Mars
86	X	P'tit Troquet

9e arrondissement

111	XX	Petit Riche (Au)
113	X	Catherine - Le Poitou (Chez)
112	X	Jean (Chez)
112	X	Relais Beaujolais

11e arrondissement

65	X	Astier
65	X	Chardenoux
66	X	Fernandises (Les)

12e arrondissement

120	X	Quincy
121	X	St-Amarante
122	X	Zygomates (Les)

13e arrondissement

120	XX	Petit Marguery
120	X	Aub. Etchégorry
121	X	Avant Goût (L')
121	X	Françoise (Chez)
121	X	Paul (Chez)

14e arrondissement

134	X	Régalade

15e arrondissement

132	XX	Pierre Vedel
134	X	Os à Moelle (L')
134	X	Petit Mâchon
133	X	Pierre (Chez)
134	X	St-Vincent

16e arrondissement

143	X	Beaujolais d'Auteuil
144	X	Scheffer

17e arrondissement

153	XX	Georges (Chez)
153	XX	Léon (Chez)
154	X	Café d'Angel
154	X	Caves Petrissans

18e arrondissement

160	X	Étrier (L')
160	X	Marie-Louise

BANLIEUE

Neuilly-sur-Seine

193	X	Petit Bofinger

Pré St-Gervais (Le)

197	X	Pouilly Reuilly (Au)

Les brasseries

1er arrondissement

56	XX	Pied de Cochon (Au)

2e arrondissement

56	XX	Gallopin
57	XX	Grand Colbert
56	XX	Vaudeville

4e arrondissement

64	XX	Bofinger

5e arrondissement

75	XX	Marty
78	X	Balzar

6e arrondissement

76	X	Bouillon Racine
77	X	Rotonde

7e arrondissement

87	X	Thoumieux

8e arrondissement

102	XX	Alsace (L')

9e arrondissement

110	XX	Brasserie Café de la Paix
110	XX	Grand Café Capucines

10e arrondissement

111	XX	Brasserie Flo
110	XX	Julien
111	XX	Terminus Nord

12e arrondissement

119	XXX	Train Bleu

14e arrondissement

130	XXX	Dôme
131	XX	Coupole (La)

15e arrondissement

126		Brasserie (H. Sofitel Porte de Sèvres)
126		Brasserie Pont Mirabeau (H. Nikko)

17e arrondissement

153	XX	Ballon des Ternes

BANLIEUE

Issy-les-Moulineaux

181	X	Coquibus

Restaurants proposant des menus de 100 F à 160 F

1er arrondissement

57	XX	Bonne Fourchette
57	X	Bistrot St-Honoré
58	X	Entre Ciel et Terre
58	X	Lescure
57	X	Poule au Pot
58	X	Victoire Suprême du Coeur

2e arrondissement

56	XX	Gallopin
57	XX	Grand Colbert
56	XX	Pays de Cocagne
56	XX	Rôtisserie Monsigny

3e arrondissement

66	X	Clos du Vert Bois

4e arrondissement

64	XX	Excuse (L')
65	X	Grizzli
65	X	Monde des Chimères
65	X	Petit Bofinger
65	X	Relais St-Paul

5e arrondissement

76	XX	Aub. des Deux Signes
75	XX	Inagiku
75	XX	Mavrommatis
76	X	Bouchons de François Clerc (Les)
76	X	Campagne et Provence
78	X	Moissonnier
78	X	Reminet

6e arrondissement

76	XX	Arrosée (L')
75	XX	Maître Paul (Chez)
77	X	Bauta
77	X	Bistrot d'Alex
76	X	Bouillon Racine
76	X	Dominique
78	X	Palanquin

7e arrondissement

86	XX	Champ de Mars
86	XX	Foc Ly
86	XX	Gildo
88	X	Apollon
88	X	Bon Accueil (Au)
87	X	Calèche
87	X	Collinot (Chez)
87	X	Florimond
87	X	Maupertu
87	X	Oeillade (L')
86	X	P'tit Troquet
87	X	Sédillot
87	X	Thoumieux

8e arrondissement

102	XX	Kok Ping
102	XX	Village d'Ung et Li Lam
102	X	Ferme des Mathurins

9e arrondissement

111	XX	Bistrot Papillon
111	XX	Comme Chez Soi
111	XX	Paprika
111	XX	Quercy
111	XX	Saintongeais
113	X	Alsaco Winstub (L')
112	X	Bistro de Gala
113	X	Excuse Mogador (L')
112	X	Paludier
112	X	Petit Batailley
112	X	Petite Sirène de Copenhague
111	X	Pré Cadet

10e arrondissement
110 XX Chateaubriant (Au)
111 XX P'tite Tonkinoise

11e arrondissement
65 XX Péché Mignon
66 X Anjou-Normandie
65 X Astier
66 X Fernandises (Les)

12e arrondissement
120 XX Frégate
120 XX Traversière
121 X Escapade en Touraine (L')
120 X Jean-Pierre Frelet
121 X la Biche au Bois (A)
121 X Sipario
121 X Temps des Cerises
122 X Zygomates (Les)

13e arrondissement
121 X Anacréon
120 X Aub. Etchégorry
121 X Avant Goût (L')
121 X Françoise (Chez)
122 X Michel
121 X Rhône

14e arrondissement
131 XX Caroubier
133 X Château Poivre
134 X Gourmands (Les)
133 X Quercy

15e arrondissement
132 XX Copreaux
131 XX Dernière Valse
132 XX Etape (L')
132 XX Filoche
132 XX Gauloise
130 XX Lal Qila
132 XX Petite Bretonnière
132 XX Senteurs de Provence (Aux)
134 X Agape (L')
133 X Armoise (L')
134 X Coteaux (Les)
132 X Fontana Rosa
133 X Gastroquet
134 X Os à Moelle (L')
133 X Père Claude
134 X Petit Mâchon
133 X Petit Plat
133 X Pierre (Chez)

16e arrondissement
143 X Beaujolais d'Auteuil
143 X Butte Chaillot
143 X Cuisinier François

17e arrondissement
152 XX Aub. des Dolomites
152 XX Beudant
153 XX Guyvonne (Chez)
153 XX Petite Auberge
153 XX Soupière
153 X Impatient (L')
154 X Petite Provence

18e arrondissement
160 X Étrier (L')
160 X Marie-Louise

19e arrondissement
159 XX Chaumière

20e arrondissement
159 XX Allobroges (Les)

BANLIEUE

Antony
165 XX Amandier (L')

Asnières-sur-Seine
166 XX Petite Auberge

Aulnay-sous-Bois
166 XX Escargot (A l')

Auvers-sur-Oise
167 XX Host. du Nord

Bois-Colombes
168 X Chefson

Bonneuil-sur-Marne
168 XX Aub. du Moulin Bateau

Boulogne-Billancourt
169 XX Auberge (L')

Bry-sur-Marne
171 XX Aub. du Pont de Bry

Carrières-sur-Seine
171 XX Panoramic de Chine

Chatou
174 XX Canotiers

Chennevières-sur-Marne
175 XX Bonheur de Chine

Clichy
175 XX Barrière de Clichy

Conflans-Ste-Honorine
176 XX Confluent de l'Oise (Au)
176 X Bord de l'Eau (Au)

Croissy-sur-Seine
177 X Buissonnière

Fontenay-sous-Bois
180 X Musardière

Garches
180 XX Tardoire

Gometz-le-Chatel
181 XX Mancelière

Ivry-sur-Seine
182 X Oustalou (L')

Levallois-Perret
183 XX Instant Gourmand (L')
183 XX Rôtisserie

Longjumeau
184 XX St-Pierre

Louveciennes
185 XX Chandelles (Aux)

Maisons-Laffitte
185 XX Ribot

Marcoussis
186 X Bellejame

Marne-la-Vallée
188 X Relais Fleuri

Massy
189 XX Pavillon Européen

Montmorency
190 XX Coeur de la Forêt (Au)

Montreuil
190 XXX Gaillard

Nanterre
191 XX Rôtisserie

Neuilly-sur-Seine
193 X Petit Bofinger

Noisy-le-Grand
193 XX Amphitryon

Ozoir-la-Ferrière
195 XXX Gueulardière
195 XX Relais d'Ozoir

Poissy
197 XX Clos du Roy

Port-Marly (Le)
197 XX Aub. du Relais Breton

Puteaux
198 XX Chaumière

Queue-en-Brie (La)
198 XXX Aub. du Petit Caporal

Quincy-sous-Sénart
198 X Lisière de Sénart

Romainville
200 XXX Henri (Chez)

Rueil-Malmaison
200 XX Bonheur de Chine
201 XX Pavillon Joséphine

Rungis
201 XX Charolais

Sartrouville
206 XX Jardin Gourmand

Savigny-sur-Orge
206 XX Menil (Au)

Senlisse
207 XX Aub. du Gros Marronnier

St-Germain-en-Laye
202 X Feuillantine

St-Mandé
203 X Capucins (Aux)

St-Maur-des-Fossés
204 XXX Bretèche
204 XX Gourmet
204 XX Régency 1925
204 X Gargamelle

Ste-Geneviève-des-Bois
206 XX Table d'Antan

Sucy-en-Brie
207 XX Terrasse Fleurie

Suresnes

208 XX Jardins de Camille (Les)

Triel-sur-Seine

209 X St-Martin

Vanves

209 XX Pyramide

Varennes-Jarcy

209 XX Host. de Varennes

Vernouillet

210 XX Charmilles

Versailles

214 XX Comptoir Nordique (Au)
214 XX Étape Gourmande
213 XX Valmont
214 X Chevalet
214 X Falher (Le)

Vincennes

217 X Rigadelle

Restaurants de plein air

1er arrondissement

56 XX Palais Royal

7e arrondissement

85 XX Mais.on de l'Amérique Latine (La)

8e arrondissement

98 XXXXX Laurent
100 XX Cercle Ledoyen

14e arrondissement

130 XXX Pavillon Montsouris

16e arrondissement

144 XXXX Grande Cascade
144 XXXX Pré Catelan

19e arrondissement

159 XXX Pavillon Puebla

BANLIEUE

Asnières-sur-Seine

166 XXX Van Gogh (Le)

Chennevières-sur-Marne

174 XXX Écu de France

Maisons-Lafitte

185 XXX Tastevin

Montreuil

190 XXX Gaillard

St-Germain-en-Laye

202 XXX Cazaudehore

Vaucresson

209 XX Poularde

Le Vésinet

215 XX Pavillon de l'Ile aux Ibis

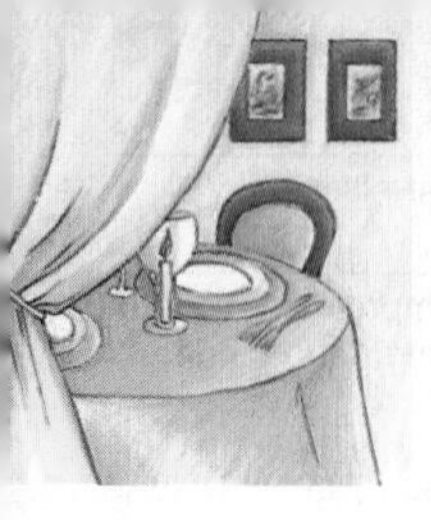

Restaurants avec salons particuliers

1er arrondissement

55	XXXX	Carré des Feuillants
55	XXXX	Goumard-Prunier
54	XXXX	Grand Vefour
55	XXX	Macéo
56	XX	Kinugawa
56	XX	Palais Royal
56	XX	Pauline (Chez)
56	XX	Pharamond
56	XX	Pied de Cochon (Au)
57	X	la Grille St-Honoré (A)

2e arrondissement

55	XXXX	Drouant
55	XXX	Céladon
56	XXX	Pierre " A la Fontaine Gaillon "
56	XX	Rôtisserie Monsigny

3e arrondissement

64	XXX	Ambassade d'Auvergne

4e arrondissement

64	XX	Benoît
64	XX	Bofinger

5e arrondissement

74	XXXXX	Tour d'Argent
76	XX	Aub. des Deux Signes
75	XX	Marty
78	X	Moissonnier

6e arrondissement

75	XXX	Procope
75	XXX	Relais Louis XIII
76	XX	Bastide Odéon
75	XX	Maître Paul (Chez)
76	XX	Rond de Serviette

7e arrondissement

84	XXXX	Arpège
85	XXX	Cantine des Gourmets
86	XX	Champ de Mars
85	XX	Ferme St-Simon
85	XX	Maison de l'Amérique Latine
85	XX	Récamier
86	X	Bistrot de Paris
87	X	Thoumieux

8e arrondissement

98	XXXXX	Lasserre
98	XXXXX	Laurent
98	XXXXX	Ledoyen
98	XXXXX	Lucas Carton
98	XXXXX	Taillevent
101	XX	Bistrot du Sommelier
101	XX	Marius et Janette

9e arrondissement

110	XXX	Table d'Anvers
111	XX	Petit Riche (Au)

11e arrondissement

64	XX	Aiguière (L')

12e arrondissement

119	XXX	Pressoir (Au)

14e arrondissement

130	XXX	Moniage Guillaume
130	XXX	Pavillon Montsouris
131	XX	Chaumière des Gourmets
131	XX	Coupole (La)
131	XX	Vin et Marée

15e arrondissement

129	XXXX	Célébrités (Les)
130	XXX	Chen
132	XX	Gauloise

16e arrondissement

141	XXXX	Faugeron
144	XXXX	Grande Cascade
144	XXXX	Pré Catelan
141	XXX	Jamin
142	XXX	Port Alma
144	X	Vin et Marée

17e arrondissement

150	XXXX	Guy Savoy
150	XXXX	Michel Rostang
151	XXX	Amphyclès
151	XXX	Manoir de Paris
153	XX	Ballon des Ternes
152	XX	Beudant
153	XX	Léon (Chez)
152	XX	Petit Colombier
153	XX	Petite Auberge

18e arrondissement

159	XXX	Beauvilliers

19e arrondissement

159	XXX	Pavillon Puebla

Restaurants ouverts samedi et dimanche

1er arrondissement

54	XXXXX	Espadon
55	XXXX	Meurice
56	XX	Pied de Cochon (Au)
57	X	Ardoise (L')
57	X	Café Marly
57	X	Poule au Pot

2e arrondissement

55	XXXX	Drouant
57	XX	Grand Colbert
56	XX	Vaudeville

3e arrondissement

64	XXX	Ambassade d'Auvergne

4e arrondissement

64	XX	Benoît
64	XX	Bofinger
65	X	Bistrot du Dôme
65	X	Petit Bofinger

5e arrondissement

74	XXXXX	Tour d'Argent
75	XXX	Closerie des Lilas
75	XX	Marty
75	XX	Mavrommatis
76	XX	Toutoune (Chez)
75	XX	Truffière
78	X	Balzar
78	X	Reminet
77	X	Rôtisserie du Beaujolais

6e arrondissement

75	XXX	Procope
75	XX	Maître Paul (Chez)
75	XX	Yugaraj
76	X	Bouillon Racine
77	X	Rotonde

7e arrondissement

84	XXXX	Le Divellec
84	XXXX	Jules Verne
85	XXX	Cantine des Gourmets
86	XX	Bar au Sel
86	XX	Champ de Mars
86	XX	Foc Ly
88	X	Apollon
86	X	Bistrot de Paris
87	X	Côté 7eme (Du)
87	X	Table d'Eiffel
87	X	Thoumieux

8e arrondissement

98	XXXXX	Ambassadeurs (Les)
98	XXXXX	Bristol
98	XXXXX	Régence
102	XX	Alsace (L')
101	XX	Fermette Marbeuf 1900
101	XX	Marius et Janette
101	XX	Suntory
102	XX	Village d'Ung et Li Lam
102	X	Appart' (L')
102	X	Cap Vernet

9e arrondissement

110	XXX	Charlot "Roi des Coquillages"
110	XX	Brasserie Café de la Paix
110	XX	Grand Café Capucines
112	X	Bistro des Deux Théâtres

10e arrondissement

111 XX Brasserie Flo
110 XX Julien
111 XX Terminus Nord

11e arrondissement

64 XX Vin et Marée
65 X Mansouria

12e arrondissement

119 XXX Train Bleu
120 X Bistrot de la Porte Dorée
121 X Temps des Cerises

13e arrondissement

121 X Paul (Chez)

14e arrondissement

130 XXX Dôme
130 XXX Pavillon Montsouris
131 XX Caroubier
131 XX Coupole (La)
131 XX Vin et Marée
133 X Bistrot du Dôme

15e arrondissement

129 XXXX Célébrités (Les)
131 XX Bistro 121
132 XX Gauloise
130 XX Lal Qila
132 X Chaumière
132 X Fontana Rosa
133 X Père Claude

16e arrondissement

144 XXXX Grande Cascade
142 XXX Ngo (Chez)
142 XXX Pavillon Noura
142 XXX Tsé-Yang
142 XX Giulio Rebellato
142 XX Zébra Square
143 X Beaujolais d'Auteuil
143 X Butte Chaillot
144 X Vin et Marée

17e arrondissement

151 XXX Pétrus
151 XXX Timgad
153 XX Ballon des Ternes
152 XX Dessirier
153 XX Georges (Chez)
152 XX Marines de Pétrus (Les)
154 X Bistro du 17e
154 X Bistrot d'à Côté Flaubert

BANLIEUE

Antony

165 XX Tour de Marrakech

Asnières-sur-Seine

166 XX Petite Auberge

Aulnay-sous-Bois

166 XX Escargot (A l')

Brou-sur-Chantereine

171 XX Lotus de Brou

Carrières-sur-Seine

171 XX Panoramic de Chine

Chennevières-sur-Marne

175 XX Bonheur de Chine

Dampierre-en-Yvelines

177 XX Écuries du Château

Maisons-Laffitte

185 XXX Tastevin
185 XX Ribot
185 XX Rôtisserie Vieille Fontaine

Marne-la-Vallée

189 XX Pavillon Européen

Neuilly-sur-Seine

192 XX Foc Ly
193 X Petit Bofinger

Quincy-sous-Sénart

198 X Lisière de Sénart

Rueil-Malmaison

200 XX Bonheur de Chine
201 XX Pavillon Joséphine

Savigny-sur-Orge

206 XX Menil (Au)

St-Germain-en-Laye

202 XXX Cazaudehore
202 X Feuillantine

St-Maur-des-Fossés

204 XX Régency 1925

Viroflay

217 XX Aub. la Chaumière

Paris

Hôtels
Restaurants

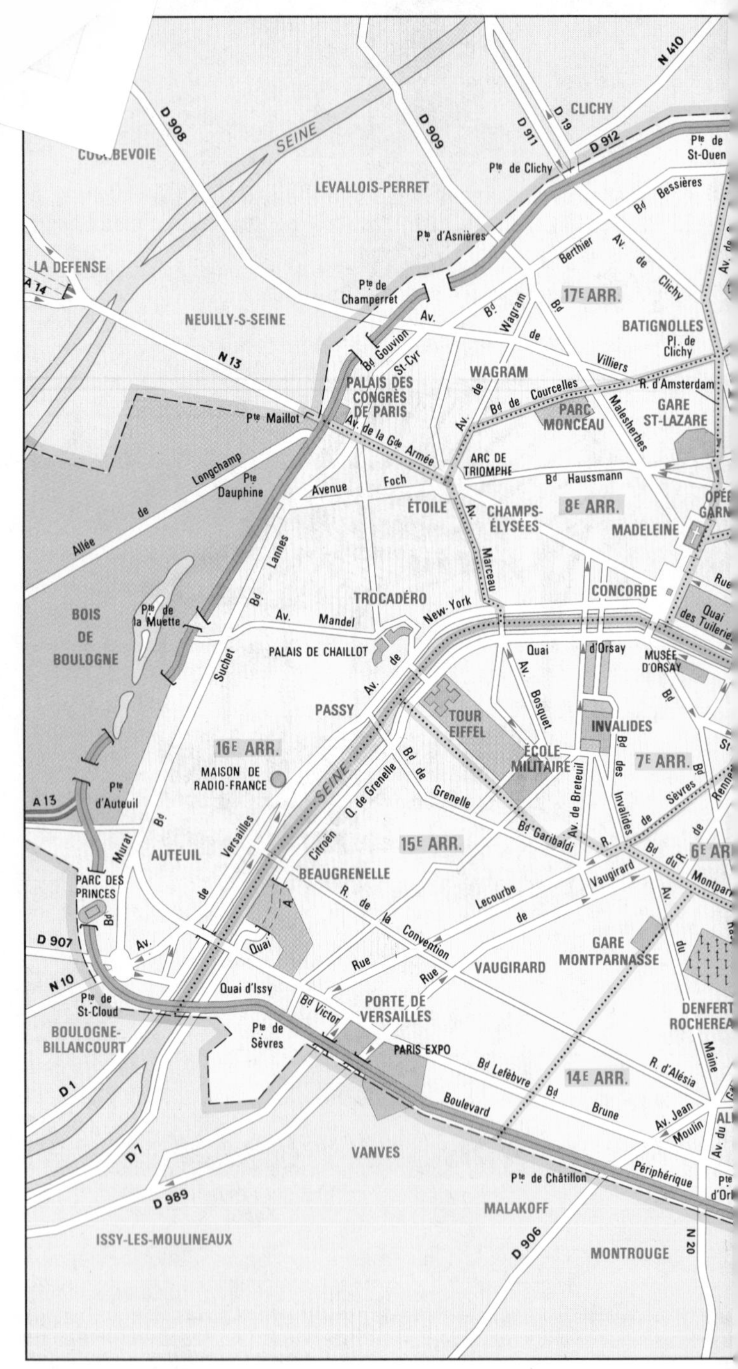
CLICHY
N 410
D 19
D 911
D 909
D 908
D 912
SEINE
COURBEVOIE
LEVALLOIS-PERRET
Pte de St-Ouen
Pte de Clichy
Bd Bessières
Pte d'Asnières
Berthier
Av. de Clichy
LA DEFENSE
A 14
Pte de Champerret
17E ARR.
NEUILLY-S-SEINE
Bd Wagram
Bd de Villiers
BATIGNOLLES
Pl. de Clichy
Av.
Bd Gouvion St-Cyr
N 13
WAGRAM
R. d'Amsterdam
PALAIS DES CONGRÈS DE PARIS
Bd de Courcelles
PARC MONCEAU
Malesherbes
GARE ST-LAZARE
Pte Maillot
Av. de la Gde Armée
Av. de
Allée de Longchamp
Pte Dauphine
ARC DE TRIOMPHE
Bd Haussmann
Avenue Foch
ÉTOILE
CHAMPS-ÉLYSÉES
8E ARR.
MADELEINE
Bd Lannes
Av. Marceau
CONCORDE
TROCADÉRO
Quai des Tuileries
BOIS DE BOULOGNE
Pte de la Muette
Av. Mandel
New-York
PALAIS DE CHAILLOT
Quai d'Orsay
MUSÉE D'ORSAY
Suchet
Av. de
Av. Bosquet
PASSY
TOUR EIFFEL
INVALIDES
16E ARR.
ÉCOLE MILITAIRE
Bd des Invalides
7E ARR.
MAISON DE RADIO-FRANCE
SEINE
Bd de Grenelle
Q. de Grenelle
Av. de Breteuil
Sèvres
A 13
Pte d'Auteuil
Bd Murat
AUTEUIL
Versailles
Citroën
15E ARR.
Bd Garibaldi
R.
Bd du R.
6E AR
BEAUGRENELLE
Vaugirard
Montpar
PARC DES PRINCES
de
R. de la Convention
Lecourbe
de
Av.
A
Bd
D 907
Av.
Quai
GARE MONTPARNASSE
du
Rue
Rue
VAUGIRARD
N 10
Pte de St-Cloud
Quai d'Issy
Bd Victor
PORTE DE VERSAILLES
DENFERT ROCHEREA
BOULOGNE-BILLANCOURT
Pte de Sèvres
PARIS EXPO
Bd Lefèbvre
14E ARR.
R. d'Alésia
Maine
D 1
Boulevard
Bd Brune
Av. Jean Moulin
Av. du
VANVES
D 7
Périphérique
Pte de Châtillon
Pte d'Orl
D 989
MALAKOFF
ISSY-LES-MOULINEAUX
D 906
N 20
MONTROUGE

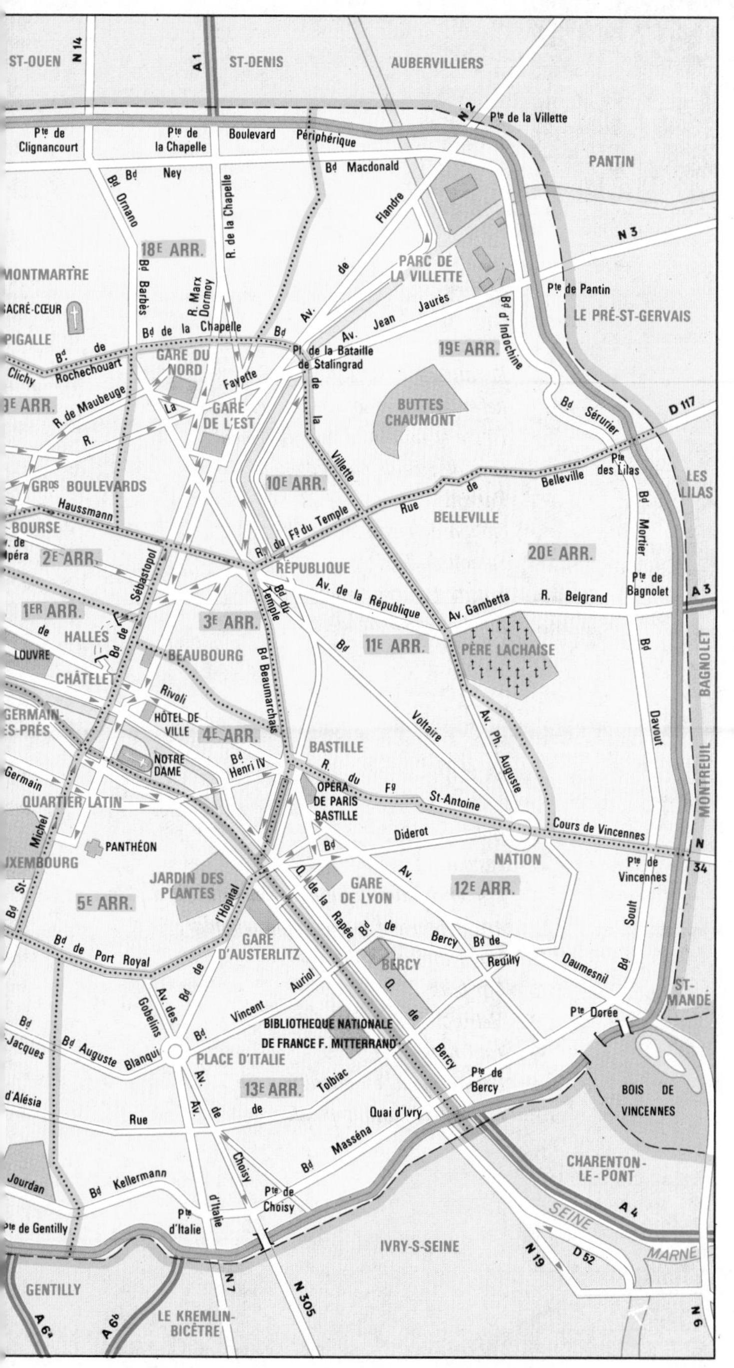
ST-OUEN
N 14
A 1
ST-DENIS
AUBERVILLIERS
N 2
Pte de la Villette
Pte de Clignancourt
Pte de la Chapelle
Boulevard Périphérique
PANTIN
Bd Ney
Bd Macdonald
Bd Ornano
R. de la Chapelle
Av. de Flandre
N 3
18E ARR.
PARC DE LA VILLETTE
MONTMARTRE
Bd Barbès
R. Marx Dormoy
Pte de Pantin
SACRÉ-CŒUR
Av. Jean Jaurès
Bd d'Indochine
LE PRÉ-ST-GERVAIS
PIGALLE
Bd de la Chapelle
Bd de Rochechouart
Clichy
GARE DU NORD
Pl. de la Bataille de Stalingrad
19E ARR.
R. La Fayette
9E ARR.
R. de Maubeuge
GARE DE L'EST
BUTTES CHAUMONT
Bd Sérurier
D 117
Bd de la Villette
GRDS BOULEVARDS
10E ARR.
Pte des Lilas
Rue de Belleville
LES LILAS
Haussmann
BELLEVILLE
BOURSE
Av. de l'Opéra
R. du Fg du Temple
Bd Mortier
2E ARR.
Bd Sébastopol
RÉPUBLIQUE
20E ARR.
Pte de Bagnolet
Av. de la République
Bd du Temple
R. Belgrand
A 3
1ER ARR.
3E ARR.
Av. Gambetta
HALLES
Bd de
BEAUBOURG
11E ARR.
PÈRE LACHAISE
BAGNOLET
LOUVRE
Bd Beaumarchais
Bd Voltaire
Bd Davout
CHÂTELET
Rivoli
ST-GERMAIN-DES-PRÉS
HÔTEL DE VILLE
4E ARR.
Av. Ph. Auguste
BASTILLE
NOTRE DAME
Bd Henri IV
R. du Fg St-Antoine
MONTREUIL
Bd St-Germain
OPÉRA DE PARIS BASTILLE
QUARTIER LATIN
Diderot
Cours de Vincennes
Bd St-Michel
PANTHÉON
NATION
N 34
LUXEMBOURG
Bd
Pte de Vincennes
JARDIN DES PLANTES
GARE DE LYON
Av.
12E ARR.
5E ARR.
Bd de l'Hôpital
Q. de la Rapée
Bd Soult
Bd de Bercy
Bd de Reuilly
Daumesnil
Bd de Port Royal
GARE D'AUSTERLITZ
BERCY
ST-MANDÉ
Auriol
Q. de Bercy
Av. des Gobelins
Bd Vincent
Pte Dorée
BIBLIOTHEQUE NATIONALE DE FRANCE F. MITTERRAND
Bd St-Jacques
Bd Auguste Blanqui
PLACE D'ITALIE
Pte de Bercy
13E ARR.
Tolbiac
BOIS DE VINCENNES
d'Alésia
Rue de
Av. de
Quai d'Ivry
Av. de Choisy
Bd Masséna
CHARENTON-LE-PONT
Jourdan
Bd Kellermann
Pte de Choisy
Pte d'Italie
A 4
Pte de Gentilly
SEINE
IVRY-S-SEINE
N 19
D 52
MARNE
N 7
GENTILLY
N 305
LE KREMLIN-BICÊTRE
A 6a
A 6b
N 6

Légende

- *Hôtel*
- *Restaurant*

AX 1 *Repérage des ressources sur les plans*

2E *Limite et numéro d'arrondissement*

Grande voie de circulation

P *Parking*

M *Station de métro ou de RER*

T *Station de Taxi*

Bateau mouche : embarcadère

Batobus : embarcadère

Key

- *Hotel*
- *Restaurant*

AX 1 *Reference letters locating position on town plan*

2E *Arrondissement number and boundary*

Major through route

P *Car park*

M *Metro or RER station*

T *Taxi rank*

Bateau mouche : boarding point

Batobus : boarding point

Opéra - Palais-Royal
Halles - Bourse
Châtelet - Tuileries

1er et 2e arrondissements

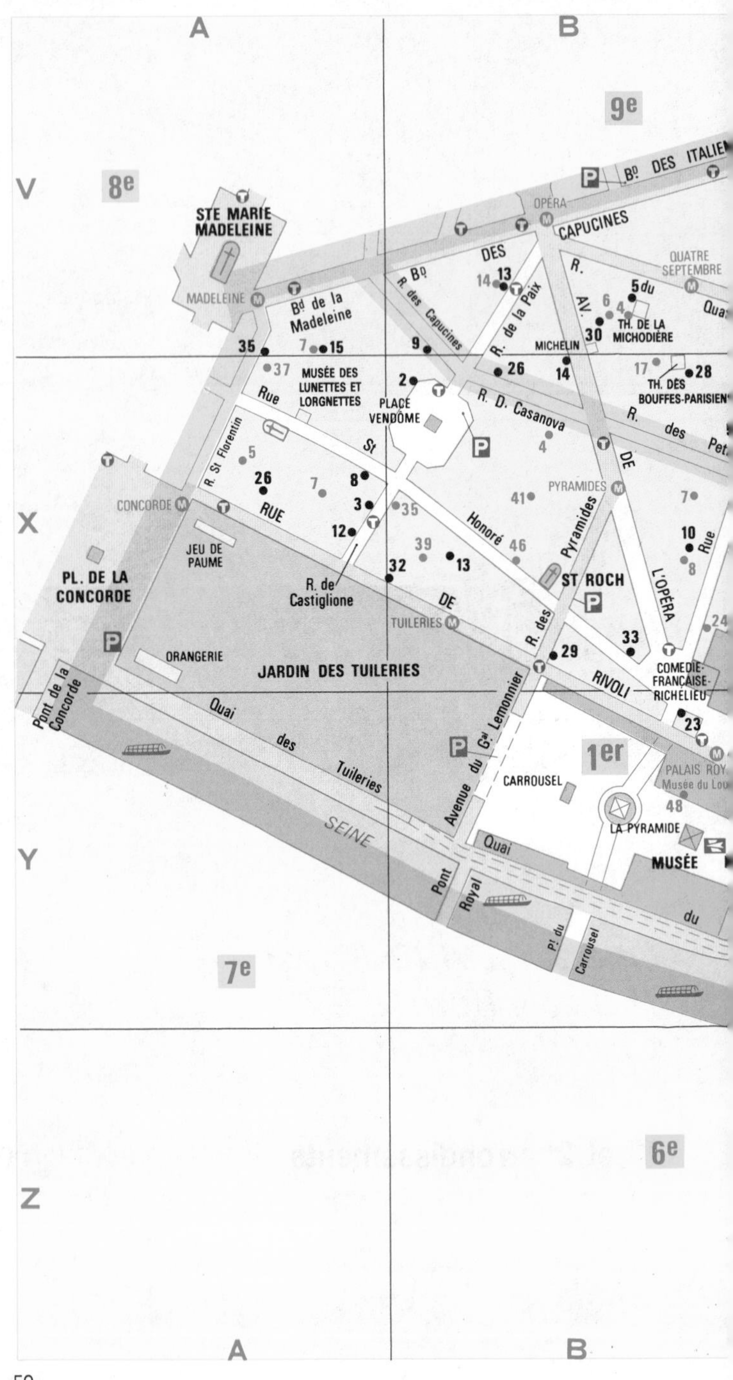

A
B
9e
8e
V
STE MARIE MADELEINE
MADELEINE
Bd de la Madeleine
Bd DES ITALIENS
OPÉRA
CAPUCINES
DES
Bd
R. des Capucines
R. de la Paix
QUATRE SEPTEMBRE
AV.
R.
TH. DE LA MICHODIÈRE
MICHELIN
TH. DES BOUFFES-PARISIENS
MUSÉE DES LUNETTES ET LORGNETTES
PLACE VENDÔME
R. D. Casanova
Rue
St
R. St Florentin
PYRAMIDES
Pyramides
DE
CONCORDE
RUE
Honoré
X
JEU DE PAUME
R. de Castiglione
ST ROCH
L'OPÉRA
Rue
PL. DE LA CONCORDE
DE
TUILERIES
R. des
ORANGERIE
JARDIN DES TUILERIES
RIVOLI
COMEDIE-FRANÇAISE-RICHELIEU
Pont de la Concorde
Quai
des
Tuileries
Avenue du Gal Lemonnier
1er
CARROUSEL
PALAIS ROY.
Musée du Lou
LA PYRAMIDE
SEINE
Quai
MUSÉE
Y
Pont Royal
Pt du Carrousel
du
7e
6e
Z
A
B

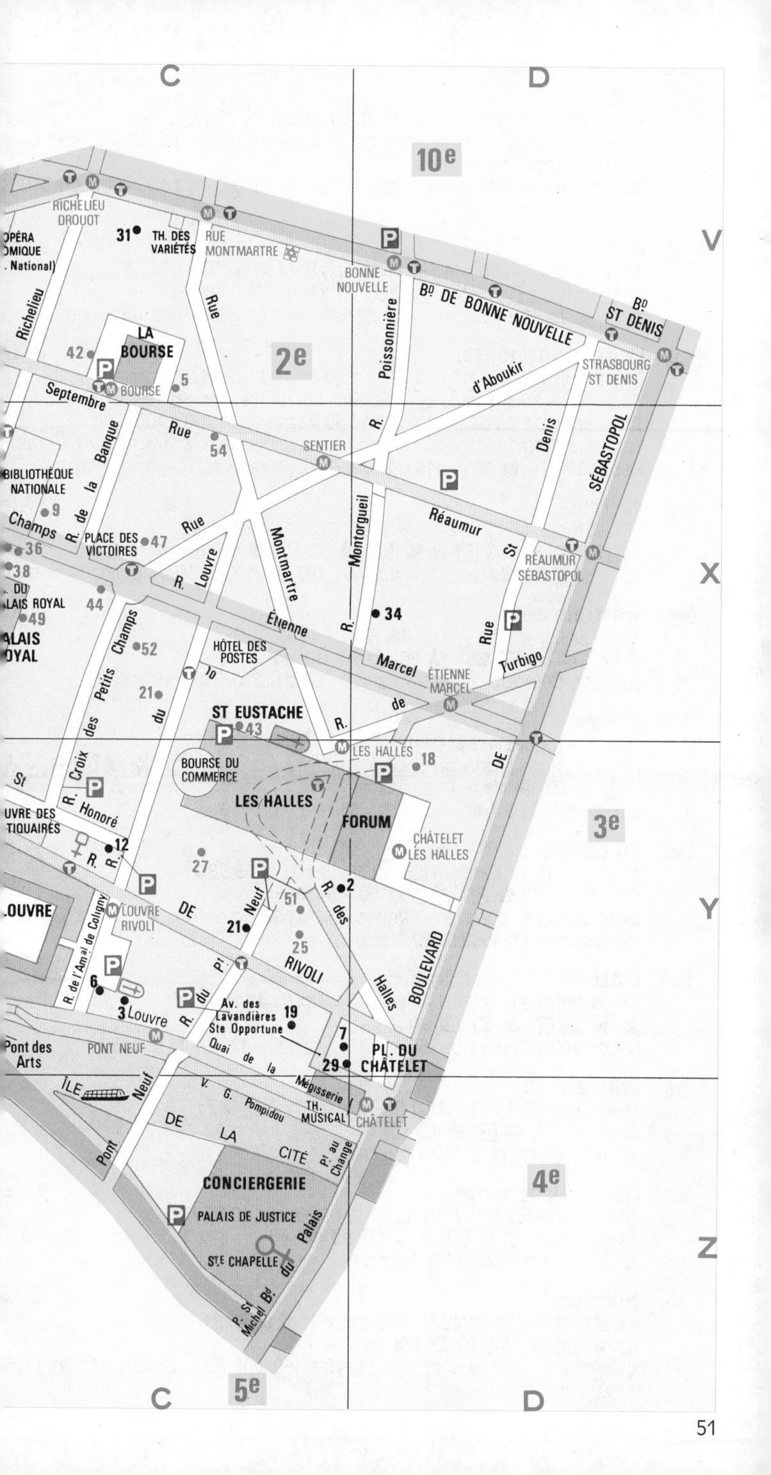
C
D
10e
V
X
Y
Z
2e
3e
4e
5e
RICHELIEU DROUOT
OPÉRA
OMIQUE
. National)
31
TH. DES VARIÉTÉS
RUE MONTMARTRE
BONNE NOUVELLE
Bd DE BONNE NOUVELLE
Bd ST DENIS
STRASBOURG ST DENIS
Richelieu
LA BOURSE
42
5
BOURSE
Septembre
Rue
Poissonnière
d'Aboukir
Denis
SÉBASTOPOL
Banque
la
de
R.
Rue
54
SENTIER
BIBLIOTHÈQUE NATIONALE
9
Champs
PLACE DES VICTOIRES
47
36
38
Montorgueil
Réaumur
St
RÉAUMUR SÉBASTOPOL
Louvre
Montmartre
R.
Étienne
34
Rue
. DU
ALAIS ROYAL
49
44
ALAIS
OYAL
Champs
52
HÔTEL DES POSTES
Marcel
ÉTIENNE MARCEL
Turbigo
Petits
des
21
du
ST EUSTACHE
43
de
R.
LES HALLES
18
DE
Croix
R.
St
BOURSE DU COMMERCE
LES HALLES
FORUM
Honoré
UVRE DES
TIQUAIRES
12
R.
R.
27
CHÂTELET LES HALLES
R.
2
des
LOUVRE
LOUVRE RIVOLI
DE
Neuf
51
21
25
RIVOLI
Halles
BOULEVARD
R. de l'Amal de Coligny
6
3
Louvre
Pt
du
R.
Av. des Lavandières Ste Opportune
19
7
29
PL. DU CHÂTELET
Pont des Arts
PONT NEUF
Quai de la Mégisserie
ÎLE
Neuf
V. G. Pompidou
TH. MUSICAL
CHÂTELET
DE LA CITÉ
Pt au Change
Pont
CONCIERGERIE
PALAIS DE JUSTICE
Palais
STE CHAPELLE
du
Bd
P. St Michel

Ritz BX 2
15 pl. Vendôme (1er) 01 43 16 30 30, *Fax 01 43 16 31 78*
« Belle piscine et luxueux centre de remise en forme » – AE GB JCB
voir rest. ***Espadon*** ci-après
Bar Vendôme (déj. seul.) **Repas** carte 360 à 540 – 190 – **142 ch** 3300/4300, 45 appart.

Meurice BX 32
228 r. Rivoli (1er) 01 44 58 10 10, *Fax 01 44 58 10 15*
ch, – 100. AE GB JCB. rest
voir rest. ***Le Meurice*** ci-après – 150 – **134 ch** 2800/3900, 46 appart.

Inter - Continental AX 12
3 r. Castiglione (1er) 01 44 77 11 11, *Fax 01 44 77 14 60*
– – 500. AE GB JCB. rest
Brasserie 234 Rivoli 01 44 77 10 40 **Repas** carte 200 à 400
Terrasse Fleurie 01 44 77 10 44 *(ouvert mai-sept. et fermé sam. et dim.)*
Repas 280 – 195 – **415 ch** 2600/3000, 30 appart.

Castille AV 15
37 r. Cambon (1er) 01 44 58 44 58, *Fax 01 44 58 44 00*
M, – – 30. AE GB JCB. rest
voir rest. ***Il Cortile*** ci-après – 140 – **107 ch** 2100/2750, 7 appart, 14 duplex.

Westminster BV 13
13 r. Paix (2e) 01 42 61 57 46, *Fax 01 42 60 30 66*
ch, – 60. AE GB JCB
voir rest. ***Céladon*** ci-après – 110 – **84 ch** 1850/2600, 18 appart.

Costes AX 8
239 r. St-Honoré (1er) 01 42 44 50 00, *Fax 01 42 44 50 01*
, « Bel hôtel particulier décoré avec élégance », , –
– 30. AE GB JCB
Repas carte 250 à 440 – 130 – **85 ch** 1750/3250.

du Louvre BY 23
pl. A. Malraux (1er) 01 44 58 38 38, *Fax 01 44 58 38 01*
– – 100. AE GB JCB
Brasserie Le Louvre : **Repas** (140 bc)-180 (dîner) et carte 190 à 370 –
120 – **194 ch** 1650/2800, 5 appart.

Lotti AX 3
7 r. Castiglione (1er) 01 42 60 37 34, *Fax 01 40 15 93 56*
. AE GB JCB
Repas 160/220 et carte 260 à 430 – 120 – **129 ch** 1710/3330.

Édouard VII BX 14
39 av. Opéra (2e) 01 42 61 56 90, *Fax 01 42 61 47 73*
sans rest – . AE GB
100 – **65 ch** 1400/1600, 4 appart.

Opéra Richepanse AV 35
14 r. Richepanse (1er) 01 42 60 36 00, *Fax 01 42 60 13 03*
M sans rest – . AE GB JCB
70 – **35 ch** 1250/1450, 3 appart.

Normandy BX 33
7 r. Échelle (1er) 01 42 60 30 21, *Fax 01 42 60 45 81*
– 30. AE GB JCB
L'Échelle *(fermé sam. et dim.)* **Repas** 150, enf. 85 – 68 – **111 ch** 1155/1510, 4 appart.

Royal St-Honoré BX 13
221 r. St-Honoré (1er) 01 42 60 32 79, *Fax 01 42 60 47 44*
M sans rest – TV. AE GB JCB.
95 – **67 ch** 1500/2000, 5 appart.

Régina BX 29
2 pl. Pyramides (1er) 01 42 60 31 10, *Fax 01 40 15 95 16*
, « Hall "Art Nouveau" » – TV – 30. AE GB JCB.
rest
Repas *(fermé août, sam., dim. et fériés) (130)* - 170/270 bc – 95 – **116 ch** 1650/2250, 14 appart.

Stendhal BX 26
22 r. D. Casanova (2e) 01 44 58 52 52, *Fax 01 44 58 52 00*
sans rest – TV. AE GB JCB
95 – **20 ch** 1380/1560.

L'Horset Opéra BV 30
18 r. d'Antin (2e) 01 44 71 87 00, *Fax 01 42 66 55 54*
M sans rest – TV. AE GB JCB
80 – **54 ch** 990/1350.

Cambon AX 26
3 r. Cambon (1er) 01 44 58 93 93, *Fax 01 42 60 30 59*
M sans rest – TV. AE GB JCB
80 – **40 ch** 1680.

Mansart BV 9
5 r. Capucines (1er) 01 42 61 50 28, *Fax 01 49 27 97 44*
sans rest – TV. AE GB JCB.
55 – **57 ch** 700/980.

Novotel Les Halles CY 2
8 pl. M.-de-Navarre (1er) 01 42 21 31 31, *Fax 01 40 26 05 79*
M, – TV – 120. AE GB JCB
Repas *(89)* - carte environ 170, enf. 50 – 68 – **280 ch** 1075/1145, 5 appart.

de Noailles BV 5
9 r. Michodière (2e) 01 47 42 92 90, *Fax 01 49 24 92 71*
M sans rest, décor contemporain – TV. AE GB JCB
50 – **58 ch** 880.

Favart BV 7
5 r. Marivaux (2e) 01 42 97 59 83, *Fax 01 40 15 95 58*
sans rest – TV. AE GB JCB
20 – **37 ch** 495/600.

Violet CY 7
7 r. J. Lantier (1er) 01 42 33 45 38, *Fax 01 40 28 03 56*
M sans rest – TV. AE GB JCB.
50 – **30 ch** 550/730.

Relais du Louvre CY 3
19 r. Prêtres-St-Germain-L'Auxerrois (1er) 01 40 41 96 42, *Fax 01 40 41 96 44*
sans rest – TV. AE GB JCB
50 – **20 ch** 600/950.

Place du Louvre CY 6
21 r. Prêtres-St-Germain-L'Auxerrois (1er) 01 42 33 78 68, *Fax 01 42 33 09 95*
M sans rest – TV. AE GB JCB
50 – **20 ch** 510/830.

Malte Opéra BX 50
63 r. Richelieu (2e) ✆ 01 44 58 94 94, *Fax 01 42 86 88 19*
sans rest – TV. AE GB JCB.
80 – **54 ch** 890/990, 5 duplex.

Louvre St-Honoré CY 12
141 r. St-Honoré (1er) ✆ 01 42 96 23 23, *Fax 01 42 96 21 61*
M sans rest – TV. AE GB JCB
75 – **40 ch** 670/880.

Britannique CY 29
20 av. Victoria (1er) ✆ 01 42 33 74 59, *Fax 01 42 33 82 65*
sans rest – TV. AE GB JCB.
55 – **40 ch** 659/898.

Molière BX 10
21 r. Molière (1er) ✆ 01 42 96 22 01, *Fax 01 42 60 48 68*
sans rest – TV. AE GB JCB
70 – **32 ch** 530/820.

Gd H. de Champagne CY 19
17 r. J.-Lantier (1er) ✆ 01 42 36 60 00, *Fax 01 45 08 43 33*
sans rest – TV. AE GB JCB
55 – **43 ch** 715/1230.

Gd H. de Besançon DX 34
56 r. Montorgueil (2e) ✆ 01 42 36 41 08, *Fax 01 45 08 08 79*
M sans rest – TV. AE GB JCB.
60 – **20 ch** 620/680.

Baudelaire Opéra BX 28
61 r. Ste Anne (2e) ✆ 01 42 97 50 62, *Fax 01 42 86 85 85*
sans rest – TV. AE GB JCB
39 – **24 ch** 480/670, 5 duplex.

Ducs de Bourgogne CY 21
19 r. Pont-Neuf (1er) ✆ 01 42 33 95 64, *Fax 01 40 39 01 25*
sans rest – TV. AE GB JCB
45 – **50 ch** 495/740.

Vivienne CV 31
40 r. Vivienne (2e) ✆ 01 42 33 13 26, *Fax 01 40 41 98 19*
sans rest – TV. GB
40 – **44 ch** 365/505.

L'Espadon - Hôtel Ritz BX 2
15 pl. Vendôme (1er) ✆ 01 43 16 30 80, *Fax 01 43 16 33 75*
–. AE GB JCB.
Repas 390 (déj.)/750 et carte 490 à 850
Spéc. Pastilla de foie gras chaud en gelée de poulette. Noix de Saint-Jacques (oct. à avril). Suprême de volaille de Bresse.

Grand Vefour CX 38
17 r. Beaujolais (1er) ✆ 01 42 96 56 27, *Fax 01 42 86 80 71*
« Ancien café du Palais Royal fin 18e siècle » –. AE GB JCB.
fermé août, sam. et dim. – **Repas** 335 (déj.)/750 et carte 590 à 850
Spéc. Ravioles de foie gras à l'émulsion de crème truffée. Noisettes d'agneau panées au moka, jus de café, pulpe d'aubergine confite. Tourte d'artichaut et légumes confits, sorbet aux amandes amères (dessert).

XXXXX **Le Meurice** - Hôtel Meurice BX 32
✿ 228 r. Rivoli (1er) ✆ 01 44 58 10 50, *Fax 01 44 58 10 15*
▤. AE ⓓ GB JCB. ✂
Repas 290 (déj.), 430 bc/550 et carte 370 à 520 ♀
Spéc. Homard breton en vinaigrette d'herbes de mer. Tronçon de turbot rôti, sabayon acidulé de carottes à la badiane. Pigeon de Bretagne en cocotte, farce d'herbes et de pignons.

XXXXX **Goumard-Prunier** AX 37
✿✿ 9 r. Duphot (1er) ✆ 01 42 60 36 07, *Fax 01 42 60 04 54*
⇕ ▤. AE ⓓ GB JCB
fermé 10 au 23 août, dim. et lundi – **Repas** - produits de la mer - 390 bc et carte 420 à 800
Spéc. Soupe tiède de homard breton aux cocos. Coquilles Saint-Jacques cuites au "repère". Daurade royale grillée aux tomates confites.

XXXXX **Carré des Feuillants** (Dutournier) BX 35
✿✿ 14 r. Castiglione (1er) ✆ 01 42 86 82 82, *Fax 01 42 86 07 71*
▤. AE ⓓ GB JCB
fermé août, sam. midi et dim. – **Repas** 285 (déj.) et carte 480 à 680
Spéc. Velouté de châtaignes à la truffe blanche (oct. à nov.). Langoustines à la nougatine d'ail doux. Noisettes de brebis en croûte parfumée.

XXXXX **Drouant** BV 4
✿ pl. Gaillon (2e) ✆ 01 42 65 15 16, *Fax 01 49 24 02 15*
« Siège de l'Académie Goncourt depuis 1914 » – ▤. AE ⓓ GB JCB
Repas 290 (déj.)/650 et carte 560 à 720
Café Drouant : **Repas** 200 et carte 280 à 360
Spéc. Salade de homard à l'huile pimentée. Bar rôti à la tapenade et pissala, légumes confits au basilic. Canette fermière de Challans en cabessal (automne-hiver).

XXXXX **Gérard Besson** CX 21
✿✿ 5 r. Coq Héron (1er) ✆ 01 42 33 14 74, *Fax 01 42 33 85 71*
▤. AE ⓓ GB JCB
fermé sam. sauf le soir du 15 sept. au 15 juin et dim. – **Repas** *(200)* - 280 (déj.), 420/550 et carte 430 à 660 ♀
Spéc. Cocotte de queue et pinces de homard. Gibier (saison). Fenouil confit aux épices, glace vanille et nougatine aux amandes.

XXX **Céladon** - Hôtel Westminster BV 14
✿ 15 r. Daunou (2e) ✆ 01 42 61 77 42, *Fax 01 42 61 33 78*
▤. AE ⓓ GB JCB
fermé août, sam., dim. et fériés – **Repas** 260/390 et carte 340 à 500
Spéc. Risotto de cèpes au lard paysan. Tronçon de turbot en cocotte au céleri rave et parfum de truffes. Mirliton d'Aix aux fruits rouges, glace au basilic.

XXX **Macéo** CX 36
15 r. Petits-Champs (1er) ✆ 01 42 96 98 89, *Fax 01 42 96 08 89*
GB
fermé dim. – **Repas** 185 (déj.), 200/240 ♀.

XXX **Il Cortile** - Hôtel de Castille AV 7
✿ 37 r. Cambon (1er) ✆ 01 44 58 45 67, *Fax 01 44 58 44 00*
fermé sam. et dim. – **Repas** - cuisine italienne - carte 240 à 340
Spéc. Farfalle à l'encre, crustacés et coquillages au basilic. Picatta de veau à la sauge. Tartelette chocolat et noisette du Piémont.

XXX **Pierre " A la Fontaine Gaillon "** BV 6
pl. Gaillon (2e) ✆ 01 47 42 63 22, *Fax 01 47 42 82 84*
– ▤. AE ⓓ GB JCB
fermé août, sam. midi et dim. – **Repas** 165 et carte 220 à 380 ♀.

XX **Pierre Au Palais Royal** BX 24
✿ 10 r. Richelieu (1er) ✆ 01 42 96 09 17, *Fax 01 42 96 09 62*
▤. AE ⓓ GB JCB
fermé 24 déc. au 1er janv. et dim. – **Repas** carte 200 à 300 ♀
Spéc. Escalope de foie gras de canard. Quenelles de brochet à la Nantua. Boeuf ficelle à la ménagère.

XX **Palais Royal** CX 49
110 Galerie de Valois - Jardin du Palais Royal (1er) ✆ 01 40 20 00 27, *Fax 01 40 20 00 82*
, « Terrasse dans le jardin du Palais Royal » – AE ⓓ GB JCB
fermé 22 déc. au 2 janv., sam. midi et dim. de sept. à mai – **Repas** carte 200 à 310 ♀.

XX **Chez Pauline** BX 7
5 r. Villédo (1er) ✆ 01 42 96 20 70, *Fax 01 49 27 99 89*
AE ⓓ GB JCB
fermé sam. sauf le soir d'oct. à mars et dim. – **Repas** 220 et carte 290 à 480 ♀.

XX **Pays de Cocagne** CX 54
-Espace Tarn- 111 r. Réaumur (2e) ✆ 01 40 13 81 81, *Fax 01 40 13 87 70*
AE GB JCB
fermé 3 au 22 août, sam. midi, dim. et fériés – **Repas** 138/190 ♀.

XX **Rôtisserie Monsigny** BX 17
1 r. Monsigny (2e) ✆ 01 42 96 16 61, *Fax 01 42 97 40 97*
▤. AE GB JCB
fermé 10 au 20 août et sam. midi – **Repas** *(100)* - 160 et carte 190 à 350 ♀.

XX **Kinugawa** BX 39
9 r. Mont Thabor (1er) ✆ 01 42 60 65 07, *Fax 01 42 60 45 21*
▤. AE ⓓ GB JCB.
fermé vacances de Noël et dim. – **Repas** - cuisine japonaise - 510/700 et carte 180 à 400 ♀.

XX **Pharamond** DY 18
24 r. Grande-Truanderie (1er) ✆ 01 42 33 06 72, *Fax 01 40 28 01 81*
bistrot, « Authentique décor 1900 » – AE ⓓ GB
fermé lundi midi et dim. – **Repas** 200 bc (déj.)/310 bc et carte 250 à 450.

XX **Au Pied de Cochon** CX 43
6 r. Coquillière (1er) ✆ 01 40 13 77 00, *Fax 01 40 13 77 09*
(ouvert jour et nuit), , brasserie – ▤. AE ⓓ GB
Repas 178 et carte 200 à 380.

XX **Gallopin** CV 5
40 r. N.-D.-des-Victoires (2e) ✆ 01 42 36 45 38, *Fax 01 42 36 10 32*
« Brasserie fin 19e siècle » – AE ⓓ GB
fermé sam. midi et dim. – **Repas** 149 et carte 160 à 300 ♀.

XX **Vaudeville** CV 42
29 r. Vivienne (2e) ✆ 01 40 20 04 62, *Fax 01 49 27 08 78*
brasserie – AE ⓓ GB
Repas *(123 bc)* - 169 bc et carte 160 à 300.

XX **Grand Colbert** CX 9
2 r. Vivienne (2e) ✆ 01 42 86 87 88, *Fax 01 42 86 82 65*
brasserie – AE ⓓ GB JCB
fermé 10 au 25 août – **Repas** 155 et carte 190 à 280 ♀.

XX **Poquelin** BX 8
17 r. Molière (1er) ✆ 01 42 96 22 19, *Fax 01 42 96 05 72*
AE ⓓ GB JCB
fermé 1er au 20 août, sam. midi et dim. – **Repas** 189 et carte 250 à 380 ♀.

XX **Bonne Fourchette** BX 46
320 r. St Honoré, au fond de la cour (1er) ✆ 01 42 60 45 27
▤. ⓓ GB. ✂
fermé août, vacances de fév., dim. midi et sam. – **Repas** *(100)* - 130/170 et carte 200 à 300 ♀.

XX **Saudade** CY 25
34 r. Bourdonnais (1er) ✆ 01 42 36 30 71, *Fax 01 42 36 27 77*
▤. AE GB JCB. ✂
fermé dim. – **Repas** - cuisine portugaise - 129 (déj.) et carte 170 à 310.

X **A la Grille St-Honoré** BX 41
15 pl. Marché St-Honoré (1er) ✆ 01 42 61 00 93, *Fax 01 47 03 31 64*
☂ – ▤. AE ⓓ GB
fermé 1er au 25 août, 24 déc. au 2 janv., dim. et lundi – **Repas** 180/250.

X **Bistrot St-Honoré** BX 4
10 r. Gomboust (1er) ✆ 01 42 61 77 78, *Fax 01 42 61 77 78*
AE GB
fermé 10 au 16 août et dim. – **Repas** 130 et carte 180 à 360 ♀.

X **Chez Georges** CX 47
1 r. Mail (2e) ✆ 01 42 60 07 11
bistrot – AE GB
fermé 1er au 24 août, dim. et fêtes – **Repas** carte 190 à 340.

X **Café Marly** BY 48
93 r. Rivoli - Cour Napoléon (1er) ✆ 01 49 26 06 60, *Fax 01 49 26 07 06*
☂, « Décor original dans le Grand Louvre, terrasse » – ▤. AE ⓓ GB
Repas carte 180 à 220 ♀.

X **L'Ardoise** AX 7
28 r. Mont-Thabor (1er) ✆ 01 42 96 28 18
GB
fermé 10 au 31 août et lundi – **Repas** 165 ♀.

X **Willi's Wine Bar** CX 6
13 r. Petits-Champs (1er) ✆ 01 42 61 05 09, *Fax 01 47 03 36 93*
GB. ✂
fermé dim. – **Repas** 145 (déj.), 180/195 ♀.

X **Poule au Pot** CY 27
9 r. Vauvilliers (1er) ✆ 01 42 36 32 96
bistrot – GB. ✂
Repas (dîner seul.) 160 et carte 210 à 280.

X **Souletin** CX 44
6 r. Vrillière (1er) ✆ 01 42 61 43 78, *Fax 01 42 61 43 78*
bistrot – GB
fermé dim. et fériés – **Repas** carte environ 190 ♀.

Lescure AX 5
7 r. Mondovi (1er) ✆ 01 42 60 18 91
bistrot – GB
fermé 1er au 25 août, 22 déc. au 5 janv., sam. soir et dim. – **Repas** 100 bc et carte 100 à 200 ♀.

Entre Ciel et Terre CX 52
5 r. Hérold (1er) ✆ 01 45 08 49 84
rest. exclusivement non-fumeurs – GB
fermé 25 juil. au 30 août, sam. et dim. – **Repas** - cuisine végétarienne - *(69)* - 87 et carte environ 120.

Victoire Suprême du Coeur CY 51
41 r. Bourdonnais (1er) ✆ 01 40 41 93 95, *Fax 01 40 41 94 57*
GB
fermé 15 au 31 août et dim. – **Repas** - café végétarien - *(49)* - 71 (déj.), 87/131 et carte 100 à 140.

République
Nation - Bastille
Ile St-Louis - Beaubourg

3e, 4e et 11e arrondissements

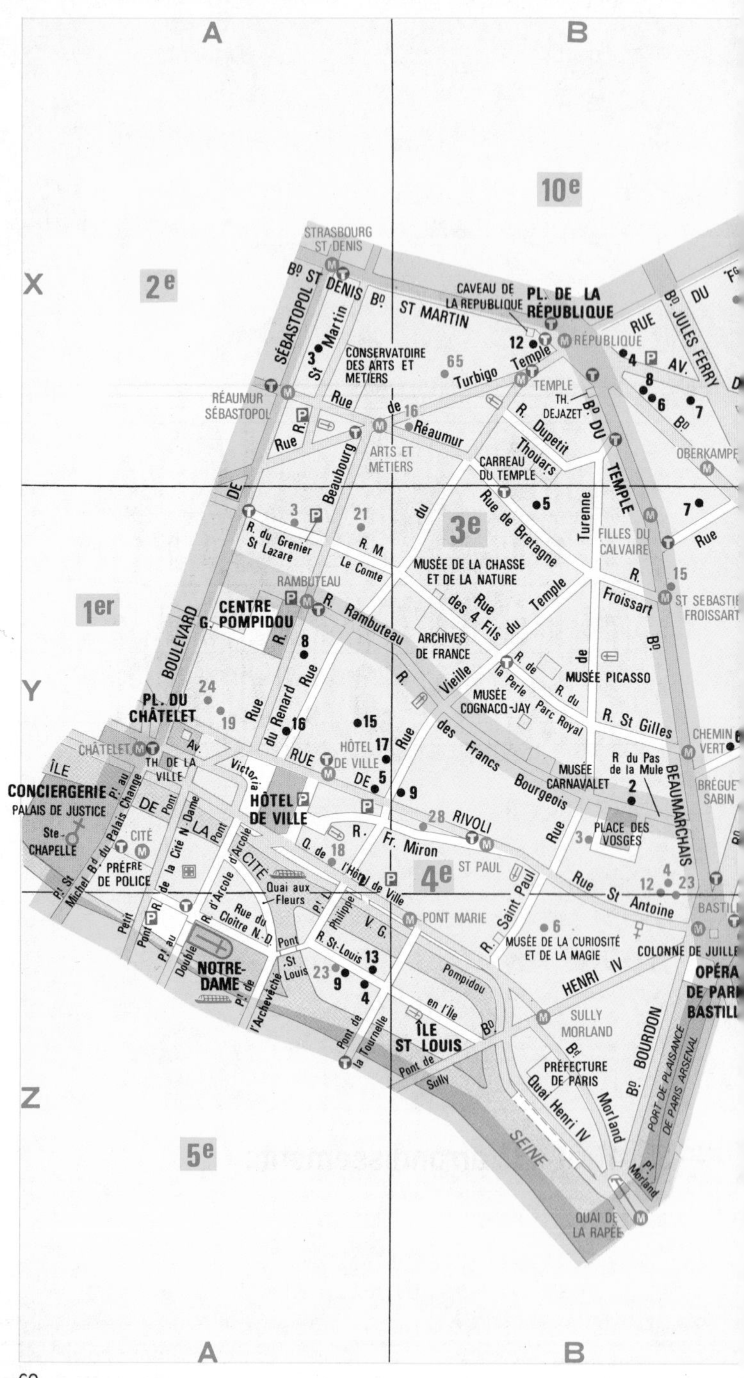
A
B
X
Y
Z
10e
2e
1er
3e
4e
5e
STRASBOURG ST DENIS
Bd ST DENIS
SÉBASTOPOL
Bd ST MARTIN
CAVEAU DE LA REPUBLIQUE
PL. DE LA RÉPUBLIQUE
RÉPUBLIQUE
RUE
Bd JULES FERRY
AV.
DU
St Martin
CONSERVATOIRE DES ARTS ET METIERS
65
Turbigo
Temple
TEMPLE
TH. DEJAZET
Bd DU TEMPLE
RÉAUMUR SÉBASTOPOL
Rue
de
16
Réaumur
ARTS ET MÉTIERS
Rue R.
Beaubourg
R. Dupetit Thouars
OBERKAMPF
CARREAU DU TEMPLE
DE
3
21
du
Rue de Bretagne
Turenne
FILLES DU CALVAIRE
Rue
R. du Grenier St Lazare
R. M. Le Comte
MUSÉE DE LA CHASSE ET DE LA NATURE
R. Froissart
15
ST SEBASTIEN FROISSART
RAMBUTEAU
R. Rambuteau
CENTRE G. POMPIDOU
Rue des 4 Fils
du Temple
ARCHIVES DE FRANCE
Vieille
R. de la Perle
R. du Parc Royal
MUSÉE PICASSO
BOULEVARD
R.
Rue du Renard
MUSÉE COGNACQ-JAY
R. St Gilles
24
PL. DU CHÂTELET
19
Rue
HÔTEL DE VILLE
des Francs Bourgeois
CHEMIN VERT
CHÂTELET
Av. Victoria
TH. DE LA VILLE
RUE DE
R du Pas de la Mule
ÎLE
MUSÉE CARNAVALET
BEAUMARCHAIS
CONCIERGERIE
PALAIS DE JUSTICE
Pt. au Change
Bd du Palais
DE LA CITÉ
Pont N.-Dame
HÔTEL DE VILLE
28 RIVOLI
BRÉGUET SABIN
Ste-CHAPELLE
CITÉ
R. Fr. Miron
Rue
PLACE DES VOSGES
PRÉFre DE POLICE
Pt. St Michel
R. de la Cité
Pont d'Arcole
Q. de l'Hôtel de Ville
18
ST PAUL
Quai aux Fleurs
R. d'Arcole
Rue du Cloître N.-D.
Pt. L. Philippe
Rue St Antoine
12
23
BASTILLE
PONT MARIE
R. Saint Paul
V. G.
Petit Pont
Pt. au Double
NOTRE-DAME
Pt. de l'Archevêché
Pont St Louis
R. St-Louis
23
MUSÉE DE LA CURIOSITÉ ET DE LA MAGIE
COLONNE DE JUILLET
HENRI IV
OPÉRA DE PARIS BASTILLE
Pompidou
en l'Île
Bd.
SULLY MORLAND
ÎLE ST LOUIS
Pont de la Tournelle
Pont de Sully
Bd BOURDON
Bd Morland
PRÉFECTURE DE PARIS
PORT DE PLAISANCE DE PARIS ARSENAL
Quai Henri IV
SEINE
Pt. Morland
QUAI DE LA RAPÉE

C
D
X
Y
Z
BELLEVILLE
TEMPLE
DU
BOULEVARD
DE BELLEVILLE
COURONNES
R. des Trois Couronnes
Rue
Avenue
des Trois Bornes
Pierre Timbaud
R. Jean
Oberkampf
MÉNILMONTANT
20e
10
14
LA Rue
5
Saint
ST MAUR
RÉPUBLIQUE
Oberkampf
4
Parmentier
42
11e
PÈRE LACHAISE
DE
MÉNILMONTANT
LENOIR
VOLTAIRE
27
ST AMBROISE
Vert
Chemin
RICHARD LENOIR
du
Maur
Roquette
Rue
la
PHILIPPE AUGUSTE
AVENUE
PLACE LÉON BLUM
VOLTAIRE
Léon
ALEXANDRE DUMAS
2 de
Rue G. Cavaignac
R. R. Lenoir
Rollin
Charonne
THÉATRE DE LA BASTILLE
de
Frot
PHILIPPE
Ledru
CHARONNE
DE LA BASTILLE
Dumas
A.
DE
5
Rue Faidherbe
2
BOULETS MONTREUIL
AUGUSTE
AVRON
Montreuil
CHARONNE
LEDRU ROLLIN
Faubourg
FAIDHERBE-CHALIGNY
20
26
8
Saint
Antoine
des Boulets
12
PL. DE LA NATION
NATION
12e

Pavillon de la Reine BY 2
28 pl. Vosges (3e) ✆ 01 40 29 19 19, *Fax 01 40 29 19 20*
sans rest, « Belle décoration intérieure » – AE GB JCB
110 – **31 ch** 1650/2000, 14 appart, 10 duplex.

Holiday Inn BX 4
10 pl. République (11e) ✆ 01 43 55 44 34, *Fax 01 47 00 32 34*
M – 200. AE GB JCB
Belle Époque : **Repas** carte 170 à 260 – 125 – **318 ch** 2300/2995.

Jeu de Paume AZ 13
54 r. St-Louis-en-l'Ile (4e) ✆ 01 43 26 14 18, *Fax 01 40 46 02 76*
sans rest, « Ancien jeu de paume du 17e siècle » – 30. AE GB JCB
80 – **32 ch** 895/1385.

Bretonnerie AY 15
22 r. Ste-Croix-de-la-Bretonnerie (4e) ✆ 01 48 87 77 63, *Fax 01 42 77 26 78*
sans rest – GB.
fermé 31 juil. au 27 août
50 – **27 ch** 650/790, 3 appart.

Little Palace AX 3
4 r. Salomon de Caus (3e) ✆ 01 42 72 08 15, *Fax 01 42 72 45 81*
M – AE GB
Repas *(fermé 17 juil. au 17 août, sam. et dim.)* carte 120 à 190 – 50 – **57 ch** 650/750.

Meslay République BX 12
3 r. Meslay (3e) ✆ 01 42 72 79 79, *Fax 01 42 72 76 94*
sans rest – AE GB JCB.
40 – **39 ch** 580/680.

Axial Beaubourg AY 16
11 r. Temple (4e) ✆ 01 42 72 72 22, *Fax 01 42 72 03 53*
sans rest – AE GB JCB.
38 – **39 ch** 480/650.

Caron de Beaumarchais BY 9
12 r. Vieille-du-Temple (4e) ✆ 01 42 72 34 12, *Fax 01 42 72 34 63*
M sans rest – AE GB JCB.
54 – **19 ch** 690/770.

Beaubourg AY 8
11 r. S. Le Franc (4e) ✆ 01 42 74 34 24, *Fax 01 42 78 68 11*
sans rest – AE GB JCB.
40 – **28 ch** 620/720.

Verlain CX 5
97 r. St-Maur (11e) ✆ 01 43 57 44 88, *Fax 01 43 57 32 06*
sans rest – AE GB
40 – **38 ch** 520/580.

Lutèce AZ 9
65 r. St-Louis-en-l'Ile (4e) ✆ 01 43 26 23 52, *Fax 01 43 29 60 25*
sans rest – AE GB.
47 – **23 ch** 840/860.

Deux Iles AZ 4
59 r. St-Louis-en-l'Ile (4e) 01 43 26 13 35, *Fax 01 43 29 60 25*
sans rest – . AE GB
48 – **17 ch** 730/850.

Bel Air BX 8
5 r. Rampon (11e) 01 47 00 41 57, *Fax 01 47 00 21 56*
M sans rest – . AE GB JCB
45 – **48 ch** 540/610.

Rivoli Notre Dame AY 17
19 r. Bourg Tibourg (4e) 01 42 78 47 39, *Fax 01 40 29 07 00*
sans rest – . AE GB JCB.
42 – **31 ch** 525/715.

Vieux Saule BY 5
6 r. Picardie (3e) 01 42 72 01 14, *Fax 01 40 27 88 21*
sans rest – . AE GB JCB.
50 – **31 ch** 390/540.

Nord et Est BX 6
49 r. Malte (11e) 01 47 00 71 70, *Fax 01 43 57 51 16*
sans rest – . AE GB.
fermé août et 24 déc. au 2 janv.
35 – **45 ch** 320/360.

Grand Prieuré BX 7
20 r. Grand Prieuré (11e) 01 47 00 74 14, *Fax 01 49 23 06 64*
sans rest – . AE GB.
30 – **32 ch** 330/370.

Croix de Malte BY 7
5 r. Malte (11e) 01 48 05 09 36, *Fax 01 43 57 02 54*
M sans rest – . AE GB JCB
45 – **29 ch** 510/570.

de Nice AY 5
42 bis r. Rivoli (4e) 01 42 78 55 29, *Fax 01 42 78 36 07*
sans rest – . GB.
35 – **23 ch** 400/500.

Prince Eugène DZ 26
247 bd Voltaire (11e) 01 43 71 22 81, *Fax 01 43 71 24 71*
sans rest – . AE GB JCB
32 – **35 ch** 345/405.

Allegro République CX 10
39 r. J.-P. Timbaud (11e) 01 48 06 64 97, *Fax 01 48 05 03 38*
M sans rest – . AE GB
40 – **42 ch** 410/470.

Campanile BY 6
9 r. Chemin Vert (11e) 01 43 38 58 08, *Fax 01 43 38 52 28*
sans rest – . AE GB
36 – **157 ch** 420.

Beauséjour CX 4
71 av. Parmentier (11e) 01 47 00 38 16, *Fax 01 43 55 47 89*
M sans rest – . AE GB
30 – **31 ch** 290/350.

XXXX **L'Ambroisie** (Pacaud) BY 3
✿✿✿ 9 pl. des Vosges (4e) ✆ 01 42 78 51 45
▤. AE GB. ✈
fermé 3 au 23 août, vacances de fév., dim. et lundi – **Repas** carte 690 à 1 160
Spéc. Feuillantine de queues de langoustines aux graines de sésame, sauce au curry. Pigeon confit à l'ail doux, ragoût de févettes à la sarriette. Tarte fine sablée au chocolat.

XXX **Miravile** AY 18
72 quai Hôtel de Ville (4e) ✆ 01 42 74 72 22, *Fax 01 42 74 67 55*
▤. AE GB
fermé 3 au 25 août, 15 au 22 fév., sam. midi et dim. – **Repas** 240 et carte 330 à 400.

XXX **Ambassade d'Auvergne** AY 3
22 r. Grenier St-Lazare (3e) ✆ 01 42 72 31 22, *Fax 01 42 78 85 47*
▤. AE GB JCB
Repas 170 et carte 170 à 300 ♀.

XX **Benoît** AY 19
✿ 20 r. St-Martin (4e) ✆ 01 42 72 25 76, *Fax 01 42 72 45 68*
bistrot – ▤
fermé août – **Repas** 200 (déj.) et carte 350 à 460 ♀
Spéc. Saumon fumé mariné, salade tiède de pommes de terre. Daube de joues de boeuf au vin de Beaujolais. Filet de rouget barbet rôti, canapé d'aubergine et tapenade.

XX **Bofinger** BY 4
5 r. Bastille (4e) ✆ 01 42 72 87 82, *Fax 01 42 72 97 68*
brasserie, « Décor Belle Époque » – ▤. AE ◑ GB
Repas *(119 bc)* - 169 bc et carte 160 à 300.

XX **L'Aiguière** DZ 20
37 bis r. Montreuil (11e) ✆ 01 43 72 42 32, *Fax 01 43 72 96 36*
AE ◑ GB JCB
fermé sam. midi et dim. – **Repas** 135 bc/248 bc (sauf vend. soir et sam. soir) et carte 270 à 380.

XX **A Sousceyrac** CZ 5
35 r. Faidherbe (11e) ✆ 01 43 71 65 30, *Fax 01 40 09 79 75*
▤. AE ◑ GB
fermé sam. midi et dim. – **Repas** 180 et carte 210 à 330 ♀.

XX **L'Excuse** BZ 6
14 r. Charles V (4e) ✆ 01 42 77 98 97, *Fax 01 42 77 88 55*
AE GB
fermé 2 au 20 août et dim. – **Repas** *(120 bc)* - 150/185 et carte 270 à 360 ♀.

XX **Vin et Marée** DZ 12
276 bd Voltaire (11e) ✆ 01 43 72 31 23, *Fax 01 40 09 05 24*
▤. AE GB JCB
Repas - produits de la mer - carte environ 170 ♀.

XX **Blue Elephant** CY 2
43 r. Roquette (11e) ✆ 01 47 00 42 00, *Fax 01 47 00 45 44*
« Décor typique » – ▤. AE ◑ GB
fermé sam. midi – **Repas** - cuisine thaïlandaise - 150 (déj.), 275/300 et carte environ 270 ♀.

XX **L'Alisier** AY 21
26 r. Montmorency (3e) ✆ 01 42 72 31 04, *Fax 01 42 72 74 83*
GB
fermé août, sam. et dim. – **Repas** *(145 bc)* - 185 bc/195.

XX **Péché Mignon** CY 42
5 r. Guillaume Bertrand (11e) ✆ 01 43 57 68 68
GB
fermé août, dim. soir et lundi – **Repas** *(100 bc)* - 139.

XX **Les Amognes** DZ 8
243 r. Fg St-Antoine (11e) ✆ 01 43 72 73 05
GB
fermé 3 au 23 août, lundi midi et dim. – **Repas** 190 ♀.

XX **Repaire de Cartouche** BY 15
99 r. Amelot (11e) ✆ 01 47 00 25 86
GB.
fermé 15 juil. au 15 août, dim. et lundi – **Repas** carte 150 à 220 ♀.

X **Bistrot du Dôme** BY 12
2 r. Bastille (4e) ✆ 01 48 04 88 44, *Fax 01 48 04 00 59*
. AE GB
Repas - produits de la mer - carte 180 à 230 ♀.

X **Petit Bofinger** BY 23
6 r. Bastille (4e) ✆ 01 42 72 05 23, *Fax 01 42 72 97 68*
. AE GB
Repas *(89 bc)* - 128 ♀.

X **Chardenoux** DZ 2
1 r. J. Vallès (11e) ✆ 01 43 71 49 52
bistrot, « Décor début de siècle » – AE GB
fermé août, sam. midi et dim. – **Repas** carte 160 à 260 ♀.

X **Relais St-Paul** BY 28
33 r. F. Miron (4e) ✆ 01 48 87 34 20
GB
fermé 1er au 23 août, sam. midi, dim. et fériés – **Repas** 90/135 et carte 190 à 240.

X **Mansouria** CZ 12
11 r. Faidherbe (11e) ✆ 01 43 71 00 16, *Fax 01 40 24 21 97*
. GB
fermé lundi midi – **Repas** - cuisine marocaine - *(99)* - 172/195 et carte 200 à 300.

X **Au Bascou** BX 16
38 r. Réaumur (3e) ✆ 01 42 72 69 25
bistrot – AE GB
fermé août, Noël au Jour de l'An, sam. midi et dim. – **Repas** *(90)* - carte 180 à 250 ♀.

X **Grizzli** AY 24
7 r. St-Martin (4e) ✆ 01 48 87 77 56
, bistrot – AE GB JCB
fermé dim. – **Repas** 120 (déj.)/160 et carte environ 180 ♀.

X **Astier** CX 14
44 r. J.-P. Timbaud (11e) ✆ 01 43 57 16 35
bistrot – GB
fermé vacances de printemps, sam. et dim. – **Repas** 110 (déj.)/135.

X **Monde des Chimères** AZ 23
69 r. St-Louis-en-L'Ile (4e) ✆ 01 43 54 45 27, *Fax 01 43 29 84 88*
GB
fermé dim. et lundi – **Repas** *(65)* - 89/160 et carte 250 à 350.

X **Clos du Vert Bois** BX 65
13 r. Vert Bois (3e) ✆ 01 42 77 14 85
GB
fermé 1er au 25 août, lundi soir et sam. midi – **Repas** 78 (déj.), 98/175 bc et carte 180 à 260 ♀.

X **Anjou-Normandie** CY 27
13 r. Folie-Méricourt (11e) ✆ 01 47 00 30 59, *Fax 01 47 00 30 59*
GB
fermé sam. et dim. – **Repas** (déj. seul.) 137/150 et carte 150 à 200 ♂, enf. 60.

X **Les Fernandises** BX 9
19 r. Fontaine au Roi (11e) ✆ 01 48 06 16 96
bistrot – GB
fermé 1er au 24 août, dim. et lundi – **Repas** 100/130 et carte 150 à 260 ♀.

St-Germain-des-Prés
Quartier Latin - Luxembourg
Jardin des Plantes

5e et 6e arrondissements

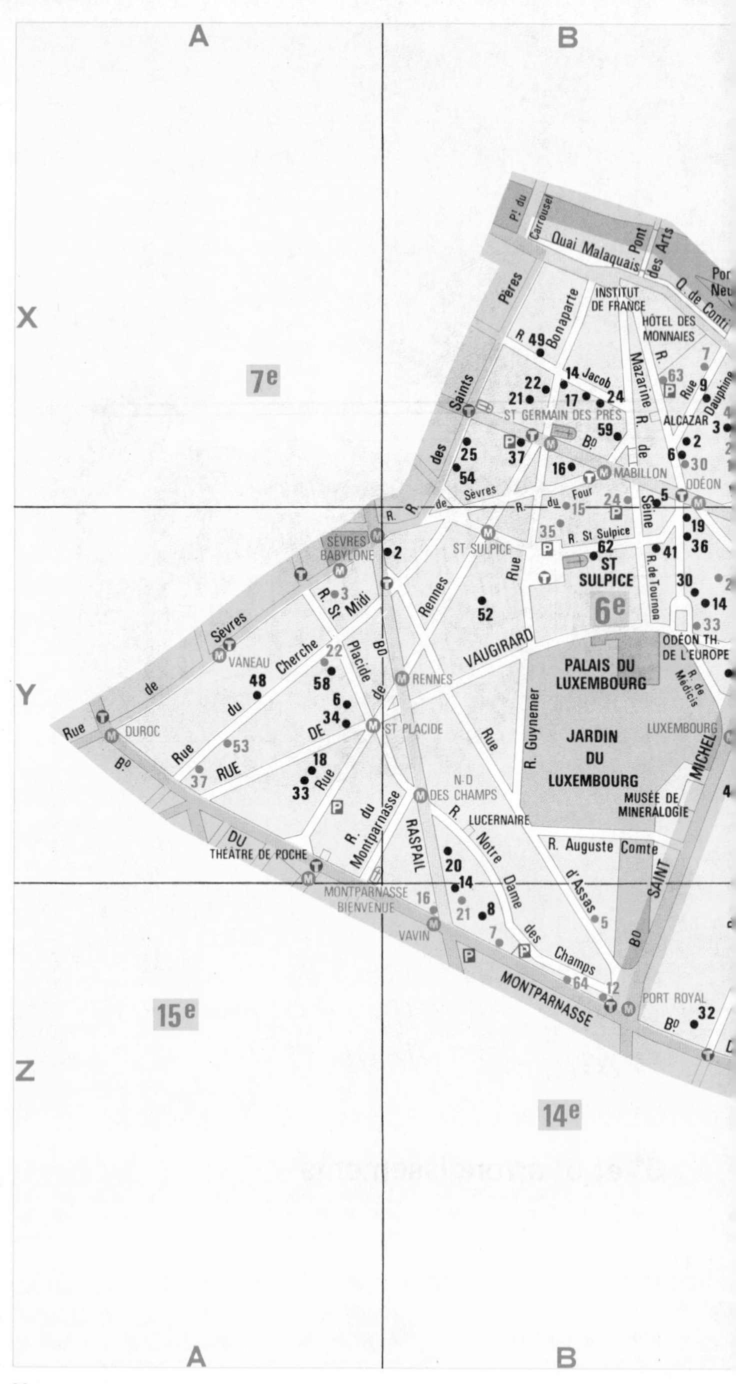

A
B
X
Y
Z
7e
6e
15e
14e
Quai Malaquais
Pont des Arts
Q. de Conti
INSTITUT DE FRANCE
HÔTEL DES MONNAIES
R. Bonaparte
Jacob
Mazarine
R. Dauphine
ALCAZAR
ST GERMAIN DES PRES
MABILLON
ODÉON
R. de Seine
R. du Four
R. St Sulpice
ST SULPICE
R. de Tournon
R. des Saints Pères
Sèvres
SÈVRES BABYLONE
R. St Midi
Rue de Sèvres
VANEAU
Rue du Cherche Midi
DUROC
Bd du Montparnasse
Placide
Rue de Rennes
VAUGIRARD
RENNES
ST PLACIDE
PALAIS DU LUXEMBOURG
JARDIN DU LUXEMBOURG
R. Guynemer
R. de Médicis
LUXEMBOURG
MUSÉE DE MINERALOGIE
ODÉON TH. DE L'EUROPE
Bd SAINT MICHEL
N-D DES CHAMPS
LUCERNAIRE
R. Notre Dame des Champs
R. Auguste Comte
d'Assas
RASPAIL
R. du Montparnasse
THÉÂTRE DE POCHE
MONTPARNASSE BIENVENUE
VAVIN
PORT ROYAL

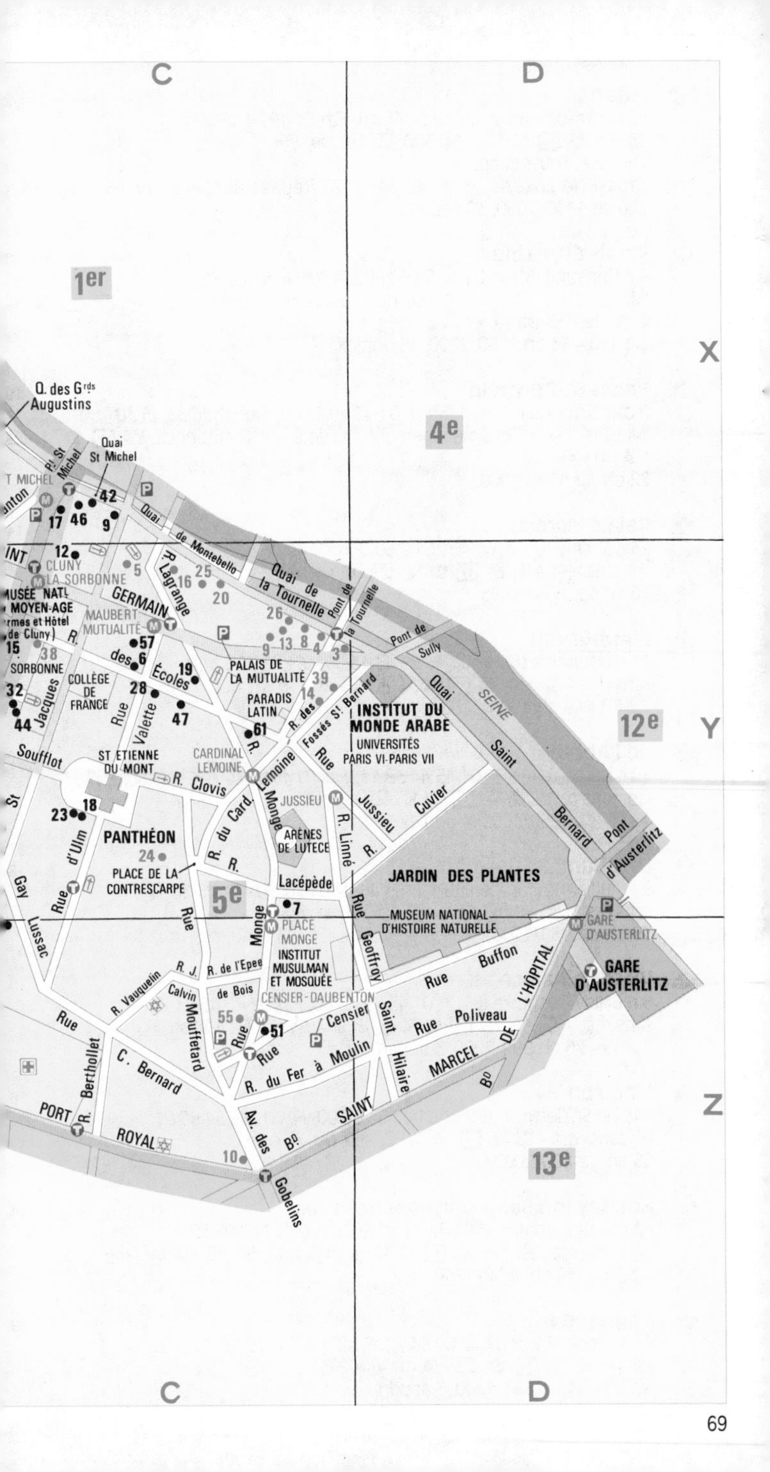
C
D
1er
X
4e
Q. des Grds Augustins
Quai St Michel
Pt. St Michel
T MICHEL
42
17
46
9
Quai de Montebello
12
CLUNY
LA SORBONNE
5
R. Lagrange
16
25
20
Quai de la Tournelle
Pont de la Tournelle
MUSÉE NATL MOYEN-AGE
GERMAIN
MAUBERT MUTUALITÉ
26
Pont de Sully
57
15
38
9
13
8
4
3
SORBONNE
des
6
Écoles
19
PALAIS DE LA MUTUALITÉ
39
32
44
Jacques
COLLÈGE DE FRANCE
28
Rue Valette
47
PARADIS LATIN
14
R. des Fossés St Bernard
INSTITUT DU MONDE ARABE
UNIVERSITÉS PARIS VI-PARIS VII
Quai Saint Bernard
SEINE
12e
Y
61
Soufflot
ST ETIENNE DU MONT
CARDINAL LEMOINE
R. Clovis
R. Lemoine
Rue Jussieu
Cuvier
JUSSIEU
23
18
PANTHÉON
R. du Card.
Monge
ARÈNES DE LUTECE
R. Linné
Pont d'Austerlitz
24
Rue d'Ulm
PLACE DE LA CONTRESCARPE
R.
Lacépède
JARDIN DES PLANTES
5e
7
Gay Lussac
Rue
Monge
PLACE MONGE
Rue Geoffroy
MUSEUM NATIONAL D'HISTOIRE NATURELLE
GARE D'AUSTERLITZ
INSTITUT MUSULMAN ET MOSQUÉE
R. de l'Epee de Bois
R. J. Calvin
Rue Buffon
L'HÔPITAL
GARE D'AUSTERLITZ
R. Vauquelin
CENSIER-DAUBENTON
Rue
55
Rue Mouffetard
51
Rue Censier
Saint Hilaire
Rue Poliveau
DE
R. Berthollet
C. Bernard
R. du Fer à Moulin
MARCEL
Bd
Z
PORT
ROYAL
Av. des Gobelins
Bd SAINT
10
13e
C
D

Lutétia BY 2
45 bd Raspail (6e) ✆ 01 49 54 46 46, *Fax 01 49 54 46 00*
– 300. AE GB JCB
voir rest. ***Paris*** ci-après
Brasserie Lutétia ✆ 01 49 54 46 76 **Repas** 189/245 ♀, enf. 65 – ☐ 135 –
220 ch 1190/2050, 30 appart.

Relais Christine BX 3
3 r. Christine (6e) ✆ 01 40 51 60 80, *Fax 01 40 51 60 81*
M sans rest, « Élégante décoration intérieure » – TV
. AE GB JCB
☐ 110 – **36 ch** 1650/2000, 15 duplex.

Relais St-Germain BY 19
9 carrefour de l'Odéon (6e) ✆ 01 43 29 12 05, *Fax 01 46 33 45 30*
M sans rest, « Bel aménagement intérieur » – cuisinette TV . AE
GB JCB
22 ch ☐ 1290/2000.

Relais Médicis BY 14
23 r. Racine (6e) ✆ 01 43 26 00 60, *Fax 01 40 46 83 39*
M sans rest – TV . AE GB JCB
16 ch ☐ 1230/1595.

d'Aubusson BX 9
33 r. Dauphine (6e) ✆ 01 43 29 43 43, *Fax 01 43 29 12 62*
sans rest – TV . AE GB.
☐ 80 – **49 ch** 1900/2100.

de l'Abbaye BY 52
10 r. Cassette (6e) ✆ 01 45 44 38 11, *Fax 01 45 48 07 86*
sans rest – TV . AE GB.
42 ch ☐ 1050/1600, 4 duplex.

Left Bank St-Germain BX 6
9 r. Ancienne Comédie (6e) ✆ 01 43 54 01 70, *Fax 01 43 26 17 14*
sans rest – TV . AE GB JCB
30 ch ☐ 980/1100.

Victoria Palace AY 18
6 r. Blaise-Desgoffe (6e) ✆ 01 45 49 70 00, *Fax 01 45 49 23 75*
sans rest – TV – 30. AE GB JCB
☐ 95 – **76 ch** 992/2000, 3 appart.

Madison BX 16
143 bd St-Germain (6e) ✆ 01 40 51 60 00, *Fax 01 40 51 60 01*
M sans rest – TV . AE GB JCB
55 ch ☐ 800/2000.

Holiday Inn Saint Germain des Prés AY 34
92 r. Vaugirard (6e) ✆ 01 42 22 00 56, *Fax 01 42 22 05 39*
M sans rest – TV – 50. AE GB JCB
☐ 80 – **134 ch** 1050/1230.

Angleterre BX 49
44 r. Jacob (6e) ✆ 01 42 60 34 72, *Fax 01 42 60 16 93*
sans rest – TV . AE GB JCB.
☐ 52 – **24 ch** 680/1200, 3 appart.

Sainte Beuve BY 20
9 r. Ste-Beuve (6e) ☎ 01 45 48 20 07, *Fax 01 45 48 67 52*
M sans rest – TV. AE GB JCB.
90 – **22 ch** 760/1600.

Littré AY 33
9 r. Littré (6e) ☎ 01 45 44 38 68, *Fax 01 45 44 88 13*
sans rest – TV – 25. AE GB JCB
70 – **93 ch** 720/1000, 4 appart.

St-Grégoire AY 6
43 r. Abbé Grégoire (6e) ☎ 01 45 48 23 23, *Fax 01 45 48 33 95*
M sans rest – TV. AE GB JCB.
60 – **20 ch** 790/1390.

Villa BX 14
29 r. Jacob (6e) ☎ 01 43 26 60 00, *Fax 01 46 34 63 63*
M sans rest, « Original décor contemporain » – TV. AE
GB.
80 – **29 ch** 1100/2000, 3 appart.

Alliance St-Germain-des-Prés BX 21
7-11 r. St-Benoit (6e) ☎ 01 42 61 53 53, *Fax 01 49 27 09 33*
M sans rest – TV. AE GB JCB
75 – **117 ch** 1190/1290.

St-Germain-des-Prés BX 22
36 r. Bonaparte (6e) ☎ 01 43 26 00 19, *Fax 01 40 46 83 63*
sans rest – TV. AE GB.
50 – **30 ch** 750/1350.

Rives de Notre-Dame CX 42
15 quai St-Michel (5e) ☎ 01 43 54 81 16, *Fax 01 43 26 27 09*
M sans rest, <, « Maison du 16e siècle, décor provençal » – TV
. AE GB JCB
85 – **10 ch** 995/2500.

Ferrandi AY 48
92 r. Cherche-Midi (6e) ☎ 01 42 22 97 40, *Fax 01 45 44 89 97*
sans rest – TV. AE GB JCB
65 – **41 ch** 580/1280.

Villa des Artistes BZ 8
9 r. Grande Chaumière (6e) ☎ 01 43 26 60 86, *Fax 01 43 54 73 70*
M sans rest – TV. AE GB JCB.
40 – **59 ch** 1200.

Régent BX 2
61 r. Dauphine (6e) ☎ 01 46 34 59 80, *Fax 01 40 51 05 07*
M sans rest – TV. AE GB JCB.
55 – **25 ch** 750/1000.

de Buci BX 59
22 r. Buci (6e) ☎ 01 43 26 89 22, *Fax 01 46 33 80 31*
M sans rest – TV. AE GB JCB.
70 – **24 ch** 950/1400.

Relais St-Jacques CZ 2
3 r. Abbé de l'Épée (5e) ☎ 01 53 73 26 00, *Fax 01 43 26 17 81*
sans rest – TV. AE GB JCB.
66 – **23 ch** 1080/1300.

Résidence Henri IV CY 47
50 r. Bernardins (5e) ✆ 01 44 41 31 81, *Fax 01 46 33 93 22*
M sans rest – cuisinette. AE GB JCB.
40 – **8 ch** 630/800, 5 appart.

Odéon H. BY 36
3 r. Odéon (6e) ✆ 01 43 25 90 67, *Fax 01 43 25 55 98*
M sans rest –. AE GB JCB.
60 – **33 ch** 756/1412.

de Fleurie BX 5
32 r. Grégoire de Tours (6e) ✆ 01 53 73 70 00, *Fax 01 53 73 70 20*
sans rest –. AE GB.
50 – **29 ch** 680/1200.

Saints-Pères BX 54
65 r. des Sts-Pères (6e) ✆ 01 45 44 50 00, *Fax 01 45 44 90 83*
sans rest –. AE GB.
55 – **36 ch** 750/1250, 3 appart.

Select CY 32
1 pl. Sorbonne (5e) ✆ 01 46 34 14 80, *Fax 01 46 34 51 79*
M sans rest –. AE GB JCB
30 – **67 ch** 650/890.

Panthéon CY 23
19 pl. Panthéon (5e) ✆ 01 43 54 32 95, *Fax 01 43 26 64 65*
sans rest –. AE GB JCB.
fermé 3 au 24 août
45 – **34 ch** 680/800.

Grands Hommes CY 18
17 pl. Panthéon (5e) ✆ 01 46 34 19 60, *Fax 01 43 26 67 32*
sans rest, –. AE GB JCB.
45 – **32 ch** 680/800.

Sully St-Germain CY 28
31 r. Écoles (5e) ✆ 01 43 26 56 02, *Fax 01 43 29 74 42*
M sans rest, –. AE GB JCB.
50 – **56 ch** 700/1200.

Relais St-Sulpice BY 62
3 r. Garancière (6e) ✆ 01 46 33 99 00, *Fax 01 46 33 00 10*
M sans rest –. AE GB JCB.
55 – **26 ch** 1120/1490.

Royal St-Michel CX 17
3 bd St-Michel (5e) ✆ 01 44 07 06 06, *Fax 01 44 07 36 25*
M sans rest –. AE GB JCB
45 – **39 ch** 990/1160.

Belloy St-Germain CY 15
2 r. Racine (6e) ✆ 01 46 34 26 50, *Fax 01 46 34 66 18*
M sans rest –. GB JCB
50 – **50 ch** 690/910.

Jardins du Luxembourg BY 43
5 imp. Royer-Collard (5e) ✆ 01 40 46 08 88, *Fax 01 40 46 02 28*
M sans rest –. AE GB JCB.
55 – **26 ch** 1025.

Au Manoir St-Germain des Prés BX 37
153 bd St-Germain (6e) 01 42 22 21 65, *Fax 01 45 48 22 25*
sans rest – AE GB JCB
32 ch 1100/1300.

de l'Odéon BY 41
13 r. St-Sulpice (6e) 01 43 25 70 11, *Fax 01 43 29 97 34*
sans rest, « Maison du 16e siècle » – AE GB JCB
55 – **29 ch** 680/970.

Jardin de l'Odéon BY 30
7 r. Casimir Delavigne (6e) 01 46 34 23 90, *Fax 01 43 25 28 12*
M sans rest – AE GB JCB
55 – **41 ch** 650/1050.

Clos Médicis BY 4
56 r. Monsieur Le Prince (6e) 01 43 29 10 80, *Fax 01 43 54 26 90*
M sans rest – AE GB JCB
60 – **38 ch** 790/1200.

Parc St-Séverin CY 12
22 r. Parcheminerie (5e) 01 43 54 32 17, *Fax 01 43 54 70 71*
sans rest – AE GB.
50 – **27 ch** 500/1500.

St-Christophe CY 7
17 r. Lacépède (5e) 01 43 31 81 54, *Fax 01 43 31 12 54*
sans rest – AE GB
50 – **31 ch** 550.

Notre Dame CX 9
1 quai St-Michel (5e) 01 43 54 20 43, *Fax 01 43 26 61 75*
sans rest, – AE GB JCB
40 – **23 ch** 620/820, 3 duplex.

Jardin de Cluny CY 57
9 r. Sommerard (5e) 01 43 54 22 66, *Fax 01 40 51 03 36*
sans rest – AE GB JCB.
50 – **40 ch** 690/1200.

Millésime H. BX 24
15 r. Jacob (6e) 01 44 07 97 97, *Fax 01 46 34 55 97*
sans rest – AE GB.
55 – **21 ch** 800/950.

Bréa BZ 14
14 r. Bréa (6e) 01 43 25 44 41, *Fax 01 44 07 19 25*
sans rest – AE GB.
55 – **23 ch** 650/840.

Agora St-Germain CY 19
42 r. Bernardins (5e) 01 46 34 13 00, *Fax 01 46 34 75 05*
sans rest – AE GB JCB.
50 – **39 ch** 590/720.

Pas-de-Calais BX 25
59 r. Sts-Pères (6e) 01 45 48 78 74, *Fax 01 45 44 94 57*
sans rest – AE GB JCB
45 – **41 ch** 600/820.

Marronniers BX 17
21 r. Jacob (6e) 01 43 25 30 60, *Fax 01 40 46 83 56*
sans rest – GB.
50 – **37 ch** 755/985.

California CY 6
32 r. Écoles (5e) ✆ 01 46 34 12 90, *Fax 01 46 34 75 52*
sans rest – AE GB.
45 – **44 ch** 650/1200.

Sèvres Azur AY 58
22 r. Abbé-Grégoire (6e) ✆ 01 45 48 84 07, *Fax 01 42 84 01 55*
sans rest – AE GB JCB
38 – **31 ch** 445/500.

Familia CY 61
11 r. Écoles (5e) ✆ 01 43 54 55 27, *Fax 01 43 29 61 77*
sans rest – AE GB.
35 – **30 ch** 380/520.

Maxim CZ 51
28 r. Censier (5e) ✆ 01 43 31 16 15, *Fax 01 43 31 93 87*
M sans rest – AE GB JCB
45 – **36 ch** 510/570.

Albe CX 46
1 r. Harpe (5e) ✆ 01 46 34 09 70, *Fax 01 40 46 85 70*
sans rest – AE GB JCB.
47 – **45 ch** 540/800.

Pierre Nicole BZ 32
39 r. Pierre Nicole (5e) ✆ 01 43 54 76 86, *Fax 01 43 54 22 45*
sans rest – AE GB.
35 – **33 ch** 330/430.

Sorbonne CY 44
6 r. Victor Cousin (5e) ✆ 01 43 54 58 08, *Fax 01 40 51 05 18*
sans rest – AE GB
35 – **37 ch** 425/500.

Tour d'Argent (Terrail) CY 3
15 quai Tournelle (5e) ✆ 01 43 54 23 31, *Fax 01 44 07 12 04*
< Notre-Dame, « Petit musée de la table. Dans les caves, spectacle historique sur le vin » – AE GB JCB
fermé lundi – **Repas** 350 (déj.) et carte 750 à 980
Spéc. Quenelles de brochet "André Terrail". Caneton "Tour d'Argent". Flambée de pêches à l'eau de vie de framboise.

Jacques Cagna BX 29
14 r. Grands Augustins (6e) ✆ 01 43 26 49 39, *Fax 01 43 54 54 48*
« Maison du Vieux Paris » – AE GB JCB
fermé 1er au 26 août, 24 déc. au 2 janv., sam. midi et dim. – **Repas** 240 (déj.)/470 et carte 430 à 700
Spéc. Escargots "petits gris" en surprise. Poularde de Houdan en deux services. Gibier (saison).

Paris - Hôtel Lutétia BY 2
45 bd Raspail (6e) ✆ 01 49 54 46 90, *Fax 01 49 54 46 00*
« Décor inspiration "Art-Déco" » – AE GB
fermé 27 juil. au 24 août, sam., dim. et fériés – **Repas** *(190)* - 275 (déj.), 375/565 et carte 390 à 540
Spéc. Turbot cuit dans le sel de Guérande et algues bretonnes. Jarret de veau cuit en cocotte. Le "tout chocolat".

XXX **Relais Louis XIII** (Martinez) BX 4
✿ 8 r. Grands Augustins (6e) ✆ 01 43 26 75 96, *Fax 01 44 07 07 80*
« Maison historique, caveau du 16e siècle » – ▤. AE GB JCB
fermé 12 au 20 avril, 3 au 25 août, lundi midi et dim. – **Repas** 195/250 et carte 270 à 390 ♀
Spéc. Soufflé de poularde et ris de veau aux écrevisses (sept. à déc.). Tronçon de turbot de ligne cuisiné comme une matelote. Millefeuille tiède à la vanille.

XXX **Closerie des Lilas** BZ 12
171 bd Montparnasse (6e) ✆ 01 40 51 34 50, *Fax 01 43 29 99 94*
, « Ancien café littéraire » – AE ⓓ GB JCB
Repas 250 bc (déj.), 350/450 et carte 300 à 420
Brasserie : **Repas** 180 bc/300 bc.

XXX **Procope** BX 30
13 r. Ancienne Comédie (6e) ✆ 01 40 46 79 00, *Fax 01 40 46 79 09*
« Ancien café littéraire du 18e siècle » – ▤. AE ⓓ GB
Repas 109 (déj.)/178 et carte 170 à 320 ♀.

XX **Yugaraj** BX 7
14 r. Dauphine (6e) ✆ 01 43 26 44 91, *Fax 01 46 33 50 77*
▤. AE ⓓ GB JCB.
fermé lundi midi – **Repas** - cuisine indienne - 130 (déj.), 170/220 et carte 220 à 350.

XX **Mavrommatis** CZ 55
42 r. Daubenton (5e) ✆ 01 43 31 17 17, *Fax 01 43 36 13 08*
▤. GB.
fermé lundi – **Repas** - cuisine grecque - 150 et carte 170 à 270.

XX **Timonerie** (de Givenchy) CY 26
✿ 35 quai Tournelle (5e) ✆ 01 43 25 44 42
▤. GB
fermé 2 au 31 août, lundi midi et dim. – **Repas** 250 (déj.)/350 ♀
Spéc. Tarte de pain et pomme de terre à la tomme de montagne. Poitrine de porc rôtie et sa croûte de pain farcie. Tarte au chocolat.

XX **Chez Maître Paul** BY 27
12 r. Monsieur-le-Prince (6e) ✆ 01 43 54 74 59, *Fax 01 46 34 58 33*
▤. AE ⓓ GB
Repas 160/195 bc et carte 210 à 320 ♀.

XX **Truffière** CY 24
4 r. Blainville (5e) ✆ 01 46 33 29 82, *Fax 01 46 33 64 74*
« Maison du 17e siècle » – ▤. AE ⓓ GB JCB.
fermé lundi – **Repas** *(98)* - 110 (déj.)(sauf dim.) 240 ♀.

XX **Chat Grippé** BZ 5
87 r. Assas (6e) ✆ 01 43 54 70 00, *Fax 01 43 26 42 05*
▤. AE GB.
fermé 27 juil. au 28 août, sam. midi et lundi – **Repas** 140 (déj.)/200 et carte 220 à 300 ♀.

XX **Marty** CZ 10
20 av. Gobelins (5e) ✆ 01 43 31 39 51, *Fax 01 43 37 63 70*
brasserie, « Cadre des années 30 » – AE ⓓ GB JCB
Repas *(95)* - 168 bc/195 et carte 180 à 310 ♀.

XX **Inagiku** CY 9
14 r. Pontoise (5e) ✆ 01 43 54 70 07, *Fax 01 40 51 74 44*
▤. GB
fermé 1er au 15 août et dim. – **Repas** - cuisine japonaise - 88 (déj.), 148/248 et carte 230 à 300.

XX **L'Arrosée** BY 35
12 r. Guisarde (6e) ✆ 01 43 54 66 59, *Fax 01 43 54 66 59*
« Maison du 18e siècle » – ▤. AE ⓓ GB JCB. ✈
fermé sam. midi et dim. midi – **Repas** 150/210 et carte 270 à 450 ♀.

XX **Bastide Odéon** BY 33
7 r. Corneille (6e) ✆ 01 43 26 03 65, *Fax 01 44 07 28 93*
GB
fermé 3 au 23 août, dim. et lundi – **Repas** *(150)* - 190 ♀.

XX **Aub. des Deux Signes** CY 5
46 r. Galande (5e) ✆ 01 43 25 46 56, *Fax 01 46 33 20 49*
« Cadre médiéval » – AE ⓓ GB JCB
fermé août, sam. midi et dim. – **Repas** 150/230 et carte 290 à 450, enf. 100.

XX **Rond de Serviette** AY 53
97 r. Cherche-Midi (6e) ✆ 01 45 44 01 02, *Fax 01 42 22 50 10*
▤. AE ⓓ GB JCB
fermé 1er au 23 août, sam. midi et dim. – **Repas** *(98)* - 138 bc (déj.), 178/270 bc.

XX **Chez Toutoune** CY 13
5 r. Pontoise (5e) ✆ 01 43 26 56 81, *Fax 01 40 46 80 34*
AE GB
fermé lundi midi – **Repas** 178/198 ♀.

XX **Atelier Maître Albert** CY 20
1 r. Maître Albert (5e) ✆ 01 46 33 13 78, *Fax 01 44 07 01 86*
▤. AE GB
fermé lundi midi et dim. – **Repas** *(130)* - 180/240 bc.

X **Campagne et Provence** CY 8
25 quai Tournelle (5e) ✆ 01 43 54 05 17, *Fax 01 43 29 74 93*
▤. GB
fermé 1er au 15 août, lundi midi, sam. midi et dim. – **Repas** 125/220 ♀.

X **Bouillon Racine** CY 17
3 r. Racine (6e) ✆ 01 44 32 15 60, *Fax 01 44 32 15 61*
brasserie, « Cadre "Art Nouveau" » – ▤. AE GB
Repas *(69)* - 98 (déj.)/159 et carte 170 à 260 ♀.

X **Les Bouchons de François Clerc** CY 16
12 r. Hôtel Colbert (5e) ✆ 01 43 54 15 34, *Fax 01 46 34 68 07*
« Maison du vieux Paris » – ▤. AE GB
fermé sam. midi et dim. – **Repas** 117/219.

X **Les Bookinistes** BX 56
53 quai Grands Augustins (6e) ✆ 01 43 25 45 94, *Fax 01 43 25 23 07*
▤. AE GB JCB
fermé sam. midi et dim. midi – **Repas** 190 bc (déj.) et carte 200 à 260 ♀.

X **Dominique** BZ 21
19 r. Bréa (6e) ✆ 01 43 27 08 80, *Fax 01 43 26 88 35*
▤. AE ⓓ GB JCB
fermé 18 juil. au 18 août, lundi midi et dim. – **Repas** - cuisine russe - (dîner seul.) 160 bc et carte 230 à 270 ♀.

X **L'O à la Bouche** BZ 64
157 bd Montparnasse (6e) ✆ 01 43 26 26 53, *Fax 01 43 26 43 40*
GB
fermé 6 au 12 avril, 3 au 23 août, 4 au 10 janv., dim. et lundi – **Repas** *(150)* - 190 ♀.

Rotonde BZ 16
105 bd Montparnasse (6e) 01 43 26 48 26, *Fax 01 46 34 52 40*
brasserie – ▤. AE GB JCB
Repas *(140)* - 180.

Rôtisserie d'en Face BX 8
2 r. Christine (6e) 01 43 26 40 98, *Fax 01 43 54 54 48*
▤. AE ⓓ GB JCB
fermé sam. midi et dim. – **Repas** *(135)* - 159 (déj.)/210 ♀.

Marlotte AY 22
55 r. Cherche-Midi (6e) 01 45 48 86 79, *Fax 01 45 44 34 80*
▤. AE ⓓ GB JCB.
fermé août, sam. midi et dim. – **Repas** carte 190 à 300.

Rôtisserie du Beaujolais CY 4
19 quai Tournelle (5e) 01 43 54 17 47, *Fax 01 44 07 12 04*
▤. GB
fermé lundi – **Repas** carte 160 à 250 ♀.

Bistrot d'Alex BX 24
2 r. Clément (6e) 01 43 54 09 53, *Fax 01 43 25 77 66*
▤. AE GB JCB
fermé 9 au 16 août, 24 déc. au 2 janv., sam. midi et dim. – **Repas** 140/170 et carte 170 à 280 ♀.

Joséphine "Chez Dumonet" AY 37
117 r. Cherche-Midi (6e) 01 45 48 52 40, *Fax 01 42 84 06 83*
bistrot – AE GB
fermé août, sam. et dim. – carte 200 à 370
Rôtisserie : broche et grillades au feu de bois 01 42 22 81 19 *(fermé juil., lundi et mardi)* **Repas** 128/210 ♀.

L'Épi Dupin AY 3
11 r. Dupin (6e) 01 42 22 64 56, *Fax 01 42 22 30 42*
AE GB
fermé 1er au 23 août, sam. et dim. – **Repas** *(110 bc)* - 165.

Bauta BZ 7
129 bd Montparnasse (6e) 01 43 22 52 35, *Fax 01 43 22 10 99*
▤. GB
fermé 9 au 23 août, sam. midi, dim. et fériés – **Repas** - cuisine italienne - 150/200 et carte 210 à 300 ♀.

Cafetière BX 63
21 r. Mazarine (6e) 01 46 33 76 90, *Fax 01 43 25 76 90*
GB
fermé 9 au 30 août, 21 déc. au 4 janv. et dim. – **Repas** - cuisine italienne - carte 200 à 310 ♀.

Allard BX 13
41 r. St-André-des-Arts (6e) 01 43 26 48 23, *Fax 01 46 33 04 02*
bistrot – ▤. AE ⓓ GB JCB
fermé août et dim. – **Repas** *(150)* - 200 et carte 250 à 420.

Moulin à Vent "Chez Henri" CY 39
20 r. Fossés-St-Bernard (5e) 01 43 54 99 37
bistrot – GB.
fermé fin juil. à fin août, dim. et lundi – **Repas** carte 230 à 320.

Balzar CY 38
49 r. Écoles (5e) ✆ 01 43 54 13 67, *Fax 01 44 07 14 91*
brasserie – ▤. AE GB
fermé août – **Repas** carte 140 à 280 ♀.

Moissonnier CY 14
28 r. Fossés-St-Bernard (5e) ✆ 01 43 29 87 65
bistrot – GB
fermé août, dim. soir et lundi – **Repas** 150 et carte 170 à 290.

Reminet CY 25
3 r. Grands Degrés (5e) ✆ 01 44 07 04 24, *Fax 01 44 07 17 37*
AE GB
fermé 10 au 25 août, 1er au 14 janv., mardi midi et lundi – **Repas** 85 (déj.)/110 et carte 170 à 210 ♀.

Palanquin BX 15
12 r. Princesse (6e) ✆ 01 43 29 77 66
GB
fermé dim. – **Repas** - cuisine vietnamienne - 70 (déj.), 110/148 et carte 150 à 240 ♀.

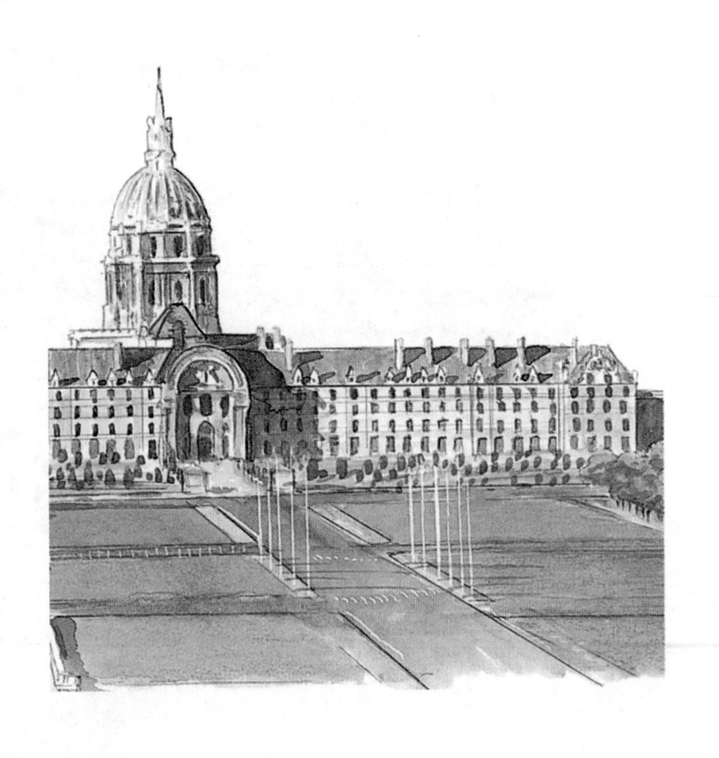

Tour Eiffel
École Militaire
Invalides

7e arrondissement

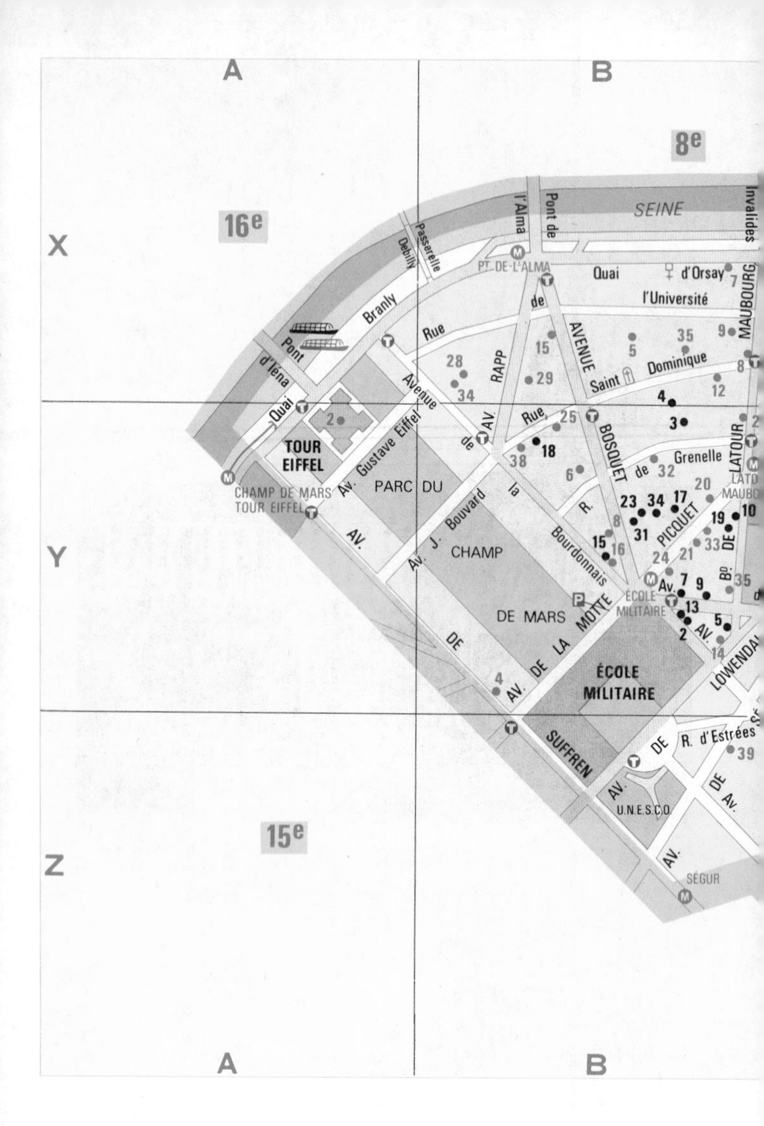

Pour vous diriger dans ***PARIS*** *: le* ***plan Michelin***

tourisme *(n° 8)*

transports *(n° 9)*

en une feuille *(n° 10)*

avec répertoire des rues *(n° 12)*

un atlas avec répertoire des rues et adresses utiles *(n° 11)*

un atlas avec répertoire des rues *(n° 14)*

Pour visiter ***Paris*** *: le* ***guide Vert Michelin***

Ces ouvrages se complètent utilement.

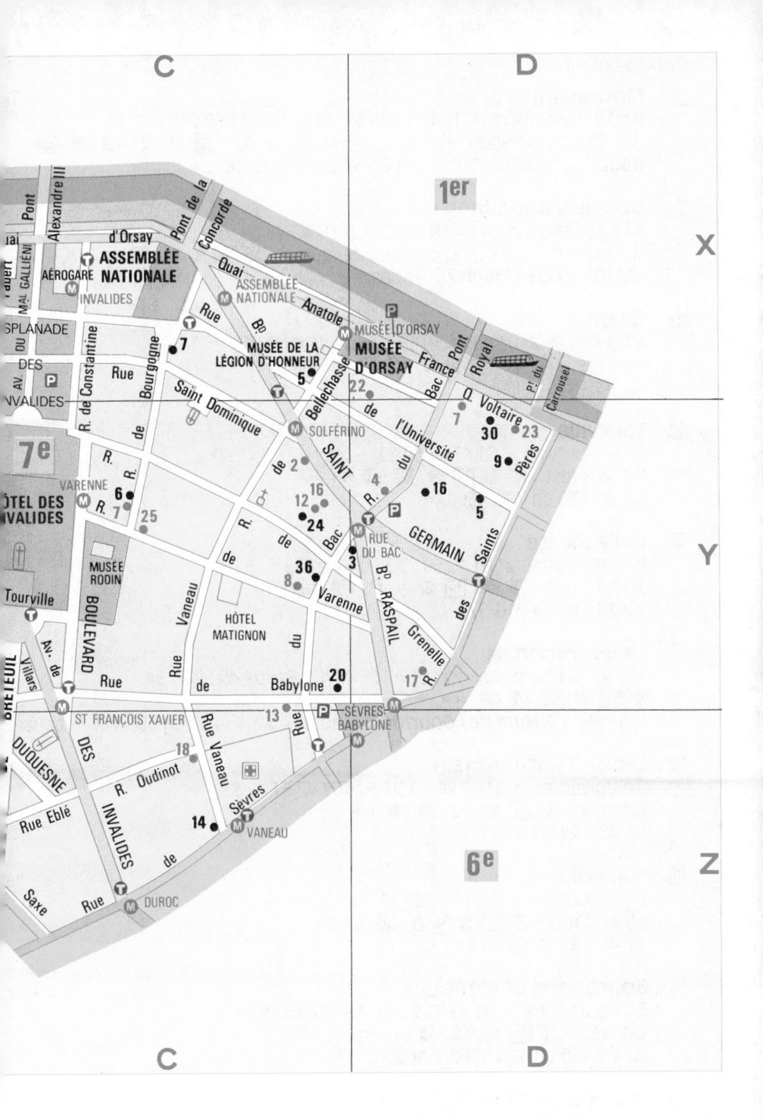
C
D
1er
X
7e
Y
6e
Z
ASSEMBLÉE NATIONALE
MUSÉE DE LA LÉGION D'HONNEUR
MUSÉE D'ORSAY
HÔTEL MATIGNON
MUSÉE RODIN
Quai Anatole France
Rue Saint Dominique
Rue de l'Université
Bd SAINT GERMAIN
Bd RASPAIL
Rue de Varenne
Rue de Babylone
Rue du Bac
Rue de Grenelle
Rue Vaneau
BOULEVARD DES INVALIDES
SOLFÉRINO
RUE DU BAC
SÈVRES-BABYLONE
VANEAU
DUROC
VARENNE
ST FRANÇOIS XAVIER

Montalembert DY 16
3 r. Montalembert ✆ 01 45 49 68 68, *Fax 01 45 49 69 49*
M, « Décoration originale » – . AE GB JCB
Repas carte 250 à 350 – 100 – **51 ch** 1695/2200, 5 appart.

Duc de Saint-Simon CY 24
14 r. St-Simon ✆ 01 44 39 20 20, *Fax 01 45 48 68 25*
sans rest, « Belle décoration intérieure » – . AE GB.
70 – **29 ch** 1075/1475, 5 appart.

Cayré DY 3
4 bd Raspail ✆ 01 45 44 38 88, *Fax 01 45 44 98 13*
sans rest – . AE GB JCB
80 – **119 ch** 1200.

Tourville BY 9
16 av. Tourville ✆ 01 47 05 62 62, *Fax 01 47 05 43 90*
M sans rest – . AE GB JCB
60 – **30 ch** 790/1690.

Bellechasse CX 5
8 r. Bellechasse ✆ 01 45 50 22 31, *Fax 01 45 51 52 36*
M sans rest – . AE GB JCB
75 – **41 ch** 910/975.

La Bourdonnais BY 15
111 av. La Bourdonnais ✆ 01 47 05 45 42, *Fax 01 45 55 75 54*
. AE GB JCB
voir rest. ***Cantine des Gourmets*** ci-après – 45 – **57 ch** 580/780, 3 appart.

Lenox Saint-Germain DY 5
9 r. Université ✆ 01 42 96 10 95, *Fax 01 42 61 52 83*
sans rest – . AE GB JCB
45 – **29 ch** 650/1200.

Splendid BY 13
29 av. Tourville ✆ 01 45 51 29 29, *Fax 01 44 18 94 60*
M sans rest – . AE GB
46 – **45 ch** 590/990.

Bourgogne et Montana CX 7
3 r. Bourgogne ✆ 01 45 51 20 22, *Fax 01 45 56 11 98*
sans rest – . AE GB JCB
70 – **28 ch** 690/1060, 6 appart.

Les Jardins d'Eiffel BX 4
8 r. Amélie ✆ 01 47 05 46 21, *Fax 01 45 55 28 08*
M sans rest – . AE GB JCB
60 – **80 ch** 710/970.

Eiffel Park H. BY 3
17 bis r. Amélie ✆ 01 45 55 10 01, *Fax 01 47 05 28 68*
M sans rest – – 25. AE GB JCB.
55 – **36 ch** 650/700.

Verneuil St-Germain DY 9
8 r. Verneuil ✆ 01 42 60 82 14, *Fax 01 42 61 40 38*
sans rest – . AE GB.
26 ch 650/950.

Muguet BY 19
11 r. Chevert 01 47 05 05 93, *Fax 01 45 50 25 37*
M sans rest – TV . AE GB
47 – **45 ch** 460/530.

du Cadran BY 23
10 r. Champ-de-Mars 01 40 62 67 00, *Fax 01 40 62 67 13*
M sans rest – TV . AE GB.
50 – **42 ch** 850/920.

Relais Bosquet BY 31
19 r. Champ-de-Mars 01 47 05 25 45, *Fax 01 45 55 08 24*
sans rest – TV . AE GB
53 – **40 ch** 700/850.

Sèvres Vaneau CZ 14
86 r. Vaneau 01 45 48 73 11, *Fax 01 45 49 27 74*
sans rest – TV . AE GB JCB
75 – **39 ch** 825/890.

St-Germain CY 36
88 r. Bac 01 49 54 70 00, *Fax 01 45 48 26 89*
sans rest – TV . AE GB.
50 – **29 ch** 450/800.

de Varenne CY 6
44 r. Bourgogne 01 45 51 45 55, *Fax 01 45 51 86 63*
sans rest – TV . AE GB
48 – **24 ch** 590/720.

Derby Eiffel H. BY 2
5 av. Duquesne 01 47 05 12 05, *Fax 01 47 05 43 43*
sans rest – TV . AE GB
65 – **43 ch** 690/750.

Beaugency BY 17
21 r. Duvivier 01 47 05 01 63, *Fax 01 45 51 04 96*
sans rest – TV . AE GB
40 – **30 ch** 600/700.

Bersoly's DY 30
28 r. Lille 01 42 60 73 79, *Fax 01 49 27 05 55*
sans rest – TV . AE GB
fermé août
50 – **16 ch** 600/750.

Chomel CY 20
15 r. Chomel 01 45 48 55 52, *Fax 01 45 48 89 76*
sans rest – TV . AE GB JCB.
50 – **23 ch** 595/880.

Londres BY 18
1 r. Augereau 01 45 51 63 02, *Fax 01 47 05 28 96*
sans rest – TV . AE GB JCB
45 – **30 ch** 495/595.

France BY 5
102 bd La Tour Maubourg 01 47 05 40 49, *Fax 01 45 56 96 78*
sans rest – TV . AE GB JCB
35 – **60 ch** 385/500.

Champ-de-Mars BY 34
7 r. Champ-de-Mars ✆ 01 45 51 52 30, *Fax 01 45 51 64 36*
sans rest – |‡| TV ☎. AE GB JCB. 🐕
☕ 35 – **25 ch** 355/420.

L'Empereur BY 10
2 r. Chevert ✆ 01 45 55 88 02, *Fax 01 45 51 88 54*
sans rest – |‡| TV ☎. AE GB
☕ 37 – **38 ch** 420/500.

Turenne BY 7
20 av. Tourville ✆ 01 47 05 99 92, *Fax 01 45 56 06 04*
sans rest – |‡| TV ☎. AE ⓓ GB. 🐕
☕ 38 – **34 ch** 340/550.

XXXX ✿ **Jules Verne** AY 2
2e étage Tour Eiffel, ascenseur privé pilier sud ✆ 01 45 55 61 44 *Fax 01 47 05 29 41*
< Paris – ▤. AE ⓓ GB JCB. 🐕
Repas 290/680 et carte 520 à 680 ♀
Spéc. Langoustines et gros homard poêlés, jus aux agrumes. Entrecôte de veau de Corrèze aux champignons du moment. Cristalline aux framboises, sorbet au vin de Brouilly.

XXXX ✿✿✿ **Arpège** (Passard) CY 25
84 r. Varenne ✆ 01 45 51 47 33, *Fax 01 44 18 98 39*
▤. AE ⓓ GB JCB
fermé sam. et dim. – **Repas** 390 (déj.)/690 et carte 540 à 780 ♀
Spéc. Consommé de crustacés et ravioles d'oignons au citron et basilic. Dragée de pigeonneau vendéen à l'hydromel. Tomate confite farcie aux douze saveurs (dessert).

XXXX ✿✿ **Le Divellec** BX 3
107 r. Université ✆ 01 45 51 91 96, *Fax 01 45 51 31 75*
▤. AE ⓓ GB JCB. 🐕
fermé 23 déc. au 3 janv., dim. et lundi – **Repas** - produits de la mer - 290/390 et carte 460 à 760
Spéc. Homard à la presse avec son corail. Sole braisée au coulis d'écrevisses. Blanc de turbot braisé aux truffes.

XXX ✿ **Paul Minchelli** BY 26
54 bd La Tour Maubourg ✆ 01 47 05 89 86, *Fax 01 45 56 03 84*
▤. GB. 🐕
fermé août, 21 déc. au 6 janv., dim. et lundi – **Repas** - produits de la mer - carte 440 à 630 ♀
Spéc. Rougets grillés à l'ail et au genièvre. Escalopes de thon blanc. Ventrèche de thon à la tomate confite.

XXX ✿ **Violon d'Ingres** (Constant) BY 38
135 r. St-Dominique ✆ 01 45 55 15 05, *Fax 01 45 55 48 42*
▤. AE GB
fermé août, dim. et lundi – **Repas** 240 (déj.), 290/400 bc et carte 260 à 380 ♀
Spéc. Mousseline d'oeufs brouillés. Tatin de pied de porc caramélisé, moelleux de pomme ratte. Tarte sablée au chocolat noir, glace vanille.

XXX **Cantine des Gourmets** BY 16
✿ 113 av. La Bourdonnais ✆ 01 47 05 47 96, *Fax 01 45 51 09 29*
▤. AE GB
Repas 240 bc (déj.), 320/420 et carte 340 à 470
Spéc. Rémoulade de langoustines et tourteaux , vinaigrette de corail. Saint-Pierre à l'étouffée , poireaux-pommes à la marjolaine. Pintade rôtie vanillée, endives meunière au vieux vinaigre.

XXX **Boule d'Or** BX 27
13 bd La Tour Maubourg ✆ 01 47 05 50 18, *Fax 01 47 05 91 21*
▤. AE ⓓ GB
fermé sam. midi – **Repas** 175/210 ♀.

XXX **Petit Laurent** CY 8
38 r. Varenne ✆ 01 45 48 79 64, *Fax 01 45 44 15 95*
AE ⓓ GB
fermé août, sam. midi et dim. – **Repas** 185/250 et carte 260 à 420 ♀.

XX **Bellecour** (Goutagny) BX 9
✿ 22 r. Surcouf ✆ 01 45 51 46 93, *Fax 01 45 50 30 11*
▤. AE ⓓ GB
fermé août, sam. midi et dim. – **Repas** 160 (déj.)/220
Spéc. Tartare d'huîtres et Saint-Jacques, crème de beaufort. Saint-Jacques rôties, févettes et courgettes à la vinaigrette d'andouille au cidre. Quenelles de brochet, bisque de langoustines.

XX **Récamier** (Cantegrit) DY 17
✿ 4 r. Récamier ✆ 01 45 48 86 58, *Fax 01 42 22 84 76*
– ▤. AE ⓓ GB JCB
fermé dim. – **Repas** 300 bc et carte 280 à 450 ♀
Spéc. Oeufs en meurette. Mousse de brochet sauce Nantua. Sauté de boeuf bourguignon.

XX **Maison de l'Amérique Latine** CY 2
217 bd St-Germain ✆ 01 45 49 33 23, *Fax 01 40 49 03 94*
, « Dans un hôtel particulier du 18e siècle, terrasse ouverte sur le jardin » – AE ⓓ GB.
fermé 1er au 23 août, 25 déc. au 3 janv., le soir de nov. à avril, sam., dim. et fériés – **Repas** 225 (déj.) et carte environ 340.

XX **Beato** BX 5
8 r. Malar ✆ 01 47 05 94 27, *Fax 01 45 55 64 41*
▤. AE GB
fermé août, Noël au Jour de l'An et dim. – **Repas** - cuisine italienne - *(115)* - 145 (déj.) et carte 250 à 350 ♀.

XX **Ferme St-Simon** CY 16
6 r. St-Simon ✆ 01 45 48 35 74, *Fax 01 40 49 07 31*
▤. AE ⓓ GB
fermé 1er au 17 août, sam. midi et dim. – **Repas** 170 (déj.)/190 et carte 250 à 370.

XX **6 Bosquet** BX 15
6 av. Bosquet ✆ 01 45 56 97 26, *Fax 01 45 56 98 44*
▤. AE GB
fermé 1er au 24 août, vacances de Noël, sam. et dim. – **Repas** *(125 bc)* - 165.

XX **Vin sur Vin** BX 34
18 r. Monttessuy ✆ 01 47 05 14 20, *Fax 01 47 05 05 55*
▤. GB
fermé 1er au 9 mai, 1er au 16 août, 24 déc. au 3 janv., sam. midi, lundi midi et dim. – **Repas** carte 270 à 360.

XX **Les Glénan** CY 7
54 r. Bourgogne ✆ 01 47 05 96 65, *Fax 01 45 51 05 79*
▤. AE GB
fermé août, vacances de fév., sam. et dim. – **Repas** - produits de la mer - 200 bc et carte 290 à 360 ♀.

XX **Bamboche** CY 13
15 r. Babylone ✆ 01 45 49 14 40, *Fax 01 45 49 14 44*
▤. AE GB
fermé 3 au 16 août, sam. et dim. – **Repas** 190/320 et carte 300 à 430 ♀.

XX **Gildo** BY 32
153 r. Grenelle ✆ 01 45 51 54 12, *Fax 01 45 51 54 12*
▤. AE GB JCB
fermé 25 juil. au 25 août, lundi midi et dim. – **Repas** - cuisine italienne - 149 bc et carte 250 à 390.

XX **D'Chez Eux** BY 14
2 av. Lowendal ✆ 01 47 05 52 55, *Fax 01 45 55 60 74*
AE ⓓ GB
fermé 1er au 20 août et dim. – **Repas** 270/570 bc et carte 300 à 410.

XX **Bar au Sel** BX 7
43 quai d'Orsay ✆ 01 45 51 58 58, *Fax 01 45 56 98 42*
AE ⓓ GB
Repas - produits de la mer - 190 et carte 200 à 340 ♀.

XX **Foc Ly** BY 4
71 av. Suffren ✆ 01 47 83 27 12, *Fax 01 46 24 48 46*
▤. AE GB
fermé lundi en juil.-août – **Repas** - cuisine chinoise et thaïlandaise - *(88)* - 160 et carte 150 à 240 ♀, enf. 70.

XX **Tan Dinh** DX 22
60 r. Verneuil ✆ 01 45 44 04 84, *Fax 01 45 44 36 93*
fermé août et dim. – **Repas** - cuisine vietnamienne - carte 270 à 310.

XX **Champ de Mars** BY 33
17 av. La Motte-Picquet ✆ 01 47 05 57 99, *Fax 01 44 18 94 69*
AE ⓓ GB
fermé 19 juil. au 19 août et lundi – **Repas** 155 bc/198 bc et carte 180 à 310.

X **Gaya Rive Gauche** DY 4
44 r. Bac ✆ 01 45 44 73 73, *Fax 01 45 44 73 73*
AE GB
fermé 26 juil. au 24 août et dim. – **Repas** - produits de la mer - carte 250 à 350 ♀.

X **P'tit Troquet** BY 6
28 r. Exposition ✆ 01 47 05 80 39, *Fax 01 47 05 80 39*
bistrot – GB
fermé août, dim. et lundi – **Repas** 153/183.

X **Les Olivades** BZ 39
41 av. Ségur ✆ 01 47 83 70 09, *Fax 01 42 73 04 75*
AE GB
fermé août, lundi midi, sam. midi et dim. – **Repas** *(130)* - 169 et carte 210 à 290 ♀.

X **Bistrot de Paris** DY 7
33 r. Lille ✆ 01 42 61 16 83, *Fax 01 49 27 06 09*
évocation bistrot 1900 – AE GB
Repas *(145)* - 185 ♀.

Thoumieux BX 12
79 r. St-Dominique ✆ 01 47 05 49 75, *Fax 01 47 05 36 96*
avec ch, brasserie – ▤ rest, TV ☎. AE GB
Repas 82/160 bc et carte 170 à 250 ♀ – ☕ 35 – **10 ch** 550/600.

Maupertu BY 35
94 bd La Tour Maubourg ✆ 01 45 51 37 96
GB
fermé 8 au 31 août, sam. midi et dim. – **Repas** 135 et carte 190 à 280 ♀.

Clémentine BY 8
62 av. Bosquet ✆ 01 45 51 41 16, *Fax 01 45 55 76 79*
AE GB JCB
fermé août, sam. midi et dim. – **Repas** carte environ 170 ♀.

L'Oeillade CY 12
10 r. St-Simon ✆ 01 42 22 01 60
▤. GB
fermé 15 au 31 août, sam. midi et dim. – **Repas** 158 et carte 190 à 330.

Chez Collinot CZ 18
1 r. P. Leroux ✆ 01 45 67 66 42
GB
fermé août, sam. sauf le soir d'oct. à juin et dim. – **Repas** *(100)* - 135 ♀.

Fontaine de Mars BY 25
129 r. St-Dominique ✆ 01 47 05 46 44, *Fax 01 47 05 11 13*
bistrot – AE GB
fermé dim. – **Repas** carte 170 à 300 ♀.

Table d'Eiffel BY 24
39 av. La Motte-Picquet ✆ 01 45 55 90 20, *Fax 01 44 18 36 73*
AE ⓓ GB JCB
Repas 175 bc.

Sédillot BX 29
2 r. Sédillot ✆ 01 45 51 95 82
« Décor Art Nouveau » – AE GB
fermé sam. et dim. – **Repas** 95/130 et carte 160 à 280 ♀.

Calèche DY 23
8 r. Lille ✆ 01 42 60 24 76, *Fax 01 47 03 31 10*
▤. AE ⓓ GB JCB
fermé 10 au 31 août, 25 déc. au 1er janv., sam. et dim. – **Repas** 100/175 et carte 170 à 280 ♀.

Aub. Bressane BY 20
16 av. La Motte-Picquet ✆ 01 47 05 98 37, *Fax 01 47 05 92 21*
▤. AE GB JCB
fermé 10 au 20 août et sam. midi – **Repas** 139 bc (déj.) et carte 190 à 290.

Du Côté 7eme BX 8
29 r. Surcouf ✆ 01 47 05 81 65
bistrot – AE ⓓ GB JCB
fermé 9 au 17 août et lundi – **Repas** *(130)* - 185 bc.

Florimond BY 21
19 av. La Motte-Picquet ✆ 01 45 55 40 38
GB
fermé 1er au 24 août, sam. midi et dim. – **Repas** 98/157 et carte 190 à 260.

X **Au Bon Accueil** BX 28
14 r. Monttessuy ✆ 01 47 05 46 11
GB. ✻
fermé août, sam. midi et dim. – **Repas** 120 (déj.)/145 et carte 250 à 320 ♀.

X **Apollon** BX 35
24 r. J. Nicot ✆ 01 45 55 68 47, *Fax 01 47 05 13 60*
fermé 20 déc. au 10 janv. – **Repas** - cuisine grecque - *(72)* - 128 bc (déj.), 150 bc/200 bc et carte 150 à 220.

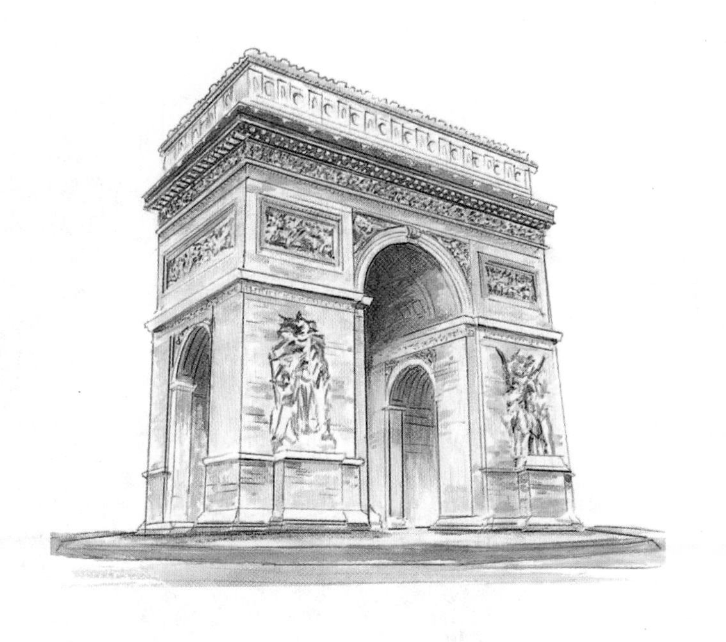

Champs-Élysées - Concorde
Madeleine
St-Lazare - Monceau

8e arrondissement

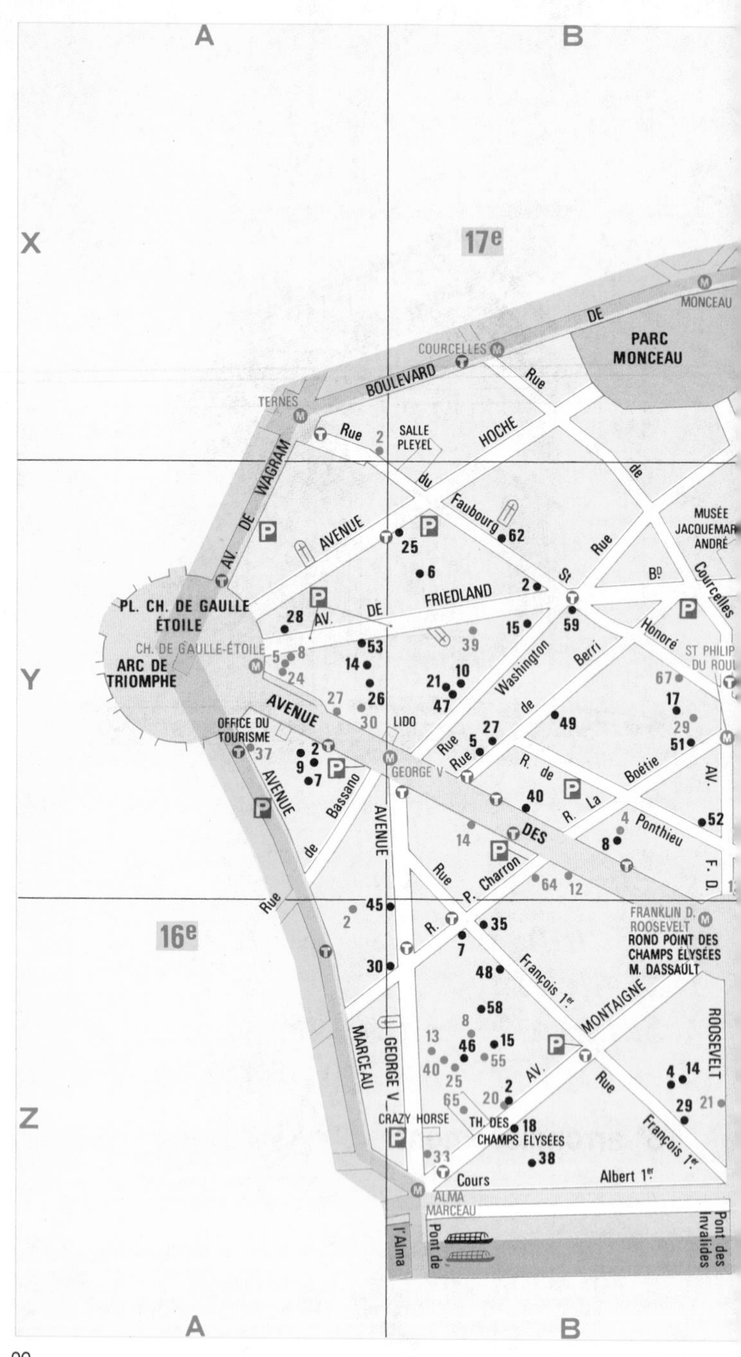

A
B
X
Y
Z
17e
16e
MONCEAU
PARC MONCEAU
COURCELLES
BOULEVARD DE
TERNES
SALLE PLEYEL
HOCHE
Rue du Faubourg St Honoré
AV. DE WAGRAM
AVENUE DE FRIEDLAND
PL. CH. DE GAULLE ÉTOILE
CH. DE GAULLE-ÉTOILE
ARC DE TRIOMPHE
MUSÉE JACQUEMART ANDRÉ
Rue de Courcelles
Bd
ST PHILIPPE DU ROULE
Washington
Berri
Rue de
LIDO
AVENUE DES
OFFICE DU TOURISME
GEORGE V
AVENUE
AVENUE de Bassano
R. de La Boétie
Ponthieu
Rue P. Charron
AV. F. D. ROOSEVELT
FRANKLIN D. ROOSEVELT
ROND POINT DES CHAMPS ÉLYSÉES M. DASSAULT
R. François 1er
AV. MONTAIGNE
Rue François 1er
MARCEAU
GEORGE V
CRAZY HORSE
TH. DES CHAMPS ÉLYSÉES
Cours Albert 1er
ALMA MARCEAU
Pont de l'Alma
Pont des Invalides

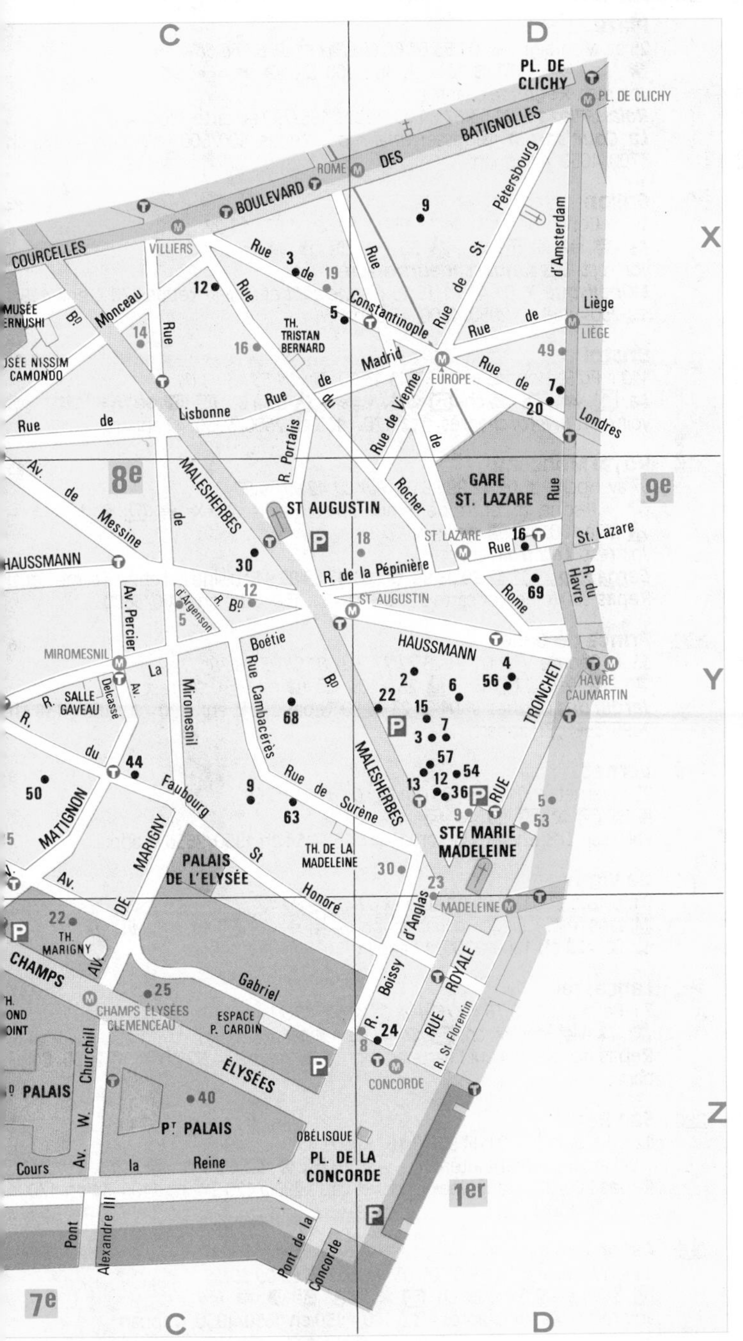

C
D
PL. DE CLICHY
BOULEVARD DES BATIGNOLLES
ROME
COURCELLES
VILLIERS
Rue de Constantinople
Rue de St Pétersbourg
d'Amsterdam
Rue de Liège
LIÈGE
Rue de Londres
EUROPE
TH. TRISTAN BERNARD
Rue de Madrid
Rue de Lisbonne
Rue de Vienne
Rue du Rocher
R. Portalis
Bd Monceau
Rue de Monceau
MUSÉE CERNUSHI
MUSÉE NISSIM CAMONDO
Av. de Messine
MALESHERBES
GARE ST. LAZARE
Rue St. Lazare
ST LAZARE
ST AUGUSTIN
R. de la Pépinière
HAUSSMANN
R. du Havre
Rue de Rome
Av. Percier
R. Bd d'Argenson
MIROMESNIL
Rue La Boétie
Rue Cambacérès
Rue de Miromesnil
R. SALLE GAVEAU
Av. Delcassé
R. du Faubourg St Honoré
Rue de Surène
TRONCHET
HAVRE CAUMARTIN
MATIGNON
MARIGNY
PALAIS DE L'ELYSÉE
TH. DE LA MADELEINE
STE MARIE MADELEINE
MADELEINE
d'Anglas
R. Boissy
RUE ROYALE
R. St Florentin
Av. DE MARIGNY
TH. MARIGNY
CHAMPS ÉLYSÉES
CHAMPS ÉLYSÉES CLEMENCEAU
Gabriel
ESPACE P. CARDIN
CONCORDE
Av. W. Churchill
PT PALAIS
OBÉLISQUE
PL. DE LA CONCORDE
Cours la Reine
Pont Alexandre III
Pont de la Concorde
8e
9e
1er
7e
X
Y
Z

Plaza Athénée BZ 2
25 av. Montaigne ☎ 01 53 67 66 65, *Fax 01 53 67 66 66*
– 30 à 100. AE GB JCB.
voir rest. ***Régence*** ci-après
Relais-Plaza ☎ 01 53 67 64 00 **Repas** 165/290 et carte 310 à 470
La Cour Jardin (terrasse) *(mai-sept.)* **Repas** 400/500 – 160 – **163 ch** 3700/4650, 42 appart.

Crillon DZ 24
10 pl. Concorde ☎ 01 44 71 15 00, *Fax 01 44 71 15 02*
– 30 à 60. AE GB JCB
voir rest. ***Les Ambassadeurs*** ci-après
L'Obélisque ☎ 01 44 71 15 15 *(fermé août et fériés)* **Repas** 270 ♀, enf. 155 – 230 – **118 ch** 2950/4200, 45 appart.

Bristol CY 44
112 r. Fg St-Honoré ☎ 01 53 43 43 00, *Fax 01 53 43 43 01*
ch, – 30 à 60. AE GB JCB.
voir rest. ***Bristol*** ci-après – 170 – **153 ch** 2500/3950, 42 appart.

Royal Monceau BY 25
37 av. Hoche ☎ 01 42 99 88 00, *Fax 01 42 99 89 90*
« Piscine et centre de remise en forme » – 25 à 100. AE GB JCB.
voir rest. ***Le Jardin*** ci-après
Carpaccio ☎ 01 42 99 98 90, fax 01 42 99 89 94 cuisine italienne (fermé août) **Repas** 280 (dîner) et carte 320 à 390 – 150 – **180 ch** 2800/3600.

Prince de Galles BZ 45
33 av. George-V ☎ 01 53 23 77 77, *Fax 01 53 23 78 78*
– 25 à 100. AE GB JCB. rest
Jardin des Cygnes ☎ 01 53 23 78 50 **Repas** 260 ♀, enf. 120 – 155 – **138 ch** 2495/3660, 30 appart.

Vernet AY 9
25 r. Vernet ☎ 01 44 31 98 00, *Fax 01 44 31 85 69*
AE GB JCB. rest
voir rest. ***Les Élysées*** ci-après – 130 – **54 ch** 1950/2550, 3 appart.

de Vigny AY 14
9 r. Balzac ☎ 01 42 99 80 80, *Fax 01 42 99 80 40*
M sans rest, « Élégante installation » – AE GB JCB
90 – **25 ch** 1900/2200, 12 appart.

Lancaster BY 27
7 r. Berri ☎ 01 40 76 40 76, *Fax 01 40 76 40 00*
ch, AE GB JCB
Repas (résidents seul.) carte environ 290 – 120 – **52 ch** 1650/2650, 8 appart.

San Régis BZ 4
12 r. J. Goujon ☎ 01 44 95 16 16, *Fax 01 45 61 05 48*
« Bel aménagement intérieur » – AE GB JCB.
Repas 200/250 (sauf week-ends) et carte 280 à 420 ♀ – 110 – **34 ch** 1700/2950, 10 appart.

Astor CY 68
11 r. d'Astorg ☎ 01 53 05 05 05, *Fax 01 53 05 05 30*
M ch, AE GB JCB
voir rest. ***L'Astor*** ci-après – 140 – **130 ch** 1650/1850, 4 appart.

Trémoille BZ 46
14 r. La Trémoille ☎ 01 47 23 34 20, *Fax 01 40 70 01 08*
– 25. AE GB JCB
***Louis d'Or** (fermé août, sam., dim. et fériés)* **Repas** 220 et carte 240 à 330 –
110 – **104 ch** 1960/2950, 3 appart.

Élysées Star AY 2
19 r. Vernet ☎ 01 47 20 41 73, *Fax 01 47 23 32 15*
M sans rest – – 30. AE GB
90 – **38 ch** 1700/2100.

Balzac AY 26
6 r. Balzac ☎ 01 44 35 18 00, *Fax 01 44 35 18 05*
M – , ch, . AE GB JCB
voir rest. ***Pierre Gagnaire*** ci-après – 90 – **56 ch** 1950/2200, 14 appart.

Marriott BY 40
70 av. Champs-Élysées ☎ 01 53 93 55 00, *Fax 01 53 93 55 01*
M, , – – 150. AE GB JCB.
Pavillon ☎ 01 53 93 55 44 **Repas** 250/270 – 175 – **174 ch** 2800/3200, 18 appart.

Sofitel Arc de Triomphe BY 6
14 r. Beaujon ☎ 01 53 89 50 50, *Fax 01 53 89 50 51*
– 40. AE GB JCB
voir rest. ***Clovis*** ci-après – 120 – **135 ch** 2400/3150.

Hyatt Regency DY 22
24 bd Malhesherbes ☎ 01 55 27 12 34, *Fax 01 55 27 12 35*
M, – . AE GB JCB
Café M ☎ 01 55 27 12 57 **Repas** 230/280 (déj.) et carte 260 à 310 – 150 – **86 ch** 2400/2800.

Golden Tulip St-Honoré BY 62
218 r. Fg St-Honoré ☎ 01 49 53 03 03, *Fax 01 40 75 02 00*
M – cuisinette – 140. AE GB JCB
***Relais Vermeer** (fermé sam., dim. et fériés)* **Repas** *(165)* - 210 – 110 – **54 ch** 1600/1900, 18 appart.

Château Frontenac BZ 7
54 r. P. Charron ☎ 01 53 23 13 13, *Fax 01 53 23 13 01*
sans rest – – 25. AE GB.
85 – **100 ch** 980/1500, 4 appart.

Bedford DY 7
17 r. de l'Arcade ☎ 01 44 94 77 77, *Fax 01 44 94 77 97*
– 50. AE GB. rest
Repas *(fermé 1er au 30 août, sam. et dim.)* (déj. seul.) 170 et carte 200 à 330 –
70 – **135 ch** 830/1050, 11 appart.

Warwick BY 5
5 r. Berri ☎ 01 45 63 14 11, *Fax 01 45 63 75 81*
M – – 30 à 110. AE GB JCB. rest
La Couronne ☎ 01 45 61 82 08 *(fermé août, sam. midi, dim. et fériés)* **Repas** 250 et carte 290 à 410 – 110 – **142 ch** 2100/2600, 5 appart.

California BY 49
16 r. Berri ☎ 01 43 59 93 00, *Fax 01 45 61 03 62*
, « Importante collection de tableaux » – – 25 à 80. AE GB JCB.
Repas *(fermé août, sam. et dim.)* (déj. seul.) *(145)* - 175 – 120 – **157 ch** 2100/2450.

Résidence du Roy BZ 29
8 r. François 1er 01 42 89 59 59, *Fax 01 40 74 07 92*
M sans rest – cuisinette – 25. AE GB JCB
95, 28 appart 1300/1800, 4 studios, 3 duplex.

Concorde St-Lazare DY 16
108 r. St-Lazare 01 40 08 44 44, *Fax 01 42 93 01 20*
« Hall fin 19e siècle, superbe salon de billards » – –
25 à 150. AE GB JCB.
Café Terminus : **Repas** 148/198, enf. 45 – 105 – **274 ch** 1350/1950, 5 appart.

Napoléon AY 28
40 av. Friedland 01 47 66 02 02, *Fax 01 47 66 82 33*
sans rest – – 30 à 60. AE GB JCB
110 – **70 ch** 1300/2100, 32 appart.

Queen Elizabeth BZ 30
41 av. Pierre-1er-de-Serbie 01 53 57 25 25, *Fax 01 53 57 25 26*
– 30. AE GB JCB
Repas *(fermé août, sam. et dim.)* (déj. seul.) *(120)* - 170/230 bc – 95 –
50 ch 1300/2000, 12 appart.

Beau Manoir DY 12
6 r. de l'Arcade 01 42 66 03 07, *Fax 01 42 68 03 00*
sans rest, « Bel aménagement intérieur » – . AE GB JCB
29 ch 1100/1300, 3 appart.

Sofitel Champs-Élysées BZ 14
8 r. J. Goujon 01 40 74 64 64, *Fax 01 40 74 64 99*
M, – – 200. AE GB JCB
Les Saveurs 01 40 74 64 94 *(fermé 1er au 25 août, sam. et dim.)* **Repas** 230, enf. 100 – 125 – **40 ch** 1850/2500.

Claridge-Bellman BZ 48
37 r. François 1er 01 47 23 54 42, *Fax 01 47 23 08 84*
. AE GB.
Repas *(fermé août, sam. et dim.)* carte 170 à 280 – 70 – **42 ch** 1150/1350.

Rochester Champs-Élysées BY 51
92 r. La Boétie 01 43 59 96 15, *Fax 01 42 56 01 38*
M sans rest – – 25. AE GB.
85 – **90 ch** 900/1200.

Montaigne BZ 18
6 av. Montaigne 01 47 20 30 50, *Fax 01 47 20 94 12*
M sans rest – . AE GB JCB
95 – **29 ch** 1340/1900.

Royal H. AY 53
33 av. Friedland 01 43 59 08 14, *Fax 01 45 63 69 92*
M sans rest – . AE GB JCB
105 – **58 ch** 1200/1950.

Chateaubriand BY 10
6 r. Chateaubriand 01 40 76 00 50, *Fax 01 40 76 09 22*
M sans rest – . AE GB JCB
80 – **28 ch** 1500.

Royal Alma BZ 38
35 r. J. Goujon ✆ 01 53 93 63 00, *Fax 01 45 63 68 64*
sans rest – AE GB JCB.
95 – **61 ch** 1380/1620, 3 appart.

Élysées-Ponthieu et Résidence BY 52
24 r. Ponthieu ✆ 01 53 89 58 58, *Fax 01 53 89 59 59*
sans rest – cuisinette AE GB JCB
75 – **92 ch** 985/1050, 6 appart.

Powers BZ 35
52 r. François 1er ✆ 01 47 23 91 05, *Fax 01 49 52 04 63*
sans rest – AE GB JCB
65 – **53 ch** 826/1392.

Résidence Monceau CX 12
85 r. Rocher ✆ 01 45 22 75 11, *Fax 01 45 22 30 88*
sans rest – AE GB JCB.
55 – **51 ch** 940.

Concortel DY 15
19 r. Pasquier ✆ 01 42 65 45 44, *Fax 01 42 65 18 33*
sans rest – AE GB
50 – **46 ch** 570/770.

Mathurins DY 2
43 r. Mathurins ✆ 01 44 94 20 94, *Fax 01 44 94 00 44*
M sans rest – AE GB
65 – **33 ch** 1000/1200, 3 appart.

New Roblin et rest. le Mazagran DY 54
6 r. Chauveau-Lagarde ✆ 01 44 71 20 80, *Fax 01 42 65 19 49*
AE GB JCB
Repas *(fermé sam., dim. et fériés)* 92/155 – 60 – **77 ch** 920/1050.

L'Arcade DY 13
9 r. de l'Arcade ✆ 01 53 30 60 00, *Fax 01 40 07 03 07*
M sans rest – 25. AE GB JCB
55 – **37 ch** 780/960, 4 duplex.

de l'Élysée CY 9
12 r. Saussaies ✆ 01 42 65 29 25, *Fax 01 42 65 64 28*
sans rest – AE GB JCB.
65 – **32 ch** 780/1180.

West-End BZ 15
7 r. Clément-Marot ✆ 01 47 20 30 78, *Fax 01 47 20 34 42*
sans rest – AE GB JCB
65 – **53 ch** 820/1330.

Lido DY 36
4 passage Madeleine ✆ 01 42 66 27 37, *Fax 01 42 66 61 23*
M sans rest – AE GB JCB
32 ch 980/1100.

Étoile Friedland BY 2
177 r. Fg St-Honoré ✆ 01 45 63 64 65, *Fax 01 45 63 88 96*
sans rest – AE GB JCB
75 – **40 ch** 1300.

Queen Mary DY 4
9 r. Greffulhe ☎ 01 42 66 40 50, *Fax 01 42 66 94 92*
M sans rest – |♦| ▤ TV ☎. AE GB JCB. ✂
☕ 85 – **35 ch** 765/935.

Galiléo AY 7
54 r. Galilée ☎ 01 47 20 66 06, *Fax 01 47 20 67 17*
sans rest – |♦| ▤ TV ☎ ♿. AE GB JCB. ✂
☕ 50 – **27 ch** 800/950.

Franklin Roosevelt BZ 58
18 r. Clément-Marot ☎ 01 47 23 61 66, *Fax 01 47 20 44 30*
sans rest – |♦| TV ☎. AE GB JCB. ✂
☕ 80 – **45 ch** 945/1400.

Élysées Mermoz CY 50
30 r. J. Mermoz ☎ 01 42 25 75 30, *Fax 01 45 62 87 10*
M sans rest – |♦| ▤ TV ☎ ♿. AE ⓓ GB
☕ 47 – **21 ch** 720/890, 5 appart.

Relais Mercure Opéra Garnier DY 69
4 r. de l'Isly ☎ 01 43 87 35 50, *Fax 01 43 87 03 29*
M sans rest – |♦| ⊁ ▤ TV ☎ ☏ ♿. AE ⓓ GB JCB
☕ 65 – **141 ch** 985/1315.

Flèche d'Or DX 7
29 r. Amsterdam ☎ 01 48 74 06 86, *Fax 01 48 74 06 04*
M sans rest – |♦| ▤ TV ☎ ♿. AE ⓓ GB
☕ 40 – **61 ch** 580/780.

Cordélia DY 56
11 r. Greffulhe ☎ 01 42 65 42 40, *Fax 01 42 65 11 81*
sans rest – |♦| ▤ TV ☎. AE ⓓ GB
☕ 50 – **30 ch** 740/850.

Atlantic H. DX 20
44 r. Londres ☎ 01 43 87 45 40, *Fax 01 42 93 06 26*
sans rest – |♦| TV ☎. AE GB JCB. ✂
☕ 52 – **87 ch** 530/805.

Mayflower BY 47
3 r. Chateaubriand ☎ 01 45 62 57 46, *Fax 01 42 56 32 38*
sans rest – |♦| TV ☎. AE GB
☕ 50 – **24 ch** 660/970.

Newton Opéra DY 57
11 bis r. de l'Arcade ☎ 01 42 65 32 13, *Fax 01 42 65 30 90*
sans rest – |♦| ▤ TV ☎. AE ⓓ GB JCB. ✂
☕ 60 – **31 ch** 700/830.

Fortuny DY 6
35 r. de l'Arcade ☎ 01 42 66 42 08, *Fax 01 42 66 00 32*
sans rest – |♦| ⊁ ▤ TV ☎. AE ⓓ GB JCB
☕ 50 – **30 ch** 700/730.

Plaza Élysées BY 59
177 bd Haussmann ☎ 01 45 63 93 83, *Fax 01 45 61 14 30*
sans rest – |♦| TV ☎. AE ⓓ GB JCB
☕ 40 – **41 ch** 705/815.

Bradford Élysées BY 17
10 r. St-Philippe-du-Roule ☎ 01 45 63 20 20, *Fax 01 45 63 20 07*
sans rest – AE GB JCB.
70 – **50 ch** 1090.

Astoria DX 9
42 r. Moscou ☎ 01 42 93 63 53, *Fax 01 42 93 30 30*
sans rest – AE GB JCB.
70 – **86 ch** 890/990.

Lord Byron BY 21
5 r. Chateaubriand ☎ 01 43 59 89 98, *Fax 01 42 89 46 04*
sans rest – AE GB JCB.
50 – **31 ch** 660/920.

Arc Élysée BY 15
45 r. Washington ☎ 01 45 63 69 33, *Fax 01 45 63 76 25*
M sans rest – AE GB JCB
50 – **23 ch** 796/922.

St-Augustin CY 30
9 r. Roy ☎ 01 42 93 32 17, *Fax 01 42 93 19 34*
sans rest – AE GB JCB.
50 – **62 ch** 570/795.

L'Orangerie CX 5
9 r. Constantinople ☎ 01 45 22 07 51, *Fax 01 45 22 16 49*
sans rest – AE GB JCB.
35 – **29 ch** 450/550.

Colisée BY 8
6 r. Colisée ☎ 01 43 59 95 25, *Fax 01 45 63 26 54*
sans rest – AE GB JCB
45 – **45 ch** 750/850.

Rond-Point des Champs-Elysées BY 19
10 r. Ponthieu ☎ 01 53 89 14 14, *Fax 01 45 63 99 75*
sans rest – AE GB JCB.
50 – **44 ch** 566/880.

Madeleine Haussmann DY 3
10 r. Pasquier ☎ 01 42 65 90 11, *Fax 01 42 68 07 93*
M sans rest – AE GB
40 – **36 ch** 600.

Ministère CY 63
31 r. Surène ☎ 01 42 66 21 43, *Fax 01 42 66 96 04*
sans rest – AE GB JCB
35 – **28 ch** 410/610.

New Orient CX 3
16 r. Constantinople ☎ 01 45 22 21 64, *Fax 01 42 93 83 23*
sans rest – AE GB
38 – **30 ch** 395/590.

XXXXX **Les Ambassadeurs** - Hôtel Crillon DZ 24
✿✿ 10 pl. Concorde ✆ 01 44 71 16 16, *Fax 01 44 71 15 02*
« Cadre 18e siècle » – ▤. AE ⓓ GB JCB. ✂
Repas 340 (déj.)/630 et carte 510 à 750
Spéc. Saumon fumé, chantilly au caviar et croustillant de pommes de terre. Turbot rôti et poché au lait fumé, confiture d'oignons rouges et céleri rave. Truffe glacée à la fleur de thym frais, ganache fondue et violettes cristalisées.

XXXXX **Taillevent** (Vrinat) BY 39
✿✿✿ 15 r. Lamennais ✆ 01 44 95 15 01, *Fax 01 42 25 95 18*
▤. AE ⓓ GB JCB. ✂
fermé 25 juil. au 25 août, sam., dim. et fériés – **Repas** (nombre de couverts limité, prévenir) carte 570 à 700
Spéc. Cannelloni de tourteau. Pigeon rôti en bécasse. Fondant au thé fumé.

XXXXX **Lasserre** BZ 21
✿✿ 17 av. F.-D.-Roosevelt ✆ 01 43 59 53 43, *Fax 01 45 63 72 23*
« Toit ouvrant » – ▤. AE GB JCB. ✂
fermé 2 au 31 août, lundi midi et dim. – **Repas** carte 550 à 710
Spéc. Poêlée de petits gris aux herbes fraîches. Côte de veau de lait fermier, lardons à la moëlle. Truffes en beignet, sabayon au muscat.

XXXXX **Lucas Carton** (Senderens) DZ 23
✿✿✿ 9 pl. Madeleine ✆ 01 42 65 22 90, *Fax 01 42 65 06 23*
« Authentique décor 1900 » – ▤. AE ⓓ GB JCB. ✂
fermé 1er au 24 août, sam. midi et dim. – **Repas** 395 (déj.), 650/1200 et carte 650 à 970
Spéc. Homard de Bretagne et sa polenta au corail. Selle d'agneau cuite dans sa panoufle, aubergine au masala. Ananas rôti aux clous de girofle et son petit baba aux épices.

XXXXX **Ledoyen** CZ 40
✿✿ carré Champs-Élysées (1er étage) ✆ 01 53 05 10 01, *Fax 01 47 42 55 01* - voir aussi rest. ***Le Cercle*** – ▤ P. AE ⓓ GB JCB. ✂
fermé août, sam. et dim. – **Repas** 300/530 et carte 500 à 780 ♀
Spéc. Truffe en feuilleté de pomme de terre (déc. à fév.). Turbot rôti à la bière de garde, oignons frits. Mousse chaude au cacao aux deux cuissons, glace à la kriek.

XXXXX **Laurent** CZ 22
✿✿ 41 av. Gabriel ✆ 01 42 25 00 39, *Fax 01 45 62 45 21*
⛱, « Agréable terrasse d'été » – AE ⓓ GB. ✂
fermé sam. midi, dim. et fériés – **Repas** 390/650 et carte 540 à 970
Spéc. Homard entier en salade. Pigeonneau rôti à la broche. Crêpes Suzette.

XXXXX **Bristol** - Hôtel Bristol CY 44
✿ 112 r. Fg St-Honoré ✆ 01 53 43 43 40, *Fax 01 53 43 43 01*
⛱ – ▤. AE ⓓ GB JCB. ✂
Repas 360/600 et carte 650 à 780 ♀
Spéc. Lobe de foie gras de canard rôti et servi froid (automne-hiver). Pavé de turbot rôti, têtes de cèpes poêlées au magret fumé et noix fraîches (automne). Pigeon cuit à la broche, escalope de foie gras poêlée, jus aux truffes.

XXXXX **Régence** - Hôtel Plaza Athénée BZ 2
✿ 25 av. Montaigne ✆ 01 53 67 65 00, *Fax 01 53 67 66 76*
▤. AE ⓓ GB JCB. ✂
Repas 310 (déj.), 480/620 et carte 430 à 680 ♀
Spéc. Gelée d'oursins en coque au fondant de fenouil (oct.-avril). Pavé de lieu aux aubergines, jus léger à la poutargue. Ris de veau meunière au beurre salé et au citron confit (oct.-avril)..

XXXX **Les Élysées** - Hôtel Vernet AY 9
✿✿ 25 r. Vernet ☎ 01 44 31 98 98, *Fax 01 44 31 85 69*
« Belle verrière » – ▤. AE ⓓ GB JCB. ✂
fermé 14 au 17/4, 1 au 8/5, 27/7 au 30/8, 9 au 13 nov., 21 au 30/12, sam., dim. et fériés – **Repas** 330 (déj.), 430/790 et carte 470 à 720 ♀
Spéc. Epeautre du pays de Sault cuisiné comme un risotto à l'encre de seiche. Turbot côtier du Guilvinec doré aux câpres, citron et truffe écrasée. Chausson feuilleté au chocolat amer, crème glacée aux fèves de cacao torréfiées.

XXXX **Pierre Gagnaire** - Hôtel Balzac AY 26
✿✿✿ 6 r. Balzac ☎ 01 44 35 18 25, *Fax 01 44 35 18 37*
▤. AE ⓓ GB
fermé 14 juil. au 15 août, vacances de fév., dim. midi et sam. – **Repas** 450 (déj.), 520/860 et carte 550 à 940 ♀
Spéc. Grosses langoustines en scampi, feuilles croustillantes de légumes. Pièce de turbot de ligne poêlée au vadouvan. Soufflé au chocolat pur Caraïbe, parfait de Sicile et fromage blanc glacé.

XXXX **L'Astor** - Hôtel Astor CY 68
✿ 11 rue d'Astorg ☎ 01 53 05 05 20, *Fax 01 53 05 05 30*
▤. AE ⓓ GB JCB
fermé sam. et dim. – **Repas** 290 bc/600 et carte 280 à 510 ♀
Spéc. Araignée de mer en gelée anisée à la crème de fenouil. Blanc de bar cuit en peau, sauce verjutée. Cristalline à la pomme verte, crème croustillante au thé.

XXXX **Chiberta** AY 24
✿ 3 r. Arsène-Houssaye ☎ 01 45 63 77 90, *Fax 01 45 62 85 08*
▤. AE ⓓ GB JCB
fermé août, sam.et dim. – **Repas** 290 bc et carte 340 à 590 ♀
Spéc. Ravioli de poireaux aux truffes. Salade de pigeonneau aux petits épeautres. Fondant au chocolat chaud, sorbet cacao.

XXXX **La Marée** AX 2
✿ 1 r. Daru ☎ 01 43 80 20 00, *Fax 01 48 88 04 04*
▤. AE ⓓ GB
fermé 1er août au 2 sept., sam. midi et dim. – **Repas** - produits de la mer - carte 350 à 560
Spéc. Belons au champagne (mi-sept. à mai). Langoustines poêlées aux carottes confites. Cabillaud à la diable, purée de pommes de terre "minute".

XXXX **Clovis** - Hôtel Sofitel Arc de Triomphe
✿ 14 r. Beaujon ☎ 01 53 89 50 53, *Fax 01 53 89 50 51*
AE ⓓ GB JCB
fermé 25 juil. au 25 août, 23 déc. au 2 janv., sam., dim. et fériés – **Repas** 250/520 et carte 300 à 430 ♀
Spéc. Marbré de lapin au ris de veau, langue écarlate. Tronçon de lotte à la livèche, mousseline de céleri. Cristallines d'ananas, sorbet coco.

XXX **Maison Blanche** BZ 65
15 av. Montaigne (6e étage) ☎ 01 47 23 55 99, *Fax 01 47 20 09 56*
<, ☂, « Décor contemporain » – ▤. AE GB
fermé août, sam. midi et dim. – **Repas** carte 400 à 540.

XXX **Jardin** - Hôtel Royal Monceau BY 25
✿ 37 av. Hoche ☎ 01 42 99 98 70, *Fax 01 42 99 89 94*
☂ – ▤. AE ⓓ GB JCB. ✂
fermé sam. et dim. sauf août – **Repas** 290/440 et carte 420 à 590
Spéc. Cocotte de langoustines rôties au poivre frais. Carré d'agneau grillé aux pignons de pin et sarriette. Figues noires rôties dans leurs feuilles aux épices.

XXX **Copenhague** AY 27
142 av. Champs-Élysées (1er étage) ✆ 01 44 13 86 26, *Fax 01 42 25 83 10*
– AE ⓓ GB JCB.
fermé 3 au 30 août, 4 au 10 janv., sam. midi, dim. et fériés – **Repas** - cuisine danoise - 250 bc et carte 280 à 420
Flora Danica : **Repas** 170 et carte 270 à 380
Spéc. Carrelet poêlé à la danoise. Mignons de renne aux saveurs nordiques. Crêpes aux mûres jaunes.

XXX **Marcande** CY 5
52 r. Miromesnil ✆ 01 42 65 19 14, *Fax 01 40 76 03 27*
– AE GB
fermé 8 au 24 août, sam., dim. et fêtes – **Repas** 240 et carte 270 à 400.

XXX **Yvan** BY 13
1bis r. J. Mermoz ✆ 01 43 59 18 40, *Fax 01 42 89 30 95*
AE ⓓ GB JCB
fermé sam. midi et dim. – **Repas** 178/288 et carte 240 à 370 ♀.

XXX **Indra** BY 29
10 r. Cdt-Rivière ✆ 01 43 59 46 40, *Fax 01 44 07 31 19*
AE ⓓ GB
fermé dim. – **Repas** - cuisine indienne - 195 (déj.), 220/300 et carte 180 à 220.

XXX **Le 30 - Fauchon** DY 53
30 pl. Madeleine ✆ 01 47 42 56 58, *Fax 01 47 42 96 02*
– AE ⓓ GB JCB
fermé dim. – **Repas** 245/259 bc et carte 300 à 400.

XX **Luna** CX 16
69 r. Rocher ✆ 01 42 93 77 61, *Fax 01 40 08 02 44*
AE GB
fermé dim. – **Repas** - produits de la mer - carte 270 à 500 ♀.

XX **Chez Tante Louise** DY 30
41 r. Boissy-d'Anglas ✆ 01 42 65 06 85, *Fax 01 42 65 28 19*
AE ⓓ GB JCB
fermé août, sam. et dim. – **Repas** 190 et carte 250 à 360 ♀.

XX **Cercle Ledoyen** CZ 40
carré Champs-Élysées (rez-de-chaussée) ✆ 01 53 05 10 02, *Fax 01 47 42 55 01*
– AE ⓓ GB JCB.
fermé dim. – **Repas** carte 220 à 280 ♀.

XX **El Mansour** BZ 8
7 r. Trémoille ✆ 01 47 23 88 18
AE GB.
fermé lundi midi et dim. – **Repas** - cuisine marocaine - carte 250 à 350.

XX **Sarladais** DY 18
2 r. Vienne ✆ 01 45 22 23 62, *Fax 01 45 22 23 62*
AE GB
fermé sam. sauf le soir de sept. à juin et dim. – **Repas** 155 (dîner), 200/300 et carte 220 à 330 ♀.

XX **Grenadin** CX 14
46 r. Naples ✆ 01 45 63 28 92, *Fax 01 45 61 24 76*
AE GB
fermé sam. midi et dim. – **Repas** *(200)* - 250/330 ♀.

XX **Pavillon Élysée** CZ 25
10 av. Champs Élysées ✆ 01 42 65 85 10, *Fax 01 42 65 76 23*
– ▤. AE ⓓ GB JCB
fermé sam. midi et dim. – **Repas** 200 et carte 240 à 350.

XX **Hédiard** DY 9
21 pl. Madeleine ✆ 01 43 12 88 99, *Fax 01 43 12 88 98*
▤. AE ⓓ GB
fermé dim. – **Repas** carte 230 à 310 ♀.

XX **Fermette Marbeuf 1900** BZ 13
5 r. Marbeuf ✆ 01 53 23 08 00, *Fax 01 53 23 08 09*
« Décor 1900, céramiques et vitraux d'époque » – ▤. AE ⓓ GB
Repas 178 et carte 190 à 370 ♀.

XX **Marius et Janette** BZ 33
✿ 4 av. George-V ✆ 01 47 23 41 88, *Fax 01 47 23 07 19*
– ▤. AE ⓓ GB JCB
Repas - produits de la mer - 300 bc et carte 360 à 570
Spéc. Ravioles de langoustines au persil plat. Merlan frit, sauce tartare. Blanc de Saint-Pierre, huile d'olive et anchois.

XX **Androuët** AY 8
6 r. Arsène Houssaye ✆ 01 42 89 95 00, *Fax 01 42 89 68 44*
▤. AE ⓓ GB
fermé sam. midi et dim. – **Repas** - fromages et cuisine fromagère - *(140)* - 210 (déj.), 230/300 et carte 220 à 330 ♀.

XX **Suntory** BY 14
13 r. Lincoln ✆ 01 42 25 40 27, *Fax 01 45 63 25 86*
▤. AE ⓓ GB JCB. ⚘
Repas - cuisine japonaise - 145 (déj.), 430/630 et carte 270 à 400 ♀.

XX **Shozan** BZ 40
11 r. de la Trémoille ✆ 01 47 23 37 32, *Fax 01 47 23 67 30*
▤. AE ⓓ GB JCB
fermé 2 au 19 août, 25 au 30 déc., sam. midi et dim. – **Repas** - cuisine franco-japonaise - 90 (déj.), 200/400 et carte 280 à 410 ♀.

XX **Stella Maris** AY 5
4 r. Arsène Houssaye ✆ 01 42 89 16 22, *Fax 01 42 89 16 01*
AE ⓓ GB JCB. ⚘
fermé 1er au 15 août, fériés le midi, sam. midi et dim. – **Repas** - produits de la mer - 175/480 et carte 300 à 430.

XX **Stresa** BZ 55
7 r. Chambiges ✆ 01 47 23 51 62
▤. AE ⓓ GB. ⚘
fermé 11 au 31 août, 20 déc. au 4 janv., sam. soir et dim. – **Repas** - cuisine italienne - (prévenir) carte 380 à 450.

XX **Kinugawa** BY 67
4 r. St-Philippe du Roule ✆ 01 45 63 08 07, *Fax 01 42 60 45 21*
▤. AE ⓓ GB JCB. ⚘
fermé vacances de Noël et dim. – **Repas** - cuisine japonaise - *(155)* - 510/700 et carte 180 à 400 ♀.

XX **Bistrot du Sommelier** CY 12
97 bd Haussmann ✆ 01 42 65 24 85, *Fax 01 53 75 23 23*
▤. AE GB
fermé août, Noël au Jour de l'An, sam. et dim. – **Repas** 390 (dîner seul.) et carte 280 à 360 ♀.

XX **Les Bouchons de François Clerc** BZ 25
7 r. Boccador ☎ 01 47 23 57 80, *Fax 01 47 23 74 54*
AE GB
fermé sam. midi et dim. – **Repas** 195.

XX **Village d'Ung et Li Lam** CY 25
10 r. J. Mermoz ☎ 01 42 25 99 79, *Fax 01 42 25 12 06*
▤. AE ⓓ GB
Repas - cuisine chinoise et thaïlandaise - 118/178 et carte 160 à 220.

XX **Le Pichet** BY 64
68 r. P. Charron ☎ 01 43 59 50 34, *Fax 01 42 89 68 91*
▤. AE ⓓ GB
fermé sam. sauf le soir de sept. à juin et dim. – **Repas** carte 280 à 510.

XX **Bistro de l'Olivier** AZ 2
13 r. Quentin Bauchart ☎ 01 47 20 17 00, *Fax 01 47 20 17 04*
▤. AE ⓓ GB
fermé 1er au 30 août, sam. midi et dim. – **Repas** (nombre de couverts limité, prévenir) *(130)* - 190 ♀.

XX **L'Alsace** BY 12
39 av. Champs-Élysées ☎ 01 53 93 97 00, *Fax 01 53 93 97 09*
(ouvert jour et nuit), terrasse, brasserie – ▤. AE ⓓ GB
Repas 123 bc (dîner)/178 et carte 180 à 270 ♀.

XX **Kok Ping** AY 30
4 r. Balzac ☎ 01 42 25 28 85, *Fax 01 53 75 11 49*
▤. AE ⓓ GB. ✗
fermé sam. midi et dim. midi – **Repas** - cuisine chinoise et thaïlandaise - 89/135 et carte 130 à 270 ♀.

X **Cap Vernet** AY 37
82 av. Marceau ☎ 01 47 20 20 40, *Fax 01 47 20 95 36*
terrasse – ▤. AE GB JCB
Repas - produits de la mer - carte 200 à 280 ♀.

X **L'Appart'** BY 4
9 r. Colisée ☎ 01 53 75 16 34, *Fax 01 53 76 15 39*
▤. AE GB JCB
Repas 175 et carte 210 à 270 ♀.

X **Ferme des Mathurins** DY 5
17 r. Vignon ☎ 01 42 66 46 39
ⓓ GB JCB
fermé août, dim. et fériés – **Repas** 160/210 et carte 190 à 330 ♀.

X **Boucoléon** CX 19
10 r. Constantinople ☎ 01 42 93 73 33, *Fax 01 42 93 17 44*
GB
fermé août, sam. et dim. – **Repas** (nombre de couverts limité, prévenir) carte environ 140 ♀.

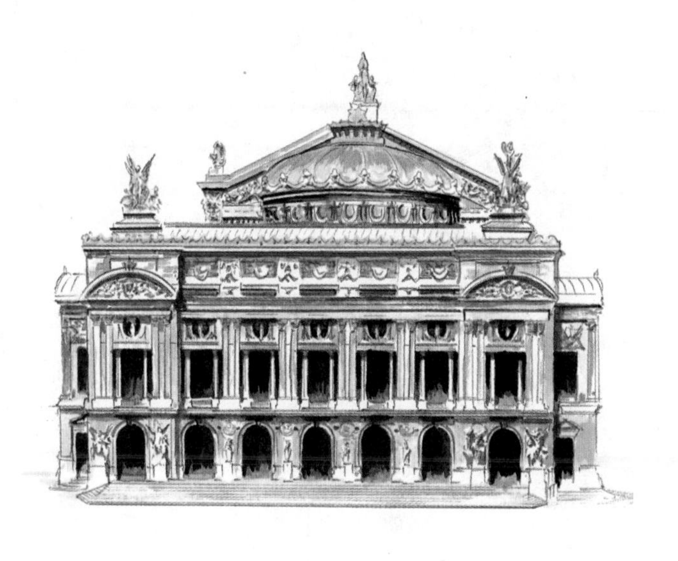

Opéra - Grands Boulevards
Gare de l'Est - Gare du Nord
République - Pigalle

9e et 10e arrondissements

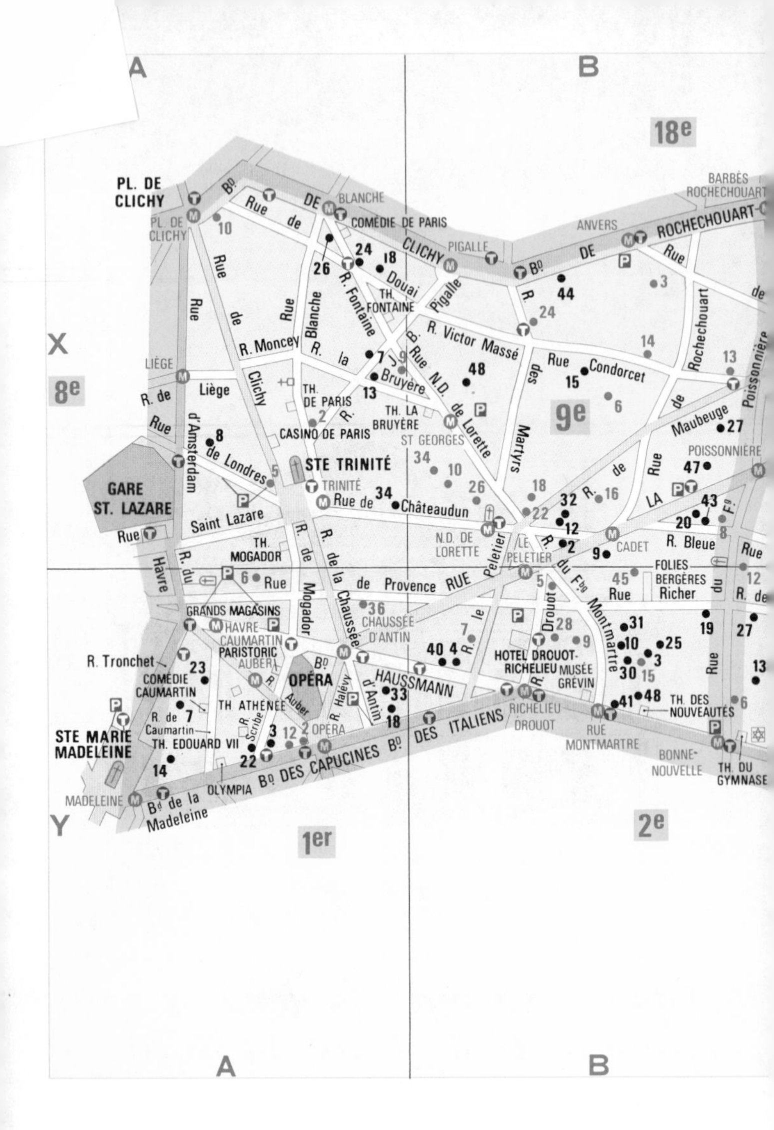

LES GUIDES MICHELIN :

Guides Rouges (hôtels et restaurants) :

Benelux - Deutschland - España Portugal - Main Cities Europe - France - Great Britain and Ireland - Italia - Suisse

Guides Verts (paysages, monuments et routes touristiques) :

Allemagne - Autriche - Belgique Luxembourg - Canada - Espagne - Grande Bretagne - Grèce - Hollande - Irlande - Italie - Londres - Maroc - New York - Nouvelle Angleterre - Portugal - Le Québec - Rome - Suisse

et la collection sur la France.

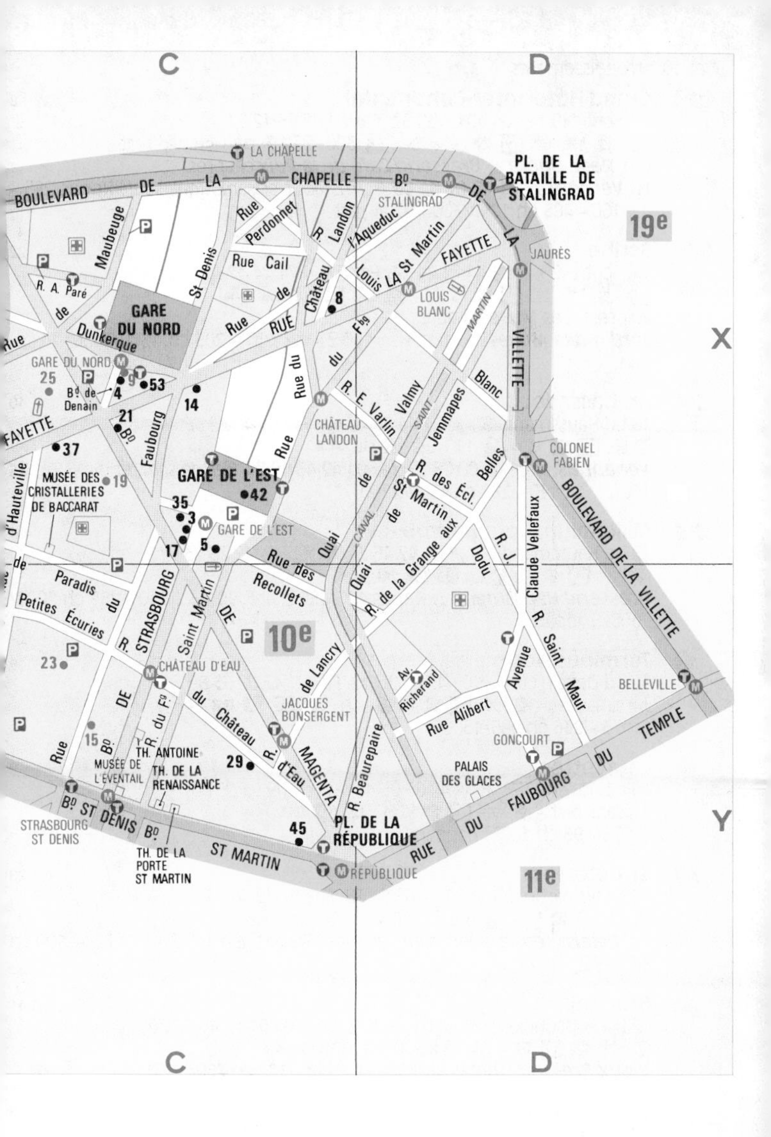
C
D
X
Y
LA CHAPELLE
BOULEVARD DE LA CHAPELLE
Bd DE LA VILLETTE
PL. DE LA BATAILLE DE STALINGRAD
STALINGRAD
19e
JAURÈS
Maubeuge
Rue Perdonnet
R. Landon
l'Aqueduc
Rue Cail
Rue de Château
Louis LA St Martin
FAYETTE
LOUIS BLANC
R. A. Paré
de Dunkerque
GARE DU NORD
St Denis
RUE
Rue du Fbg St Martin
Rue
GARE DU NORD
Bd de Denain
FAYETTE
Faubourg
Rue du Château Landon
R. E. Varlin
Valmy
Jemmapes
Blanc
CHÂTEAU LANDON
Rue
R. des Écl.
Belles
COLONEL FABIEN
MUSÉE DES CRISTALLERIES DE BACCARAT
GARE DE L'EST
GARE DE L'EST
St Martin
d'Hauteville
Quai de Valmy
CANAL
Quai de Jemmapes
R. de la Grange aux
BOULEVARD DE LA VILLETTE
Claude Vellefaux
R. J. Dodu
Rue des Recollets
de Paradis
Petites Écuries
R. STRASBOURG
Saint Martin
DE
10e
CHÂTEAU D'EAU
du Château d'Eau
de Lancry
Av. Richerand
Avenue
R. Saint Maur
BELLEVILLE
JACQUES BONSERGENT
Rue Alibert
GONCOURT
Rue
DE
R. du Fg
Bd
TH. ANTOINE
MUSÉE DE L'ÉVENTAIL
TH. DE LA RENAISSANCE
MAGENTA
R. Beaurepaire
PALAIS DES GLACES
RUE DU FAUBOURG DU TEMPLE
STRASBOURG ST DENIS
Bd ST DENIS
Bd ST MARTIN
TH. DE LA PORTE ST MARTIN
PL. DE LA RÉPUBLIQUE
RÉPUBLIQUE
11e
8
25
9
53
4
14
21
37
19
42
35
3
17
5
23
15
29
45

Grand Hôtel Inter-Continental AY 3
2 r. Scribe (9e) 01 40 07 32 32, *Fax 01 42 66 12 51*
– 300. AE GB JCB. rest
voir ***Rest. Opéra*** et ***Brasserie Café de la Paix*** ci-après
La Verrière 01 40 07 31 00 *(fermé août et sam.) (déj. seul.)* **Repas** 285 – 160 – **488 ch** 1750/3600, 22 appart.

Scribe AY 22
1 r. Scribe (9e) 01 44 71 24 24, *Fax 01 44 71 24 42*
M – – 50. AE GB JCB
voir rest. ***Les Muses*** ci-après
Jardin des Muses : **Repas** *(130)*-160 – 110 – **206 ch** 1600/2450, 11 appart.

Ambassador BY 40
16 bd Haussmann (9e) 01 44 83 40 40, *Fax 01 40 22 08 74*
– 110. AE GB JCB
Venantius 01 48 00 06 38, fax 01 42 46 19 84 *(fermé sam. et dim.)* **Repas** 160 – 110 – **288 ch** 1500/2200.

Millennium Commodore BY 4
12 bd Haussmann (9e) 01 42 46 72 82, *Fax 01 47 70 23 81*
– 25. AE GB JCB
Brasserie Haussmann : : **Repas** 120/250, enf. 90 – 110 – **159 ch** 2000/2600, 5 appart.

Terminus Nord CX 4
12 bd Denain (10e) 01 42 80 20 00, *Fax 01 42 80 63 89*
M sans rest – – 80. AE GB JCB
75 – **236 ch** 985/1500.

Lafayette BX 2
49 r. Lafayette (9e) 01 42 85 05 44, *Fax 01 49 95 06 60*
M sans rest – . AE GB JCB
75 – **96 ch** 1075, 7 appart.

St-Pétersbourg AY 23
33 r. Caumartin (9e) 01 42 66 60 38, *Fax 01 42 66 53 54*
– 25. AE GB JCB. rest
Le Relais *(fermé août, sam. et dim.)* **Repas** *(98)*-140 – 70 – **100 ch** 875/975.

Brébant BY 41
32 bd Poissonnière (9e) 01 47 70 25 55, *Fax 01 42 46 65 70*
– 25 à 100. AE GB JCB
Vieux Pressoir : **Repas** 98/198 – 48 – **122 ch** 760/1050.

L'Horset Pavillon BY 13
38 r. Échiquier (10e) 01 42 46 92 75, *Fax 01 42 47 03 97*
. AE GB JCB
Repas *(fermé sam. midi et dim.)* 90/180 bc, enf. 50 – 80 – **92 ch** 890/990.

Richmond Opéra AY 33
11 r. Helder (9e) 01 47 70 53 20, *Fax 01 48 00 02 10*
sans rest – . AE GB JCB.
40 – **58 ch** 710/840.

Bergère Opéra BY 30
34 r. Bergère (9e) 01 47 70 34 34, *Fax 01 47 70 36 36*
sans rest – – 40. AE GB JCB.
70 – **134 ch** 790/990.

Franklin BX 12
19 r. Buffault (9e) 01 42 80 27 27, *Fax 01 48 78 13 04*
sans rest – . AE GB JCB
75 – **68 ch** 825/890.

Blanche Fontaine AX 24
34 r. Fontaine (9e) 01 44 63 54 95, *Fax 01 42 81 05 52*
sans rest – . AE GB JCB.
45 – **45 ch** 507/570, 4 appart.

Carlton's H. BX 44
55 bd Rochechouart (9e) 01 42 81 91 00, *Fax 01 42 81 97 04*
sans rest, « Sur le toit, terrasse panoramique avec Paris » – . AE GB JCB
47 – **103 ch** 619/688.

Anjou-Lafayette BX 43
4 r. Riboutté (9e) 01 42 46 83 44, *Fax 01 48 00 08 97*
sans rest – . AE GB JCB
50 – **39 ch** 490/680.

Frantour Paris-Est CX 42
4 r. 8 Mai 1945 (cour d'Honneur gare de l'Est) (10e) 01 44 89 27 00, *Fax 01 44 89 27 49*
M sans rest – 250. AE GB
55 – **45 ch** 535/1055.

Albert 1er CX 14
162 r. Lafayette (10e) 01 40 36 82 40, *Fax 01 40 35 72 52*
M sans rest – . AE GB JCB.
45 – **57 ch** 500/698.

Opéra Cadet BX 9
24 r. Cadet (9e) 01 53 34 50 50, *Fax 01 53 34 50 60*
M sans rest – . AE GB JCB
65 – **82 ch** 755/980, 3 appart.

Touraine Opéra AX 34
73 r. Taitbout (9e) 01 48 74 50 49, *Fax 01 42 81 26 09*
sans rest – . AE GB JCB
75 – **39 ch** 825/990.

Paix République CY 45
2 bis bd St-Martin (10e) 01 42 08 96 95, *Fax 01 42 06 36 30*
sans rest – . AE GB JCB.
40 – **45 ch** 550/980.

Gd H. Haussmann AY 18
6 r. Helder (9e) 01 48 24 76 10, *Fax 01 48 00 97 18*
sans rest – . AE GB JCB.
49 – **59 ch** 502/786.

Mercure Monty BY 3
5 r. Montyon (9e) 01 47 70 26 10, *Fax 01 42 46 55 10*
sans rest – 50. AE GB JCB
60 – **71 ch** 990.

Corona BY 48
8 cité Bergère (9e) 01 47 70 52 96, *Fax 01 42 46 83 49*
sans rest – . AE GB JCB
45 – **56 ch** 580/700, 4 appart.

Français CX 35
13 r. 8-Mai 1945 (10e) 01 40 35 94 14, *Fax 01 40 35 55 40*
sans rest – TV . AE GB JCB
30 – **71 ch** 420/460.

du Pré BX 47
10 r. P. Sémard (9e) 01 42 81 37 11, *Fax 01 40 23 98 28*
sans rest – TV . AE GB
50 – **41 ch** 445/580.

Résidence du Pré BX 27
15 r. P. Sémard (9e) 01 48 78 26 72, *Fax 01 42 80 64 83*
sans rest – TV . AE GB
50 – **40 ch** 425/495.

Gotty BY 25
11 r. Trévise (9e) 01 47 70 12 90, *Fax 01 47 70 21 26*
sans rest – TV . AE GB JCB
45 – **44 ch** 680.

Acadia BY 31
4 r. Geoffroy Marie (9e) 01 40 22 99 99, *Fax 01 40 22 01 82*
M sans rest – TV . AE GB JCB.
70 – **36 ch** 890/990.

Axel BY 10
15 r. Montyon (9e) 01 47 70 92 70, *Fax 01 47 70 43 37*
sans rest – TV . AE GB JCB
48 – **38 ch** 690/790.

Trinité Plaza AX 7
41 r. Pigalle (9e) 01 42 85 57 00, *Fax 01 45 26 41 20*
sans rest – TV . AE GB JCB
40 – **42 ch** 580/670.

Monterosa AX 13
30 r. La Bruyère (9e) 01 48 74 87 90, *Fax 01 42 81 01 12*
M sans rest – TV . AE GB JCB
35 – **36 ch** 360/500.

Printania CY 29
19 r. Château d'Eau (10e) 01 42 01 84 20, *Fax 01 42 39 55 12*
sans rest – TV . AE GB.
45 – **51 ch** 560/780.

Moulin AX 26
39 r. Fontaine (9e) 01 42 81 93 25, *Fax 01 40 16 09 90*
M sans rest – TV . AE GB JCB
75 – **50 ch** 600/960.

Celte La Fayette BX 32
25 r. Buffault (9e) 01 49 95 09 49, *Fax 01 49 95 01 88*
sans rest – TV . AE GB JCB
51 – **50 ch** 530/680.

Peyris BY 19
10 r. Conservatoire (9e) 01 47 70 50 83, *Fax 01 40 22 95 91*
sans rest – TV . AE GB
40 – **50 ch** 500/600.

Gare du Nord CX 53
33 r. St-Quentin (10e) 01 48 78 02 92, *Fax 01 45 26 88 31*
sans rest – TV . AE GB.
45 – **47 ch** 400/580.

Sudotel Promotour BY 27
42 r. Petites-Écuries (10e) ✆ 01 42 46 91 86, *Fax 01 40 22 90 85*
sans rest – AE GB JCB
58 – **45 ch** 520/750.

Athènes AX 8
21 r. d'Athènes (9e) ✆ 01 48 74 00 55, *Fax 01 42 81 04 75*
sans rest – AE GB JCB.
50 – **36 ch** 560/660.

Capucines AY 14
6 r. Godot de Mauroy (9e) ✆ 01 47 42 25 05, *Fax 01 42 68 05 05*
sans rest – AE GB JCB
38 – **45 ch** 520/550.

Amiral Duperré AX 18
32 r. Duperré (9e) ✆ 01 42 81 55 33, *Fax 01 44 63 04 73*
sans rest – AE GB JCB
45 – **52 ch** 540/570.

Riboutté-Lafayette BX 20
5 r. Riboutté (9e) ✆ 01 47 70 62 36, *Fax 01 48 00 91 50*
sans rest – AE GB JCB
35 – **24 ch** 475.

Suède CX 21
106 bd Magenta (10e) ✆ 01 40 36 10 12, *Fax 01 40 36 11 98*
sans rest – AE GB JCB
45 – **52 ch** 510/570.

Ibis Gare de l'Est CX 8
197 r. Lafayette (10e) ✆ 01 44 65 70 00, *Fax 01 44 65 70 07*
sans rest – AE GB
41 – **165 ch** 420/470.

Modern' Est CX 3
91 bd Strasbourg (10e) ✆ 01 40 37 77 20, *Fax 01 40 37 17 55*
sans rest – GB.
35 – **30 ch** 380/460.

Alba BX 15
34 ter r. La Tour d'Auvergne (9e) ✆ 01 48 78 80 22, *Fax 01 42 85 23 13*
sans rest – cuisinette AE GB JCB.
40 – **24 ch** 500/1400.

Trois Poussins BX 48
15 r. Clauzel (9e) ✆ 01 53 32 81 81, *Fax 01 53 32 81 82*
sans rest – AE GB.
38 – **40 ch** 350/490.

Ibis Lafayette CX 37
122 r. Lafayette (10e) ✆ 01 45 23 27 27, *Fax 01 42 46 73 79*
sans rest – AE GB
39 – **70 ch** 420/470.

St-Laurent CX 5
5 r. St-Laurent (10e) ✆ 01 42 09 59 79, *Fax 01 42 09 83 50*
M sans rest – AE GB JCB
45 – **44 ch** 750.

Champagne-Mulhouse CX 17
87 bd Strasbourg (10e) ✆ 01 42 09 12 28, *Fax 01 42 09 48 12*
sans rest – AE GB JCB
45 – **31 ch** 570.

Montréal AY 7
23 r. Godot-de-Mauroy (9e) ✆ 01 42 65 99 54, *Fax 01 49 24 07 33*
sans rest – . AE GB JCB
40 – **14 ch** 290/550, 5 appart.

Rest. Opéra - Grand Hôtel Inter-Continental AY 2
pl. Opéra (9e) ✆ 01 40 07 30 10, *Fax 01 40 07 33 86*
« Cadre Second Empire » – . AE GB JCB.
fermé août, sam., dim. et fériés – **Repas** 240 (déj.)/345 bc et carte 380 à 600
Spéc. Grosses langoustines croustillantes, émulsion d'agrumes à l'huile d'olive. Blanc de turbot braisé, rattes écrasées au beurre de truffe. Noix de ris de veau poêlée au beurre d'herbes.

Les Muses - Hôtel Scribe AY 22
1 r. Scribe (9e) ✆ 01 44 71 24 26, *Fax 01 44 71 24 64*
. AE GB JCB.
fermé août, sam., dim. et fériés – **Repas** 250/320
Spéc. Parmentier de foie gras de canard chaud. Noisettes de biche poêlées au macis, poire au vin rouge et palets de charlotte (oct. à fév.). Tarte chocolat "Manjari", soupe d'oranges aux fleurs séchées.

Table d'Anvers (Conticini) BX 3
2 pl. d'Anvers (9e) ✆ 01 48 78 35 21, *Fax 01 45 26 66 67*
. AE GB JCB
fermé sam. midi et dim. – **Repas** 180 (déj.)/270 et carte 440 à 630
Spéc. "Céviche" de langoustines. Saint-Pierre au "nuoc-mâm". Croquettes au chocolat coulant.

Charlot "Roi des Coquillages" AX 10
12 pl. Clichy (9e) ✆ 01 53 20 48 00, *Fax 01 53 20 48 09*
. AE GB
Repas - produits de la mer - 178 et carte 240 à 360.

Au Chateaubriant CX 19
23 r. Chabrol (10e) ✆ 01 48 24 58 94, *Fax 01 42 47 09 75*
collection de tableaux – . AE GB JCB
fermé août, dim. et lundi – **Repas** - cuisine italienne - *(118)* - 159 et carte 230 à 330 .

Brasserie Café de la Paix - Grand Hôtel Inter-Continental AY 12
12 bd Capucines (9e) ✆ 01 40 07 30 20, *Fax 01 40 07 33 86*
. AE GB JCB
Repas *(139)* - 179 et carte 220 à 360 , enf. 80.

Julien CY 15
16 r. Fg St-Denis (10e) ✆ 01 47 70 12 06, *Fax 01 42 47 00 65*
« Brasserie "Belle Époque" » – . AE GB
Repas *(123 bc)* - 169 bc (déj.)/183 bc bc et carte 160 à 300.

Grand Café Capucines AY 4
4 bd Capucines (9e) ✆ 01 43 12 19 00, *Fax 01 43 12 19 09*
(ouvert jour et nuit), brasserie, « Décor "Belle Époque" » – . AE GB
Repas 178 et carte 190 à 340 .

Grange Batelière BY 28
16 r. Grange Batelière (9e) ✆ 01 47 70 85 15, *Fax 01 47 70 85 15*
. AE GB
fermé août, sam. midi, dim. et fériés – **Repas** 190/300 et carte 270 à 360 .

XX **Quercy** BX 14
36 r. Condorcet (9e) ✆ 01 48 78 30 61, *Fax 01 48 78 16 29*
AE ① GB JCB
fermé août, dim. et fériés – **Repas** *(128)* - 152 et carte 190 à 310.

XX **Bistrot Papillon** BX 8
6 r. Papillon (9e) ✆ 01 47 70 90 03, *Fax 01 48 24 05 59*
▤. AE ① GB
fermé 1er au 20 avril, 8 au 30 août, sam. et dim. – **Repas** 150 et carte 200 à 250 ♀.

XX **Au Petit Riche** BY 7
25 r. Le Peletier (9e) ✆ 01 47 70 68 68, *Fax 01 48 24 10 79*
bistrot, « Cadre fin 19e siècle » – ▤. AE ① GB JCB
fermé dim. – **Repas** 135 (dîner)/175 et carte 170 à 300 ♀.

XX **Brasserie Flo** CY 23
7 cour Petites-Écuries (10e) ✆ 01 47 70 13 59, *Fax 01 42 47 00 80*
« Cadre 1900 » – ▤. AE ① GB
Repas *(123 bc)* - 169 et carte 160 à 300 ♨.

XX **Terminus Nord** CX 9
23 r. Dunkerque (10e) ✆ 01 42 85 05 15, *Fax 01 40 16 13 98*
brasserie – ▤. AE ① GB
Repas *(123 bc)* - 169 bc et carte 160 à 300.

XX **Paprika** BX 24
28 av. Trudaine (9e) ✆ 01 44 63 02 91, *Fax 01 44 63 09 62*
▤. GB
fermé lundi soir et dim. – **Repas** - cuisine hongroise - 75 (déj.), 120/180 et carte 210 à 330 ♀.

XX **Saintongeais** BX 22
62 r. Fg Montmartre (9e) ✆ 01 42 80 39 92
AE ① GB
fermé 15 au 25 août, sam. et dim. – **Repas** 135/168 et carte 180 à 260.

XX **Comme Chez Soi** BX 16
20 r. Lamartine (9e) ✆ 01 48 78 00 02, *Fax 01 42 85 09 78*
▤. AE GB JCB
fermé août, sam. et dim. – **Repas** 90/140 et carte 220 à 310.

XX **Wally Le Saharien** BX 6
36 r. Rodier (9e) ✆ 01 42 85 51 90, *Fax 01 45 86 08 35*
▤. ⚹
fermé lundi midi et dim. – **Repas** - cuisine nord-africaine - 140 (déj.)/240 et carte 160 à 230.

XX **P'tite Tonkinoise** BY 12
56 r. Fg Poissonnière (10e) ✆ 01 42 46 85 98
AE ① GB JCB
fermé 25 juil. au 3 sept., 24 déc. au 15 janv., sam. midi et dim. – **Repas** - cuisine vietnamienne - 135 et carte environ 170.

X **Pré Cadet** BY 45
10 r. Saulnier (9e) ✆ 01 48 24 99 64
▤. AE ① GB JCB
fermé 1er au 8 mai, 5 au 25 août, 24 au 31 déc., sam. midi et dim. – **Repas** (prévenir) 150 et carte 190 à 290 ♀.

Paludier AX 5
5 r. Clichy (9e) 01 48 74 32 13, *Fax 01 48 74 32 13*
AE GB
fermé sam. et dim. – **Repas** 158/171 et carte environ 250 ♀.

L'Oenothèque BX 10
20 r. St-Lazare (9e) 01 48 78 08 76, *Fax 01 40 16 10 27*
AE GB JCB
fermé 4 au 10 mai, 10 au 30 août, sam. et dim. – **Repas** carte 240 à 380 ♀.

Chez Jean BX 26
8 r. St-Lazare (9e) 01 48 78 62 73, *Fax 01 48 78 35 30*
fermé 18 au 24 mai, 17 au 23 août, sam. midi et dim. – **Repas** 165 ♀.

Bistro de Gala BY 5
45 r. Fg Montmartre (9e) 01 40 22 90 50, *Fax 01 40 22 90 50*
AE GB JCB
fermé sam. midi et dim. – **Repas** 160 et carte 160 à 230 ♀.

I Golosi BY 9
6 r. Grange Batelière (9e) 01 48 24 18 63, *Fax 01 45 23 18 96*
« Décor de style vénitien » – GB
fermé août, sam. soir et dim. – **Repas** - cuisine italienne - carte 160 à 240 ♀.

Aux Deux Canards BY 6
8 r. Fg Poissonnière (10e) 01 47 70 03 23
AE GB
fermé 31 juil. au 23 août, sam. midi et dim. – **Repas** carte 150 à 250 ♀.

Bistro des Deux Théâtres AX 2
18 r. Blanche (9e) 01 45 26 41 43, *Fax 01 48 74 08 92*
AE GB
Repas 169 bc.

Chez Michel CX 25
10 r. Belzunce (10e) 01 44 53 06 20, *Fax 01 44 53 61 31*
GB
fermé 26 juil. au 26 août, 20 déc. au 2 janv., dim. et lundi – **Repas** 170 ♀.

Casa Olympe BX 34
48 r. St-Georges (9e) 01 42 85 26 01, *Fax 01 45 26 49 33*
fermé août, 23 déc. au 2 janv., sam. et dim. – **Repas** 190/280 bc.

Petite Sirène de Copenhague AX 9
47 r. N.-D. de Lorette (9e) 01 45 26 66 66
GB
fermé août, dim. et lundi – **Repas** - cuisine danoise - (prévenir) 120 et carte 170 à 240 ♀.

Relais Beaujolais BX 18
3 r. Milton (9e) 01 48 78 77 91
bistrot – GB
fermé août, sam. et dim. – **Repas** *(119)* - carte 130 à 220 ♀.

Petit Batailley BY 15
26 r. Bergère (9e) 01 47 70 85 81
AE GB JCB
fermé 25 juil. au 24 août, 19 au 28 déc., sam. midi, dim. et fériés – **Repas** 145.

✕ **L'Alsaco Winstub** BX 13
10 r. Condorcet (9e) ✆ 01 45 26 44 31
AE GB
fermé août, sam. midi et dim. – **Repas** 79 (déj.), 87/170 bc et carte 120 à 230 ♀.

✕ **Chez Catherine - Le Poitou** AY 36
65 r. Provence (9e) ✆ 01 45 26 72 88, *Fax 01 42 80 96 88*
bistrot – GB
fermé août, 1er au 11 janv., lundi soir, sam. et dim. – **Repas** carte 170 à 200 ♀.

✕ **L'Excuse Mogador** AY 6
21 r. Joubert (9e) ✆ 01 42 81 98 19
GB
fermé août, lundi soir, sam. et dim. – **Repas** 75 (déj.)/95 et carte 110 à 170 ♀.

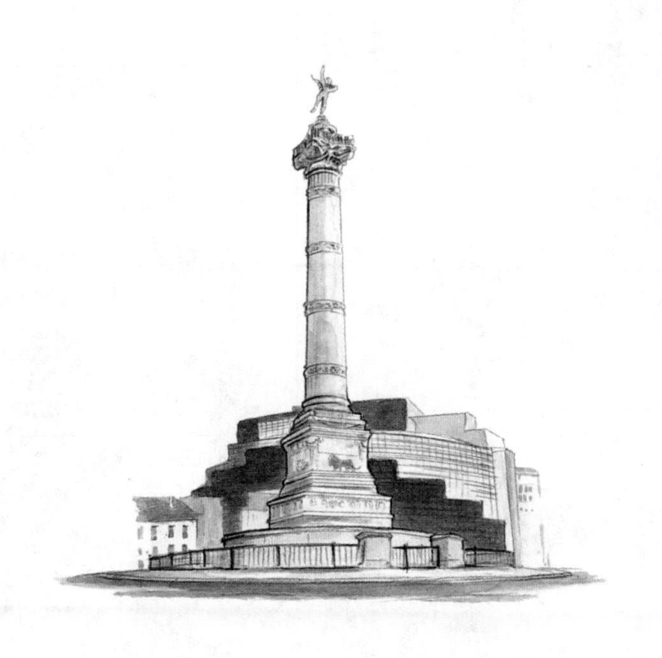

Bastille - Nation
Gare de Lyon - Bercy
Gare d'Austerlitz
Place d'Italie

12e et 13e arrondissements

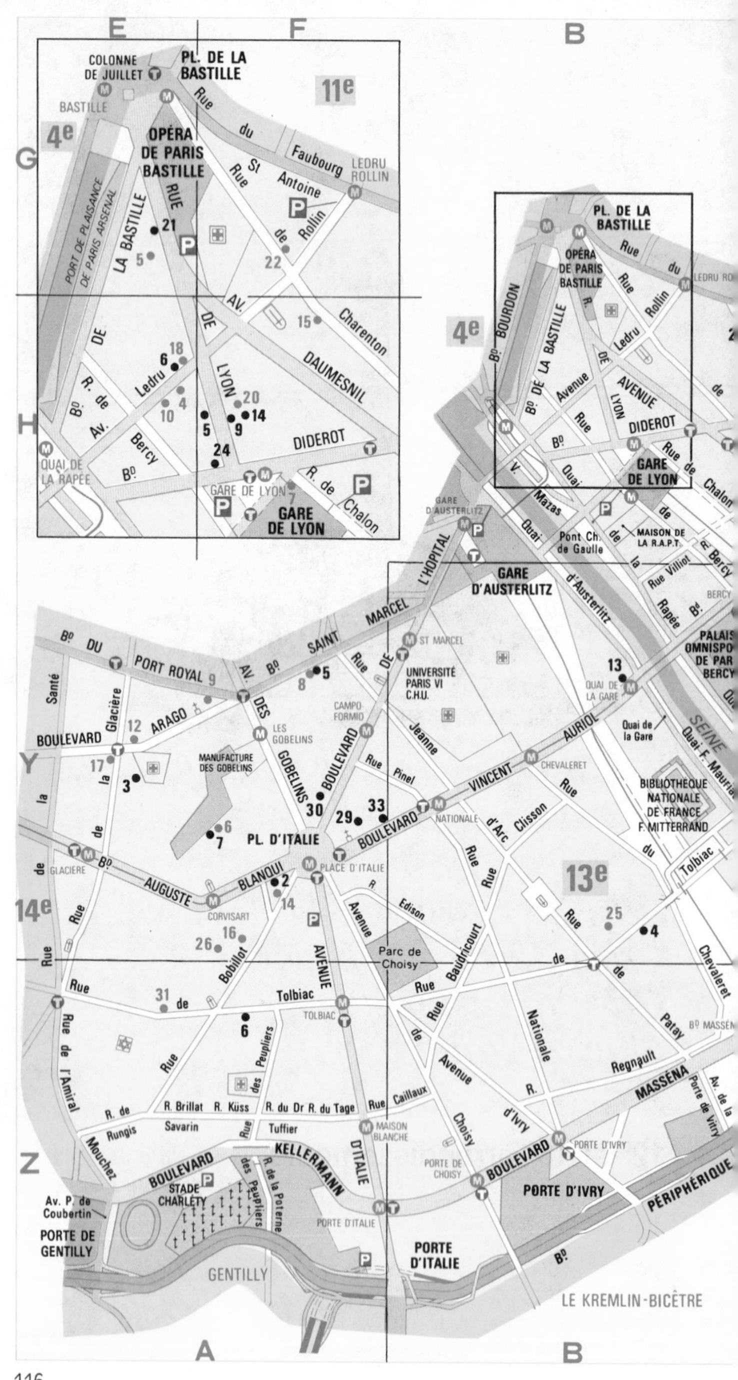
PL. DE LA BASTILLE
COLONNE DE JUILLET
BASTILLE
OPÉRA DE PARIS BASTILLE
11e
4e
Rue du Faubourg St Antoine
LEDRU ROLLIN
Rue Ledru Rollin
RUE DE LA BASTILLE
PORT DE PLAISANCE DE PARIS ARSENAL
AV. DAUMESNIL
Charenton
RUE DE LYON
Bd DE Bercy
Av. Ledru
R. de Bercy
DIDEROT
QUAI DE LA RAPÉE
GARE DE LYON
R. de Chalon
Bd BOURDON
Bd DE LA BASTILLE
AVENUE DIDEROT
Quai Mazas
Pont Ch. de Gaulle
MAISON DE LA R.A.P.T.
Rue Villiot
Bd de la Rapée
GARE D'AUSTERLITZ
Quai d'Austerlitz
BERCY
PALAIS OMNISPORTS DE PARIS BERCY
QUAI DE LA GARE
Quai de la Gare
SEINE
Quai F. Mauriac
Bd DU PORT ROYAL
Bd SAINT MARCEL
BD DE L'HOPITAL
ST MARCEL
UNIVERSITÉ PARIS VI C.H.U.
Rue Jeanne
CAMPO FORMIO
AV. DES GOBELINS
LES GOBELINS
MANUFACTURE DES GOBELINS
BOULEVARD ARAGO
Santé
Rue de la Glacière
BOULEVARD VINCENT AURIOL
CHEVALERET
Rue Pinel
NATIONALE
Rue Jeanne d'Arc
Rue Clisson
BIBLIOTHÈQUE NATIONALE DE FRANCE F. MITTERRAND
Rue du Chevaleret
Tolbiac
PL. D'ITALIE
PLACE D'ITALIE
Bd AUGUSTE BLANQUI
GLACIÈRE
CORVISART
14e
13e
R. Edison
Rue Bobillot
Parc de Choisy
Rue Baudricourt
AVENUE D'ITALIE
Rue de Tolbiac
TOLBIAC
Rue des Peupliers
Rue Nationale
Rue de Patay
Bd MASSÉNA
Avenue de Choisy
Avenue d'Ivry
R. Regnault
Porte de Vitry
Av. de la Porte de Vitry
Rue de l'Amiral Mouchez
R. de Rungis
R. Brillat Savarin
R. Küss
R. du Dr R. du Tage
Rue Caillaux
Rue Tuffier
MAISON BLANCHE
BOULEVARD KELLERMANN
R. de la Poterne des Peupliers
PORTE D'IVRY
BOULEVARD MASSÉNA
PORTE DE CHOISY
STADE CHARLÉTY
Av. P. de Coubertin
PORTE DE GENTILLY
PORTE D'ITALIE
PÉRIPHÉRIQUE
GENTILLY
LE KREMLIN-BICÊTRE
E F B G H Y Z A B

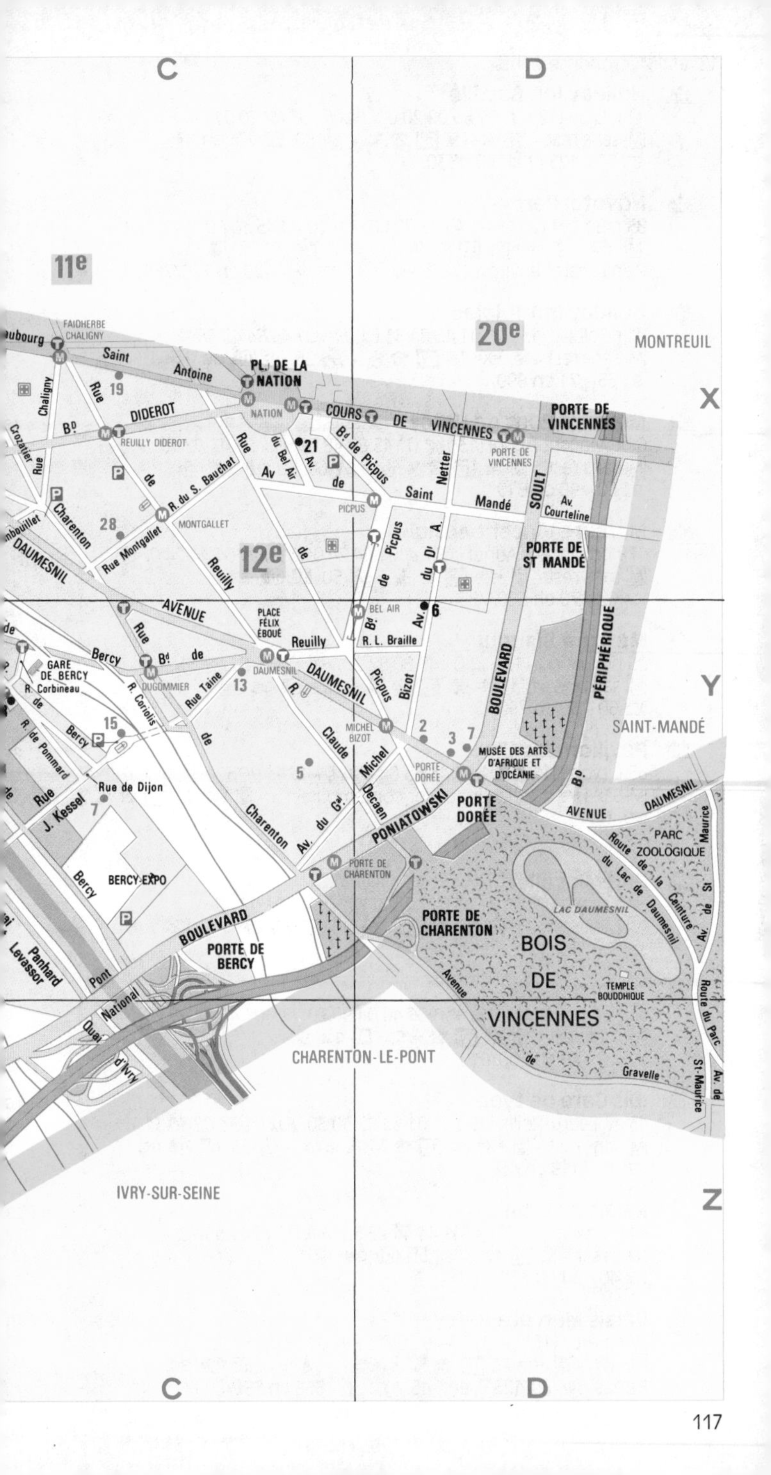
C
D
11e
20e
12e
MONTREUIL
X
Y
Z
FAIDHERBE CHALIGNY
Saint
Antoine
PL. DE LA NATION
NATION
Rue Chaligny
Rue Crozatier
Bd DIDEROT
REUILLY DIDEROT
COURS DE VINCENNES
PORTE DE VINCENNES
Bd de Picpus
Av du Bel Air
21
Av de Saint Mandé
Netter
SOULT
Av. Courteline
PICPUS
R. du S. Bauchat
MONTGALLET
Rue Montgallet
Rue de Charenton
28
DAUMESNIL
Rue de Reuilly
Picpus
du Dr A.
PORTE DE ST MANDÉ
AVENUE
PLACE FÉLIX ÉBOUÉ
BEL AIR
Av. 6
R. L. Braille
Reuilly
PÉRIPHÉRIQUE
BOULEVARD
GARE DE BERCY
R. Corbineau
Bercy
Bd de Bercy
Rue
DUGOMMIER
R. Coriolis
Rue Taine
13
DAUMESNIL
R. Claude Decaen
Picpus
Bizot
15
R. de Pommard
Rue de Dijon
7
Rue J. Kessel
MICHEL BIZOT
2
3
7
SAINT-MANDÉ
MUSÉE DES ARTS D'AFRIQUE ET D'OCÉANIE
PORTE DORÉE
5
Michel
Charenton
Av. du Gal
PONIATOWSKI
Bd
AVENUE
DAUMESNIL
PARC ZOOLOGIQUE
Route du Lac de Daumesnil
Route de la Ceinture
Av. de St Maurice
PORTE DE CHARENTON
Bercy
BERCY EXPO
LAC DAUMESNIL
BOULEVARD
PORTE DE BERCY
BOIS DE VINCENNES
TEMPLE BOUDDHIQUE
Quai Panhard Levassor
Pont National
Quai d'Ivry
Avenue de Gravelle
Route du Parc
Av. de St-Maurice
CHARENTON-LE-PONT
IVRY-SUR-SEINE

Holiday Inn Bastille FH 5
11 r. Lyon (12e) ☎ 01 53 02 20 00, *Fax 01 53 02 20 01*
M sans rest – AE GB JCB
80 – **125 ch** 1130/1330.

Novotel Bercy CY 2
85 r. Bercy (12e) ☎ 01 43 42 30 00, *Fax 01 43 45 30 60*
M, – 80. AE GB
Repas carte environ 170, enf. 50 – 68 – **128 ch** 720/760.

Holiday Inn Tolbiac BY 4
21 r. Tolbiac (13e) ☎ 01 45 84 61 61, *Fax 01 45 84 43 38*
M sans rest – 25. AE GB JCB
65 – **71 ch** 890.

Mercure Pont de Bercy BY 13
6 bd Vincent Auriol (13e) ☎ 01 45 82 48 00, *Fax 01 45 82 19 16*
M sans rest – 60. AE GB JCB
60 – **90 ch** 810.

Mercure Vincent Auriol AY 33
178 bd Vincent Auriol (13e) ☎ 01 44 24 01 01, *Fax 01 44 24 07 07*
M sans rest – 50. AE GB
62 – **70 ch** 680/785.

Mercure Blanqui AY 2
25 bd Blanqui (13e) ☎ 01 45 80 82 23, *Fax 01 45 81 45 84*
M sans rest – AE GB JCB
60 – **50 ch** 790.

Pavillon Bastille EG 21
65 r. Lyon (12e) ☎ 01 43 43 65 65, *Fax 01 43 43 96 52*
M sans rest, « Élégant décor contemporain » – AE
GB JCB
65 – **24 ch** 955.

Paris Bastille EG 27
67 r. Lyon (12e) ☎ 01 40 01 07 17, *Fax 01 40 01 07 27*
M sans rest – 25. AE GB JCB.
55 – **30 ch** 766/950.

Allegro Nation DY 6
33 av. Dr A. Netter (12e) ☎ 01 40 04 90 90, *Fax 01 40 04 99 20*
M sans rest – AE GB.
40 – **49 ch** 500/610.

Ibis Gare de Lyon EH 6
43 av. Ledru-Rollin (12e) ☎ 01 53 02 30 30, *Fax 01 53 02 30 31*
M sans rest – 25. AE GB
40 – **119 ch** 450.

Relais de Lyon BX 23
64 r. Crozatier (12e) ☎ 01 43 44 22 50, *Fax 01 43 41 55 12*
sans rest – AE GB.
40 – **34 ch** 350/480.

Relais Mercure Bercy CY 18
77 r. Bercy (12e) ☎ 01 53 46 50 50, *Fax 01 53 46 50 99*
M, – 160. AE GB
Repas *(59)* - 89/125, enf. 45 – 50 – **368 ch** 550/600.

Résidence Vert Galant AY 7
43 r. Croulebarbe (13e) 01 44 08 83 50, *Fax 01 44 08 83 69*
– . GB . ch
voir rest. ***Aub. Etchegorry*** ci-après – 40 – **15 ch** 400/500.

Slavia AY 5
51 bd St-Marcel (13e) 01 43 37 81 25, *Fax 01 45 87 05 03*
sans rest – . GB .
38 – **37 ch** 357/390, 6 appart.

Terminus-Lyon FH 24
19 bd Diderot (12e) 01 43 43 24 03, *Fax 01 43 44 09 00*
sans rest – . GB
48 – **60 ch** 560.

Ibis Place d'Italie AY 29
25 av. Stephen Pichon (13e) 01 44 24 94 85, *Fax 01 44 24 20 70*
M sans rest – . GB
39 – **58 ch** 415/455.

Ibis Italie Tolbiac AZ 6
177 r. Tolbiac (13e) 01 45 80 16 60, *Fax 01 45 80 95 80*
M sans rest – . GB
39 – **60 ch** 380/420.

Touring H. Magendie AY 3
6 r. Corvisart 01 43 36 13 61, *Fax 01 43 36 47 48*
M sans rest – – 30. GB
112 ch 325/395.

Nouvel H. CX 21
24 av. Bel Air (12e) 01 43 43 01 81, *Fax 01 43 44 64 13*
sans rest – . GB
40 – **28 ch** 360/555.

Arts AY 30
8 r. Coypel (13e) 01 47 07 76 32, *Fax 01 43 31 18 09*
sans rest – . GB
30 – **37 ch** 280/360.

Viator FH 9
1 r. Parrot (12e) 01 43 43 11 00, *Fax 01 43 43 10 89*
sans rest – . GB .
35 – **45 ch** 320/370.

XXX **Au Pressoir** (Seguin) DY 2
257 av. Daumesnil (12e) 01 43 44 38 21, *Fax 01 43 43 81 77*
. GB
fermé août, sam. et dim. – **Repas** 400 et carte 360 à 610
Spéc. Millefeuille de champignons aux truffes. Pot-au-feu de homard. Lièvre à la royale (oct. à nov.).

XXX **Train Bleu** FH 7
Gare de Lyon (12e) 01 43 43 09 06, *Fax 01 43 43 97 96*
brasserie, « Cadre 1900 - fresques évoquant le voyage de Paris à la Méditerranée » – GB
Repas (1er étage) 250 bc et carte 220 à 370, enf. 75.

XXX **L'Oulette** CY 15
15 pl. Lachambeaudie (12e) ☎ 01 40 02 02 12, *Fax 01 40 02 04 77*
– AE ⓓ GB
fermé sam. midi et dim. – **Repas** 165/245 bc et carte environ 340 ♀.

XX **Au Trou Gascon** CY 13
✿ 40 r. Taine (12e) ☎ 01 43 44 34 26, *Fax 01 43 07 80 55*
. AE ⓓ GB JCB
fermé août, Noël au Jour de l'An, sam. midi et dim. – **Repas** (nombre de couverts limité, prévenir) 190 (déj.)/285 et carte 290 à 410
Spéc. Chipirons sautés façon pibale (juin à sept.). Petit pâté chaud de cèpes au jus de persil (saison). Volaille de Chalosse rôtie, jus clair.

XX **Frégate** EH 4
30 av. Ledru-Rollin (12e) ☎ 01 43 43 90 32
. AE GB
fermé sam. et dim. – **Repas** - produits de la mer - 160/220 et carte 280 à 410 ♀.

XX **Gourmandise** DY 3
271 av. Daumesnil (12e) ☎ 01 43 43 94 41, *Fax 01 43 43 94 41*
AE GB
fermé 1er au 10 mai, 3 au 23 août, lundi soir et dim. – **Repas** *(125 bc)* - 165/199 bc et carte 250 à 370, enf. 90.

XX **Petit Marguery** AY 9
9 bd. Port-Royal (13e) ☎ 01 43 31 58 59
bistrot – AE ⓓ GB
fermé août, 23 déc. au 2 janv., dim. et lundi – **Repas** 165 (déj.), 210/270 ♀.

XX **Traversière** FH 15
40 r. Traversière (12e) ☎ 01 43 44 02 10, *Fax 01 43 44 64 20*
AE ⓓ GB JCB
fermé août, dim. soir et lundi soir – **Repas** *(100)* - 130/170 et carte 260 à 360, enf. 70.

XX **Les Marronniers** AY 17
53 bis bd Arago (13e) ☎ 01 47 07 58 57, *Fax 01 43 36 85 20*
. AE ⓓ GB JCB
fermé août, 1er au 8 mars et dim. – **Repas** *(150)* - 230/300 et carte 180 à 290.

X **Bistrot de la Porte Dorée** DY 7
5 bd Soult (12e) ☎ 01 43 43 80 07, *Fax 01 43 42 32 66*
. GB
Repas 185 bc.

X **Jean-Pierre Frelet** CX 28
25 r. Montgallet (12e) ☎ 01 43 43 76 65
. GB
fermé fin juil. à fin août, sam. midi et dim. – **Repas** *(98)* - 140 et carte 200 à 250.

X **Quincy** EH 10
28 av. Ledru-Rollin (12e) ☎ 01 46 28 46 76
bistrot –
fermé 8 août au 10 sept., sam., dim. et lundi – **Repas** carte 220 à 370.

X **Aub. Etchégorry** AY 6
41 r. Croulebarbe (13e) ☎ 01 44 08 83 51, *Fax 01 44 08 83 69*
bistrot – . AE ⓓ GB JCB
fermé dim. – **Repas** - cuisine du Sud-Ouest - 145/220 bc et carte 210 à 380.

Chez Jacky BY 25
109 r. du Dessous-des-Berges (13e) 01 45 83 71 55, *Fax 01 45 86 57 73*
. GB
fermé août, sam. et dim. – **Repas** 188 et carte 230 à 390.

L'Escapade en Touraine FH 20
24 r. Traversière (12e) 01 43 43 14 96
GB
fermé août, sam., dim. et fériés – **Repas** 110/140 et carte 140 à 250.

Anacréon AY 8
53 bd St-Marcel (13e) 01 43 31 71 18, *Fax 01 43 31 94 94*
. AE GB.
fermé août, 20 fév. au 2 mars, dim. et lundi – **Repas** 120/180.

L'Avant Goût AY 14
26 r. Bobillot (13e) 01 53 80 24 00
bistrot – GB
fermé 2 au 24 août, 3 au 8 janvier, dim. et lundi – **Repas** (nombre de couverts limité, prévenir) *(59 bc)* - 135.

Temps des Cerises CX 19
216 r. Fg St-Antoine (12e) 01 43 67 52 08, *Fax 01 43 67 60 91*
. AE GB JCB
fermé 10 au 24 août et lundi – **Repas** 97/230.

A la Biche au Bois EH 18
45 av. Ledru-Rollin (12e) 01 43 43 34 38
AE GB
fermé sam. et dim. – **Repas** 105/125 et carte 110 à 220.

St-Amarante EG 5
4 r. Biscornet (12e) 01 43 43 00 08
bistrot – GB
fermé 14 juil. au 15 août, sam. et dim. – **Repas** (nombre de couverts limité, prévenir) carte environ 180.

Chez Françoise AY 16
12 r. Butte aux Cailles (13e) 01 45 80 12 02, *Fax 01 45 65 13 67*
bistrot – AE GB JCB.
fermé 31 juil. au 27 août, 25 déc. au 1er janv. et dim. – **Repas** 69/146 et carte 160 à 250.

Sipario FG 22
69 r. Charenton (12e) 01 43 45 70 26
AE GB JCB
fermé 10 au 17 août, sam. midi et dim. – **Repas** - cuisine italienne - 70 (déj.), 95/250 et carte 160 à 250.

Rhône AY 12
40 bd Arago (13e) 01 47 07 33 57
– GB
fermé août, sam., dim. et fêtes – **Repas** 75/165 et carte 180 à 210.

Chez Paul AY 26
22 r. Butte aux Cailles (13e) 01 45 89 22 11
bistrot – GB.
Repas carte 170 à 260.

X **Michel** AZ 31

20 r. Providence (13e) ✆ 01 45 89 99 27, *Fax 01 45 89 99 27*
GB
fermé 2 au 16 août et dim. – **Repas** 120/190 et carte 190 à 320 ♁.

X **Les Zygomates** CY 5

7 r. Capri (12e) ✆ 01 40 19 93 04, *Fax 01 44 73 46 63*
bistrot – GB.
fermé 24 déc. au 3 janv., sam. midi et dim. – **Repas** 75 (déj.)/130 et carte 160 à 210.

Montparnasse
Denfert-Rochereau - Alésia
Porte de Versailles
Vaugirard - Beaugrenelle

14e et 15e arrondissements

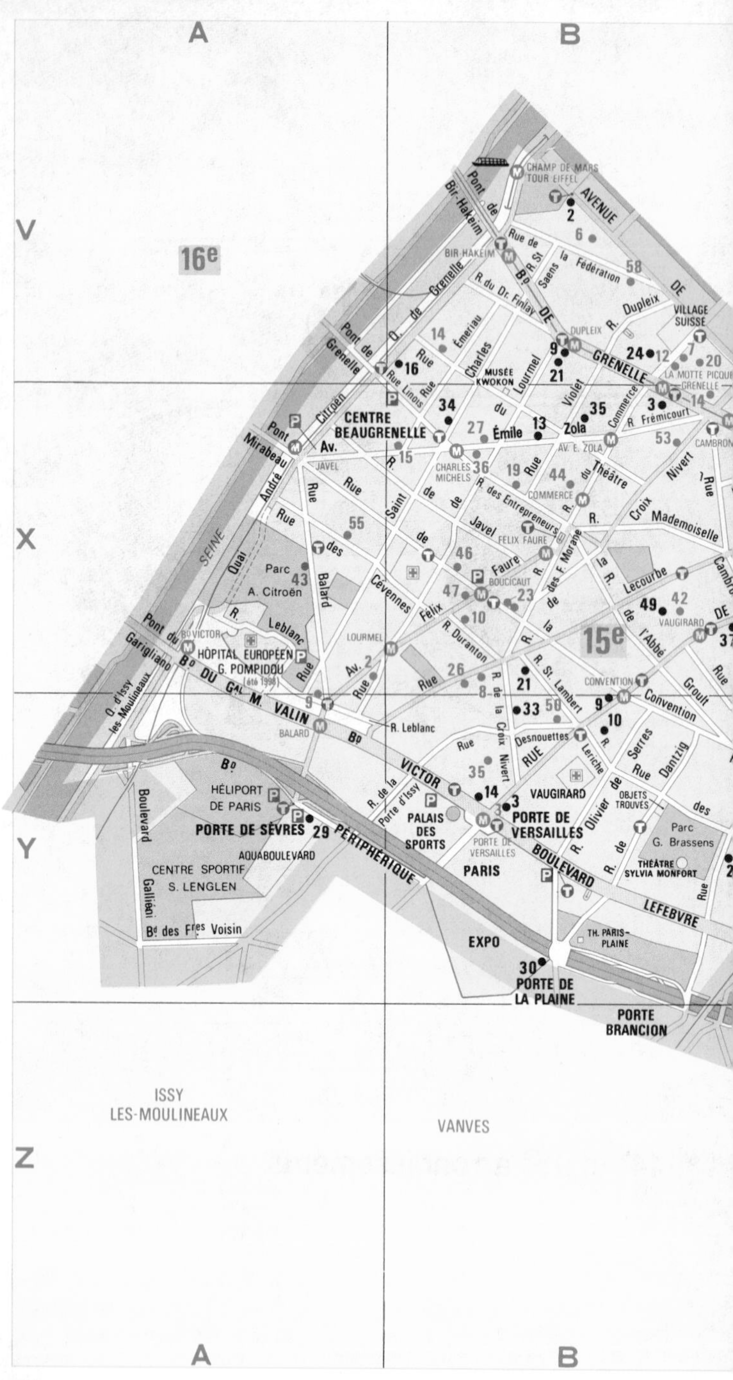
A
B
V
X
Y
Z
16e
15e
CHAMP DE MARS TOUR EIFFEL
AVENUE DE
BIR-HAKEIM
Pont de Bir-Hakeim
Q. de Grenelle
Pont de Grenelle
Pont Mirabeau
SEINE
Quai André Citroën
Rue de la Fédération
R. du Dr. Finlay
Bd DE GRENELLE
R. Dupleix
DUPLEIX
VILLAGE SUISSE
LA MOTTE PICQUET GRENELLE
MUSÉE KWOKON
CENTRE BEAUGRENELLE
Rue Linois
Rue Émeriau
Rue Lourmel
Av. Émile Zola
AV. E. ZOLA
CHARLES MICHELS
JAVEL
COMMERCE
R. du Commerce
R. Frémicourt
CAMBRONNE
Rue du Théâtre
R. des Entrepreneurs
Rue de Javel
R. Saint Charles
FELIX FAURE
Av. Félix Faure
R. de la Croix Nivert
R. Mademoiselle
Rue des Cévennes
Rue Balard
Parc A. Citroën
R. Leblanc
BOUCICAUT
R. Duranton
R. Lecourbe
VAUGIRARD
Rue de l'Abbé Groult
LOURMEL
HÔPITAL EUROPÉEN G. POMPIDOU
Pont du Garigliano
Bd VICTOR
Bd DU Gal M. VALIN
BALARD
R. Leblanc
R. St. Lambert
CONVENTION
Rue de la Convention
Rue Desnouettes
R. Leriche
Rue Olivier de Serres
Rue Dantzig
OBJETS TROUVÉS
Parc G. Brassens
THÉÂTRE SYLVIA MONFORT
Q. d'Issy les-Moulineaux
HÉLIPORT DE PARIS
PORTE DE SÈVRES
AQUABOULEVARD
CENTRE SPORTIF S. LENGLEN
Boulevard Galliéni
Bd des Fres Voisin
PÉRIPHÉRIQUE
PALAIS DES SPORTS
PORTE DE VERSAILLES
PARIS
BOULEVARD LEFEBVRE
TH. PARIS-PLAINE
EXPO
PORTE DE LA PLAINE
PORTE BRANCION
ISSY LES-MOULINEAUX
VANVES

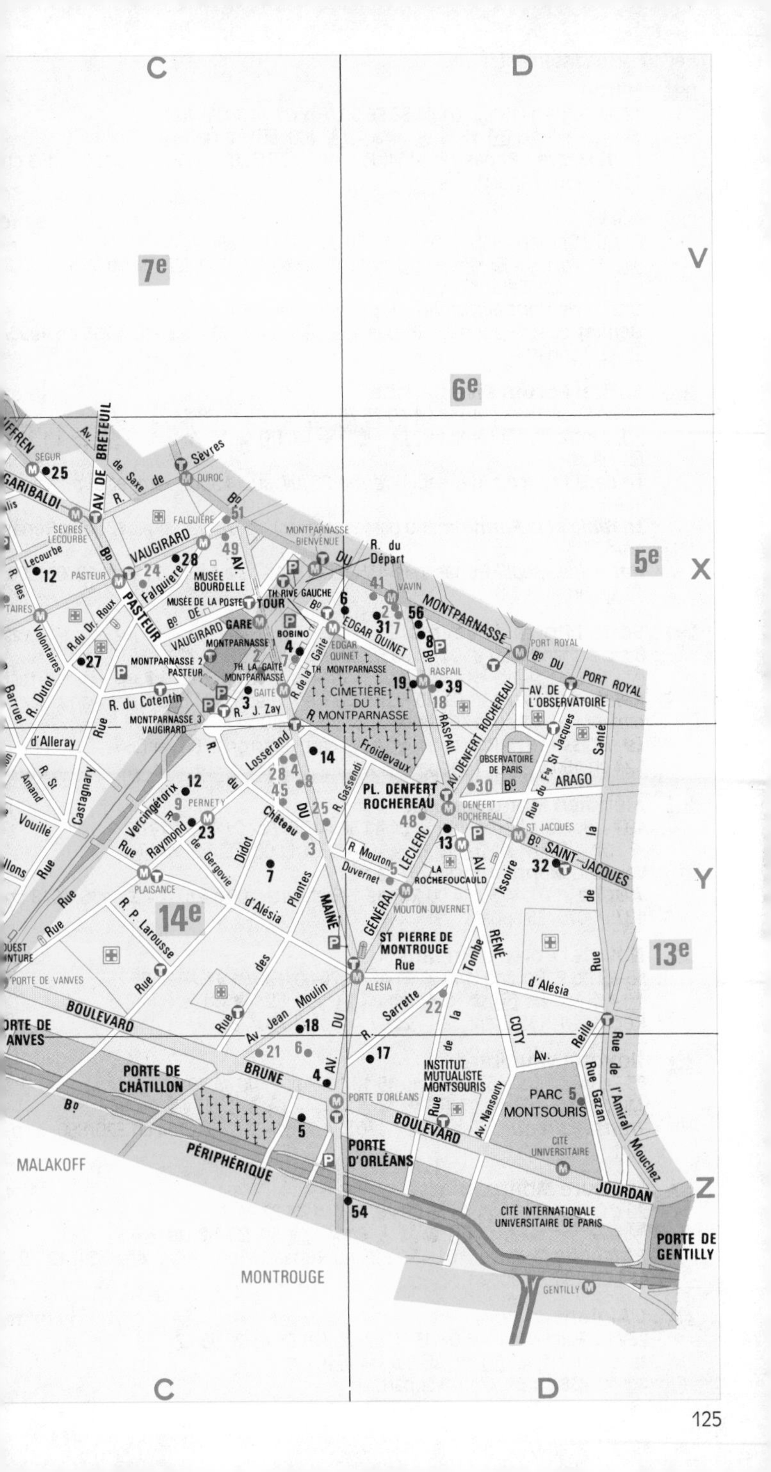
C
D
7e
6e
5e
13e
14e
V
X
Y
Z
SEGUR
25
GARIBALDI
AV. DE BRETEUIL
Av. de Saxe
Sèvres
DUROC
FALGUIÈRE
51
SÈVRES LECOURBE
Lecourbe
12
PASTEUR
24
VAUGIRARD
28
49
MUSÉE BOURDELLE
Falguière
MONTPARNASSE BIENVENUE
R. du Départ
41
VAVIN
MONTPARNASSE
TH. RIVE GAUCHE
MUSÉE DE LA POSTE
TOUR
6
2
31
7
56
8
PORT ROYAL
Bd DU PORT ROYAL
Volontaires
R. du Dr. Roux
PASTEUR
VAUGIRARD
GARE
MONTPARNASSE 1
BOBINO
4
EDGAR QUINET
27
MONTPARNASSE 2 PASTEUR
TH. LA GAITÉ MONTPARNASSE
TH. MONTPARNASSE
R. de la Gaité
19
39
RASPAIL
18
AV. DE L'OBSERVATOIRE
R. du Cotentin
3
R. J. Zay
GAITÉ
CIMETIÈRE DU MONTPARNASSE
MONTPARNASSE 3 VAUGIRARD
Barruel
R. Dutot
d'Alleray
Rue
Losserand
Froidevaux
14
AV. DENFERT ROCHEREAU
OBSERVATOIRE DE PARIS
Santé
Rue du Fbg St Jacques
R. St Amand
Castagnary
Vercingétorix
12
9
PERNETY
28
4
8
45
25
R. Gassendi
PL. DENFERT ROCHEREAU
30
Bd ARAGO
DENFERT ROCHEREAU
48
Vouillé
R. Raymond
23
de Gergovie
Didot
Château
3
ST JACQUES
Bd SAINT-JACQUES
13
R. Mouton Duvernet
5
LECLERC
LA ROCHEFOUCAULD
Issoire
32
7
PLAISANCE
R. P. Larousse
d'Alésia
Plantes
MAINE
GÉNÉRAL
MOUTON DUVERNET
RÉNÉ
Tombe
ST PIERRE DE MONTROUGE
Rue
PORTE DE VANVES
ALÉSIA
d'Alésia
BOULEVARD
Av. Jean Moulin
R. Sarrette
22
COTY
PORTE DE VANVES
18
21
6
17
Av. Reille
Rue de l'Amiral Mouchez
BRUNE
4
INSTITUT MUTUALISTE MONTSOURIS
Rue Gazan
PORTE DE CHÂTILLON
PORTE D'ORLÉANS
PARC MONTSOURIS
5
Av. Nansouty
BOULEVARD
5
PÉRIPHÉRIQUE
PORTE D'ORLÉANS
CITÉ UNIVERSITAIRE
MALAKOFF
JOURDAN
54
CITÉ INTERNATIONALE UNIVERSITAIRE DE PARIS
PORTE DE GENTILLY
MONTROUGE
GENTILLY

Hilton BV 2
18 av. Suffren (15e) 01 44 38 56 00, *Fax 01 44 38 56 10*
– – 400. AE GB JCB
La Terrasse : **Repas** *(105)*-144(déj.), 167/179 28, enf. 75 – 120 – **453 ch** 1650/2250, 9 appart.

Nikko BV 16
61 quai Grenelle (15e) 01 40 58 20 00, *Fax 01 40 58 24 44*
M, , , – – 600. AE GB JCB
voir rest. ***Les Célébrités*** ci-après
Brasserie Pont Mirabeau : **Repas** 170 , enf.85
Benkay cuisine japonaise **Repas** 135(déj.), 340/750 – 110 – **755 ch** 1900/2500, 9 appart.

Sofitel Forum Rive Gauche DY 32
17 bd St-Jacques (14e) 01 40 78 79 80, *Fax 01 45 88 43 93*
M, centre de conférences, – – 25 à 1 200 AE GB JCB
Le Café Français (déj. seul.) *(fermé 25 juil. au 24 août, sam. et dim.)* **Repas** 169
La Table et la Forme (menu basses calories) *(fermé 18 juil. au 17 août)* **Repas** *(85)*-175
Patio *(déj. seul.)* **Repas** *(118)*-135 , enf. 51 – 110 – **772 ch** 1250/1500 13 appart.

Sofitel Porte de Sèvres AY 29
8 r. L. Armand (15e) 01 40 60 30 30, *Fax 01 45 57 04 22*
M, , , – – 450. AE GB JCB. rest
Relais de Sèvres 01 40 60 33 66 *(fermé août, 24 déc. au 1er janv., sam., dim. et fêtes)* **Repas** 385 bc et carte 290 à 410
La Brasserie : **Repas** *(110)*-140 et carte environ 210, , enf.60 – 115 – **524 ch** 1500/2200, 14 appart.

Méridien Montparnasse CX 3
19 r. Cdt Mouchotte (14e) 01 44 36 44 36, *Fax 01 44 36 49 00*
, – – 25 à 1 000. AE GB JCB
voir rest. ***Montparnasse 25*** ci-après
Justine 01 44 36 44 00 **Repas** 198 et carte 200 à 320 – 115 – **918 ch** 1875/2075, 35 appart.

Novotel Porte d'Orléans DZ 54
15-19 bd R. Rolland (14e) 01 41 17 26 00, *Fax 01 41 17 26 26*
M – – 100. AE GB
Repas *(94)* - 132 , enf. 50 – 67 – **150 ch** 720/780.

Novotel Vaugirard BX 37
257 r. Vaugirard (15e) 01 40 45 10 00, *Fax 01 40 45 10 10*
M, , – – 300. AE GB JCB
Transatlantique : **Repas** *(95)* - 170 , enf. 50 – 75 – **184 ch** 820/880, 3 appart.

Mercure Montparnasse CX 4
20 r. Gaîté (14e) 01 43 35 28 28, *Fax 01 43 27 98 64*
M – , rest, – 50. AE GB JCB
Bistrot de la Gaîté 01 43 22 86 46 **Repas** 135bc/175bc , enf. 55 – 75 – **181 ch** 1080, 4 appart.

L'Aiglon DX 19
232 bd Raspail (14e) 01 43 20 82 42, *Fax 01 43 20 98 72*
sans rest – . AE GB JCB
40 – **38 ch** 610/740, 9 appart.

Mercure Porte de Versailles BY 14
69 bd Victor (15e) 01 44 19 03 03, *Fax 01 48 28 22 11*
M – 250. AE GB
Repas 105/160 – 72 – **91 ch** 1162/1240.

Mercure Tour Eiffel BV 9
64 bd Grenelle (15e) 01 45 78 90 90, *Fax 01 45 78 95 55*
M sans rest – 25. AE GB JCB
70 – **64 ch** 1200.

Raspail Montparnasse DX 56
203 bd Raspail (14e) 01 43 20 62 86, *Fax 01 43 20 50 79*
sans rest – AE GB JCB.
50 – **38 ch** 520/1160.

Lenox Montparnasse DX 31
15 r. Delambre (14e) 01 43 35 34 50, *Fax 01 43 20 46 64*
sans rest – AE GB JCB
45 – **46 ch** 540/650, 6 appart.

Bailli de Suffren CX 25
149 av. Suffren (15e) 01 47 34 58 61, *Fax 01 45 67 75 82*
sans rest – AE GB
65 – **25 ch** 625/800.

Delambre DX 6
35 r. Delambre (14e) 01 43 20 66 31, *Fax 01 45 38 91 76*
M sans rest – AE GB
38 – **30 ch** 440/490.

Apollinaire CX 8
39 r. Delambre (14e) 01 43 35 18 40, *Fax 01 43 35 30 71*
sans rest – AE GB JCB
45 – **36 ch** 500/700.

Tour Eiffel Dupleix BV 21
11 r. Juge (15e) 01 45 78 29 29, *Fax 01 45 78 60 00*
M sans rest – AE GB JCB
43 – **40 ch** 480/670.

Mercure Paris XV BX 21
6 r. St-Lambert (15e) 01 45 58 61 00, *Fax 01 45 54 10 43*
M sans rest – 30. AE GB JCB
55 – **56 ch** 870.

Alizé Grenelle BX 13
87 av. É. Zola (15e) 01 45 78 08 22, *Fax 01 40 59 03 06*
sans rest – AE GB JCB
39 – **50 ch** 420/510.

Orléans Palace H. CZ 5
185 bd Brune (14e) 01 45 39 68 50, *Fax 01 45 43 65 64*
sans rest – 25. AE GB JCB
50 – **92 ch** 630/810.

Alésia Montparnasse CY 23
84 r. R. Losserand (14e) 01 45 42 16 03, *Fax 01 45 42 11 60*
sans rest – AE GB JCB
45 – **45 ch** 580.

Abaca Messidor BY 9
330 r. Vaugirard (15e) 01 48 28 03 74, *Fax 01 48 28 75 17*
sans rest, – AE GB JCB
70 – **72 ch** 520/855.

Beaugrenelle St-Charles BX 34
82 r. St-Charles (15e) 01 45 78 61 63, *Fax 01 45 79 04 38*
sans rest – AE GB JCB
39 – **51 ch** 390/500.

Arès BV 24
7 r. Gén. de Larminat (15e) 01 47 34 74 04, *Fax 01 47 34 48 56*
sans rest – AE GB
45 – **42 ch** 530/700.

Versailles BY 33
213 r. Croix-Nivert (15e) 01 48 28 48 66, *Fax 01 45 30 16 22*
sans rest – AE GB
50 – **41 ch** 495/575.

Terminus Vaugirard BY 3
403 r. Vaugirard (15e) 01 48 28 18 72, *Fax 01 48 28 56 34*
sans rest – 25. GB.
fermé 16 au 26 déc.
45 – **89 ch** 600/900.

Daguerre CY 14
94 r. Daguerre (14e) 01 43 22 43 54, *Fax 01 43 20 66 84*
M sans rest – AE GB JCB.
40 – **30 ch** 400/600.

Lilas Blanc BX 3
5 r. Avre (15e) 01 45 75 30 07, *Fax 01 45 78 66 65*
M sans rest – AE GB
35 – **32 ch** 380/455.

Ibis Brancion BY 23
105 r. Brancion (15e) 01 42 50 86 00, *Fax 01 42 50 99 63*
M sans rest – AE GB
39 – **71 ch** 410/430.

Acropole CZ 4
199 bd Brune (14e) 01 45 39 64 17, *Fax 01 45 42 18 21*
sans rest – AE GB.
30 – **43 ch** 356/402.

Sèvres-Montparnasse CX 28
153 r. Vaugirard (15e) 01 47 34 56 75, *Fax 01 40 65 01 86*
sans rest – AE GB.
40 – **35 ch** 420/540.

Istria DX 39
29 r. Campagne Première (14e) 01 43 20 91 82, *Fax 01 43 22 48 45*
sans rest – AE GB JCB
40 – **26 ch** 470/590.

du Lion DY 13
1 av. Gén. Leclerc (14e) 01 40 47 04 00, *Fax 01 43 20 38 18*
sans rest – AE GB JCB
40 – **33 ch** 390/570.

Apollon Montparnasse CY 12
91 r. Ouest (14e) 01 43 95 62 00, *Fax 01 43 95 62 10*
sans rest – AE GB JCB
35 – **33 ch** 395/470.

Ariane Montparnasse CY 7
35 r. Sablière (14e) 01 45 45 67 13, *Fax 01 45 45 39 49*
sans rest – . AE GB
35 – **30 ch** 375/460.

Carladez Cambronne BX 7
3 pl. Gén. Beuret (15e) 01 47 34 07 12, *Fax 01 40 65 95 68*
sans rest – . AE GB
36 – **27 ch** 385/435.

Parc DZ 17
60 r. Beaunier (14e) 01 45 40 77 02, *Fax 01 45 40 81 99*
sans rest – . AE GB
30 – **24 ch** 350/390.

Modern H. Val Girard BX 49
14 r. Pétel (15e) 01 48 28 53 96, *Fax 01 48 28 69 94*
sans rest – . AE GB JCB
35 – **39 ch** 385/450.

Châtillon H. CY 18
11 square Châtillon (14e) 01 45 42 31 17, *Fax 01 45 42 72 09*
sans rest – . GB.
32 – **31 ch** 330/360.

Aberotel CX 12
24 r. Blomet (15e) 01 40 61 70 50, *Fax 01 40 61 08 31*
sans rest – . AE GB
40 – **28 ch** 430/630.

de la Paix DX 8
225 bd Raspail (14e) 01 43 20 35 82, *Fax 01 43 35 32 63*
sans rest – . AE GB.
35 – **39 ch** 420/530.

Fondary BX 35
30 r. Fondary (15e) 01 45 75 14 75, *Fax 01 45 75 84 42*
sans rest – . AE GB
38 – **20 ch** 390/425.

Résidence St-Lambert BY 10
5 r. E. Gibez (15e) 01 48 28 63 14, *Fax 01 45 33 45 50*
sans rest – . AE GB JCB
42 – **48 ch** 490/590.

Pasteur CX 27
33 r. Dr Roux (15e) 01 47 83 53 17, *Fax 01 45 66 62 39*
sans rest – . GB
fermé 26 juil. au 31 août
40 – **19 ch** 315/440.

Les Célébrités - Hôtel Nikko BV 16
61 quai Grenelle (15e) 01 40 58 20 00, *Fax 01 40 58 24 44*
– . AE GB JCB
fermé août – **Repas** 290/390 et carte 400 à 670
Spéc. Royale de crustacés et soupe de poissons crémeuse. Tronçon poêlé de gros turbot de Saint-Guénolé, girolles sautées. Ris de veau de lait braisé aux langoustines, mousserons des prés.

XXXX **Montparnasse 25** - Hôtel Méridien Montparnasse CX 3
✿ 19 r. Cdt Mouchotte (14e) ✆ 01 44 36 44 25, *Fax 01 44 36 49 03*
▤ P. AE ⦿ GB JCB. ✈
fermé août, 21 au 27 déc., sam. et dim. – **Repas** 240 (déj.), 300/390 et carte 390 à 500 ♀
Spéc. Tourte de pommes de terre, truffes fraîches au pied de porc et foie gras (janv. à mars). Darne de bar au confit de coco, jus acidulé (sept. à déc.) Colvert légèrement laqué aux épices (sept. à déc.).

XXX **Morot Gaudry** BV 20
6 r. Cavalerie (15e) (8e étage) ✆ 01 45 67 06 85, *Fax 01 45 67 55 72*
☂ – |♦| ▤. AE ⦿ GB
fermé 8 au 23 août, sam. et dim. – **Repas** 180 (déj.)/340 et carte 340 à 450 ♀.

XXX **Mille Colonnes** CX 7
20 bis r. Gaîté (14e) ✆ 01 40 47 08 34, *Fax 01 40 64 37 49*
☂ – ▤. AE ⦿ GB JCB
fermé 26 juil. au 23 août, 21 au 30 déc., sam. midi et dim. – **Repas** *(102)* - 165 ♀.

XXX **Le Duc** DX 18
✿ 243 bd Raspail (14e) ✆ 01 43 20 96 30, *Fax 01 43 20 46 73*
▤. AE ⦿ GB JCB
fermé sam. midi, dim., lundi et fériés – **Repas** - produits de la mer - 260 (déj.) et carte 350 à 450
Spéc. Poissons crus. Aiguillettes de bar au citron vert. Queue de lotte aux branches de fenouil.

XXX **Pavillon Montsouris** DZ 5
20 r. Gazan (14e) ✆ 01 45 88 38 52, *Fax 01 45 88 63 40*
≤, ☂, « Pavillon 1900 en bordure du parc » – P. GB. ✈
Repas 198, enf. 90.

XXX **Moniage Guillaume** DY 22
88 r. Tombe-Issoire (14e) ✆ 01 43 22 96 15, *Fax 01 43 27 11 79*
AE ⦿ GB JCB
fermé dim. – **Repas** 185/245 et carte 300 à 430 ♀.

XXX **Dôme** DX 2
108 bd Montparnasse (14e) ✆ 01 43 35 25 81, *Fax 01 42 79 01 19*
brasserie – ▤. AE ⦿ GB
Repas - produits de la mer - carte 280 à 460.

XXX **Chen** BV 14
15 r. Théâtre (15e) ✆ 01 45 79 34 34, *Fax 01 45 79 07 53*
▤. AE GB JCB
fermé dim. – **Repas** - cuisine chinoise - 190 bc (déj.), 250/450 et carte 260 à 380.

XX **Lous Landès** CY 25
157 av. Maine (14e) ✆ 01 45 43 08 04, *Fax 01 45 45 91 35*
▤. AE ⦿ GB
fermé août, sam. midi et dim. – **Repas** 195/320 et carte 270 à 410.

XX **Lal Qila** BX 36
88 av. É. Zola (15e) ✆ 01 45 75 68 40, *Fax 01 45 79 68 61*
« Décor original » – ▤. AE GB
Repas - cuisine indienne - 55 (déj.), 125/250 et carte 150 à 250.

XX **Philippe Detourbe** CX 24
8 r. Nicolas Charlet (15e) ✆ 01 42 19 08 59, *Fax 01 45 67 09 13*
▤. GB
fermé août, sam. midi et dim. – **Repas** 180 (déj.)/220.

XX **Yves Quintard** BX 42
99 r. Blomet (15e) ✆ 01 42 50 22 27, *Fax 01 42 50 22 27*
▤. GB
fermé 15 août au 1er sept., sam. midi et dim. – **Repas** 135 (déj.), 185/235.

XX **La Dînée** AY 9
85 r. Leblanc (15e) ✆ 01 45 54 20 49, *Fax 01 40 60 73 76*
AE GB
fermé 2 au 23 août, sam. midi et dim. – **Repas** 210/450 et carte 250 à 410 ♀.

XX **Monsieur Lapin** CY 28
11 r. R. Losserand (14e) ✆ 01 43 20 21 39, *Fax 01 43 21 84 86*
▤. GB
fermé août, sam. midi et lundi – **Repas** 170/300 et carte 270 à 390 ♀.

XX **Chaumière des Gourmets** DY 48
22 pl. Denfert-Rochereau (14e) ✆ 01 43 21 22 59
AE GB
fermé 2 au 23 août, sam. midi et dim. – **Repas** 165/245 et carte environ 300 ♀.

XX **Vin et Marée** CY 4
108 av. Maine (14e) ✆ 01 43 20 29 50, *Fax 01 43 27 84 11*
▤. AE GB JCB
Repas - produits de la mer - carte 170 à 280 ♀.

XX **Vishnou** CX 2
13 r. Cdt Mouchotte (14e) ✆ 01 45 38 92 93, *Fax 01 44 07 31 19*
AE ⓓ GB
fermé dim. – **Repas** - cuisine indienne - 150 bc (déj.), 175/220 et carte 180 à 240.

XX **Bistro 121** BX 23
121 r. Convention (15e) ✆ 01 45 57 52 90, *Fax 01 45 57 14 69*
▤. AE ⓓ GB JCB
Repas *(138)* - 168/250 bc et carte 210 à 300 ♀.

XX **La Coupole** DX 41
102 bd Montparnasse (14e) ✆ 01 43 20 14 20, *Fax 01 43 35 46 14*
« Brasserie parisienne des années 20 » – ▤. AE ⓓ GB
Repas *(123 bc)* - 169 bc et carte 160 à 300.

XX **Dernière Valse** BX 44
11 pl. Commerce (15e) ✆ 01 42 50 56 07
GB. ✂
fermé août, sam. midi et dim. – **Repas** 130 et carte 200 à 300 ♁.

XX **Napoléon et Chaix** AX 43
46 r. Balard (15e) ✆ 01 45 54 09 00, *Fax 01 45 58 00 78*
▤. AE GB
fermé août, 31 déc. au 7 janv., sam. midi et dim. – **Repas** *(148)* - carte 190 à 310 ♀.

XX **Caroubier** CY 8
122 av. Maine (14e) ✆ 01 43 20 41 49
▤. GB
fermé 26 juil. au 17 août – **Repas** - cuisine nord-africaine - *(88)* - 140 et carte 150 à 180 ♀.

XX **Erawan** BV 58
76 r. Fédération (15e) ✆ 01 47 83 55 67, *Fax 01 47 34 85 98*
▤. AE GB. ✂
fermé août et dim. – **Repas** - cuisine thaïlandaise - carte 170 à 250.

XX **Aux Senteurs de Provence** BX 26
295 r. Lecourbe (15e) ✆ 01 45 57 11 98, *Fax 01 45 58 66 84*
AE ⓓ GB JCB
fermé 10 au 23 août, sam. midi et dim. – **Repas** - produits de la mer - *(110)* - 148 et carte 190 à 280.

XX **L'Etape** BX 46
89 r. Convention (15e) ✆ 01 45 54 73 49, *Fax 01 45 58 20 91*
▤. GB
fermé 15 au 25 août, sam. midi et dim. – **Repas** 160/230 et carte 180 à 250.

XX **Petite Bretonnière** BY 35
2 r. Cadix (15e) ✆ 01 48 28 34 39, *Fax 01 48 28 20 90*
AE ⓓ GB JCB
fermé 2 au 24 août, sam. midi et dim. – **Repas** 150/220 ♀.

XX **Copreaux** CX 11
15 r. Copreaux (15e) ✆ 01 43 06 83 35
GB
fermé août, sam. midi et dim. – **Repas** 115/180 et carte 170 à 250 ♀.

XX **Clos Morillons** BY 13
50 r. Morillons (15e) ✆ 01 48 28 04 37, *Fax 01 48 28 70 77*
AE GB
fermé sam. midi et dim. – **Repas** *(135 bc)* - 165/275 et carte 260 à 310 ♀.

XX **Les Vendanges** CZ 6
40 r. Friant (14e) ✆ 01 45 39 59 98, *Fax 01 45 39 74 13*
AE GB
fermé août, sam. midi et dim. – **Repas** *(150)* - 200 ♀.

XX **Filoche** BX 14
34 r. Laos (15e) ✆ 01 45 66 44 60
▤. GB. ✂
fermé 20 juil. au 25 août, sam. et dim. – **Repas** 160 et carte 190 à 290.

XX **Pierre Vedel** BX 10
19 r. Duranton (15e) ✆ 01 45 58 43 17, *Fax 01 45 58 42 65*
bistrot – GB
fermé Noël au Jour de l'An, sam. sauf le soir d'oct. à avril et dim. – **Repas** 195 ♀.

XX **Gauloise** BV 12
59 av. La Motte-Picquet (15e) ✆ 01 47 34 11 64, *Fax 01 40 61 09 70*
☂ – AE GB
Repas *(125)* - 155 et carte 180 à 330 ♀, enf. 75.

X **Chaumière** BX 47
54 av. F. Faure (15e) ✆ 01 45 54 13 91, *Fax 01 45 54 41 96*
AE ⓓ GB
Repas carte 200 à 250 ♀.

X **de la Tour** BV 6
6 r. Desaix (15e) ✆ 01 43 06 04 24
GB
fermé sam. midi et dim. – **Repas** *(105)* - 138 (déj.), 185/230 et carte 220 à 330.

X **Fontana Rosa** CX 57
28 bd Garibaldi (15e) ✆ 01 45 66 97 84
AE GB
Repas - cuisine italienne - *(89)* - 120 et carte 200 à 290 ♀.

X **L'Épopée** BX 27
89 av. É. Zola (15e) ✆ 01 45 77 71 37
AE GB JCB
fermé août, sam. midi et dim. – **Repas** 185 ♀.

X **Bistrot du Dôme** DX 7
1 r. Delambre (14e) ✆ 01 43 35 32 00, *Fax 01 48 04 00 59*
▤. AE GB
Repas - produits de la mer - carte 170 à 280 ♀.

X **Petit Plat** BX 15
49 av. É. Zola (15e) ✆ 01 45 78 24 20, *Fax 01 45 78 23 13*
▤. GB
fermé 1er au 17 août, Noël au Jour de l'An, dim. et lundi – **Repas** 140 et carte 180 à 290 ♀.

X **Gastroquet** BY 50
10 r. Desnouettes (15e) ✆ 01 48 28 60 91, *Fax 01 45 33 23 70*
AE GB
fermé août, sam. et dim. – **Repas** *(125)* - 155 et carte 200 à 250 ♀.

X **Les Cévennes** AX 55
55 r. Cévennes (15e) ✆ 01 45 54 33 76, *Fax 01 44 26 46 95*
AE GB
fermé 1er au 20 août, sam. midi et dim. – **Repas** *(138)* - 165/350 et carte environ 240 ♀.

X **Contre-Allée** DY 30
83 av. Denfert-Rochereau (14e) ✆ 01 43 54 99 86, *Fax 01 43 25 05 28*
AE GB
fermé dim. – **Repas** *(150)* - 200 bc.

X **L'Armoise** BX 19
67 r. Entrepreneurs (15e) ✆ 01 45 79 03 31, *Fax 01 45 79 44 69*
▤. GB
fermé 1er au 19 août, sam. midi et dim. – **Repas** *(98)* - 138.

X **Chez Pierre** CX 49
117 r. Vaugirard (15e) ✆ 01 47 34 96 12, *Fax 01 47 34 96 12*
bistrot – ▤. AE GB
fermé 1er au 25 août, sam. sauf le soir d'oct. à mars, dim. et fériés – **Repas** *(85)* - 140/165 et carte 180 à 250 ♀.

X **Père Claude** BV 7
51 av. La Motte-Picquet (15e) ✆ 01 47 34 03 05, *Fax 01 40 56 97 84*
AE GB
Repas 110/165 et carte 210 à 440 ♀.

X **Château Poivre** CY 45
145 r. Château (14e) ✆ 01 43 22 03 68
AE GB
fermé 9 au 23 août, 23 déc. au 3 janv. et dim. – **Repas** 89 et carte 140 à 270 ♀.

X **Les P'tits Bouchons de François Clerc** CX 51
32 bd Montparnasse (15e) ✆ 01 45 48 52 03, *Fax 01 45 48 52 17*
bistrot – AE GB
fermé sam. midi et dim. – **Repas** 169.

X **Quercy** DY 5
5 r. Mouton-Duvernet (14e) ✆ 01 45 39 39 61, *Fax 01 45 39 39 61*
GB
fermé août, dim. soir et lundi – **Repas** *(69)* - 149 ♀.

Régalade CZ 21
49 av. J. Moulin (14e) 01 45 45 68 58, *Fax 01 45 40 96 74*
bistrot – ▤. GB
fermé août, dim. et lundi – **Repas** (prévenir) 170.

L'Os à Moelle AX 2
3 r. Vasco de Gama (15e) 01 45 57 27 27, *Fax 01 45 57 27 27*
bistrot – AE GB.
fermé 25 juil. au 25 août, dim. et lundi – **Repas** 145/190 ♀.

L'Agape BX 8
281 r. Lecourbe (15e) 01 45 58 19 29
GB.
fermé août, sam. midi et dim. – **Repas** *(95)* - 120 ♀.

Les Gourmands CY 9
101 r. Ouest (14e) 01 45 41 40 70
AE GB
fermé août, dim. et lundi – **Repas** *(103)* - 143 ♀.

St-Vincent BX 53
26 r. Croix-Nivert (15e) 01 47 34 14 94, *Fax 01 45 66 02 80*
bistrot – ▤. AE GB.
fermé 10 au 16 août, sam. midi et dim. – **Repas** 165 bc et carte 150 à 240 ♀.

Petit Mâchon BX 12
123 r. Convention (15e) 01 45 54 08 62
bistrot – GB.
fermé 1er au 25 août et dim. – **Repas** 85 (déj.), 135/200 et carte 170 à 270.

Les Coteaux BX 5
26 bd Garibaldi (15e) 01 47 34 83 48
bistrot – GB
fermé août , lundi soir , sam. et dim. – **Repas** *(90 bc)* - 130.

L'Amuse Bouche CY 3
186 r. Château (14e) 01 43 35 31 61
GB
fermé 3 au 23 août, sam. midi et dim. – **Repas** (nombre de couverts limité, prévenir) *(138)* - 168.

Trocadéro - Passy
Bois de Boulogne
Auteuil - Étoile

16e arrondissement

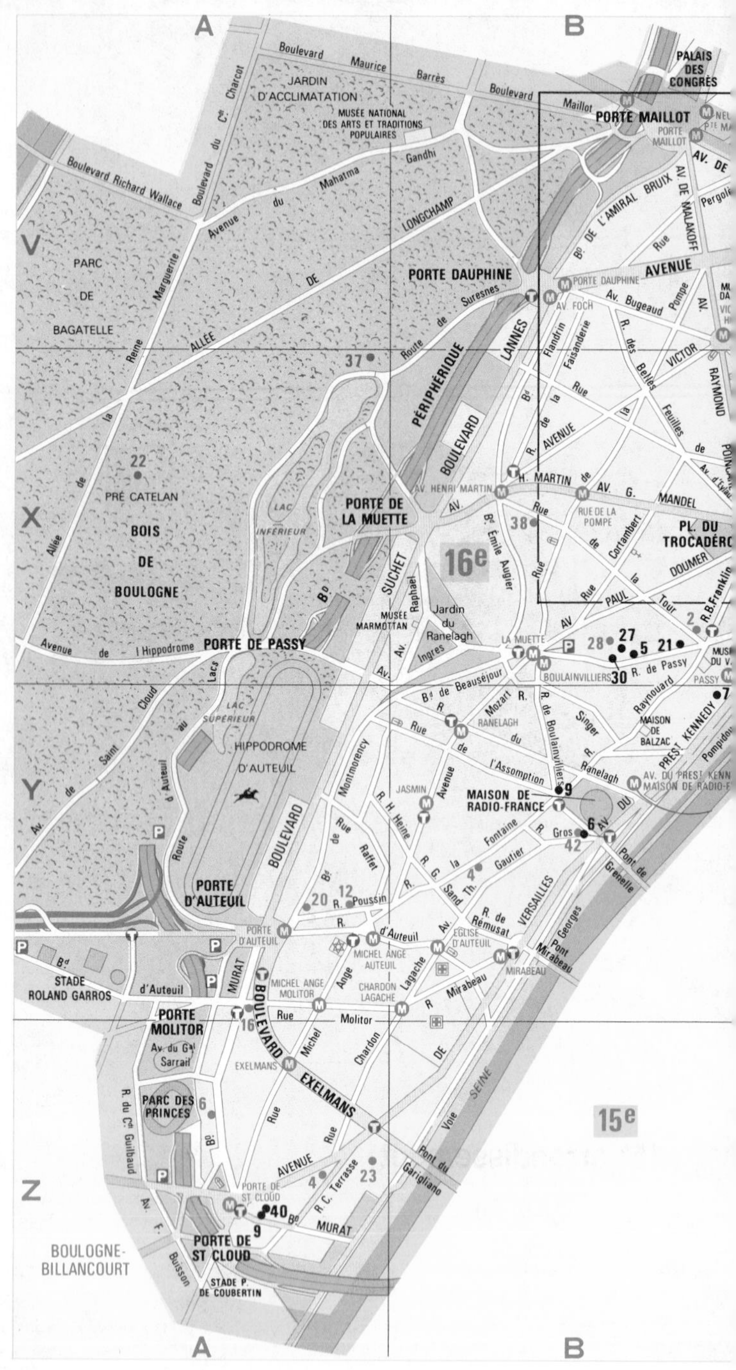

A
B
Boulevard Maurice Barrès
JARDIN D'ACCLIMATATION
MUSÉE NATIONAL DES ARTS ET TRADITIONS POPULAIRES
Boulevard Maillot
PALAIS DES CONGRÈS
PORTE MAILLOT
Boulevard Richard Wallace
Boulevard du Cdt Charcot
Avenue du Mahatma Gandhi
LONGCHAMP
Bd DE L'AMIRAL BRUIX
AV. DE MALAKOFF
PARC DE BAGATELLE
ALLÉE DE LONGCHAMP
PORTE DAUPHINE
Route de Suresnes
AVENUE
Av. Bugeaud
AV. FOCH
PÉRIPHÉRIQUE
LANNES
BOULEVARD
VICTOR
RAYMOND
Allée de la Reine Marguerite
22
PRÉ CATELAN
BOIS DE BOULOGNE
LAC INFÉRIEUR
PORTE DE LA MUETTE
AV. HENRI MARTIN
AV. G. MANDEL
RUE DE LA POMPE
PL. DU TROCADÉRO
16e
Bd Émile Augier
Rue de Cortambert
DOUMER
PAUL
SUCHET
MUSÉE MARMOTTAN
Jardin du Ranelagh
Av. Ingres
Avenue de l'Hippodrome
PORTE DE PASSY
LA MUETTE
BOULAINVILLIERS
R. de Passy
Bd de Beauséjour
RANELAGH
R. de Boulainvilliers
MAISON DE BALZAC
PREST KENNEDY
LAC SUPÉRIEUR
HIPPODROME D'AUTEUIL
Route de Saint Cloud au Lacs
Route d'Auteuil
Montmorency
Rue de l'Assomption
JASMIN
MAISON DE RADIO-FRANCE
AV. DU PREST KENNEDY
Rue Raffet
R. La Fontaine
R. Gros
PORTE D'AUTEUIL
R. Poussin
VERSAILLES
Pont Mirabeau
PORTE D'AUTEUIL
d'Auteuil
MICHEL ANGE AUTEUIL
ÉGLISE D'AUTEUIL
MIRABEAU
STADE ROLAND GARROS
MURAT
MICHEL ANGE MOLITOR
CHARDON LAGACHE
R. Mirabeau
Rue Molitor
PORTE MOLITOR
BOULEVARD EXELMANS
EXELMANS
Av. du Gal Sarrail
PARC DES PRINCES
SEINE
15e
R. du Cdt Guilbaud
AVENUE
R. C. Terrasse
Pont du Garigliano
PORTE DE ST CLOUD
Bd MURAT
BOULOGNE-BILLANCOURT
PORTE DE ST CLOUD
Av. F. Buisson
STADE P. DE COUBERTIN
V
X
Y
Z

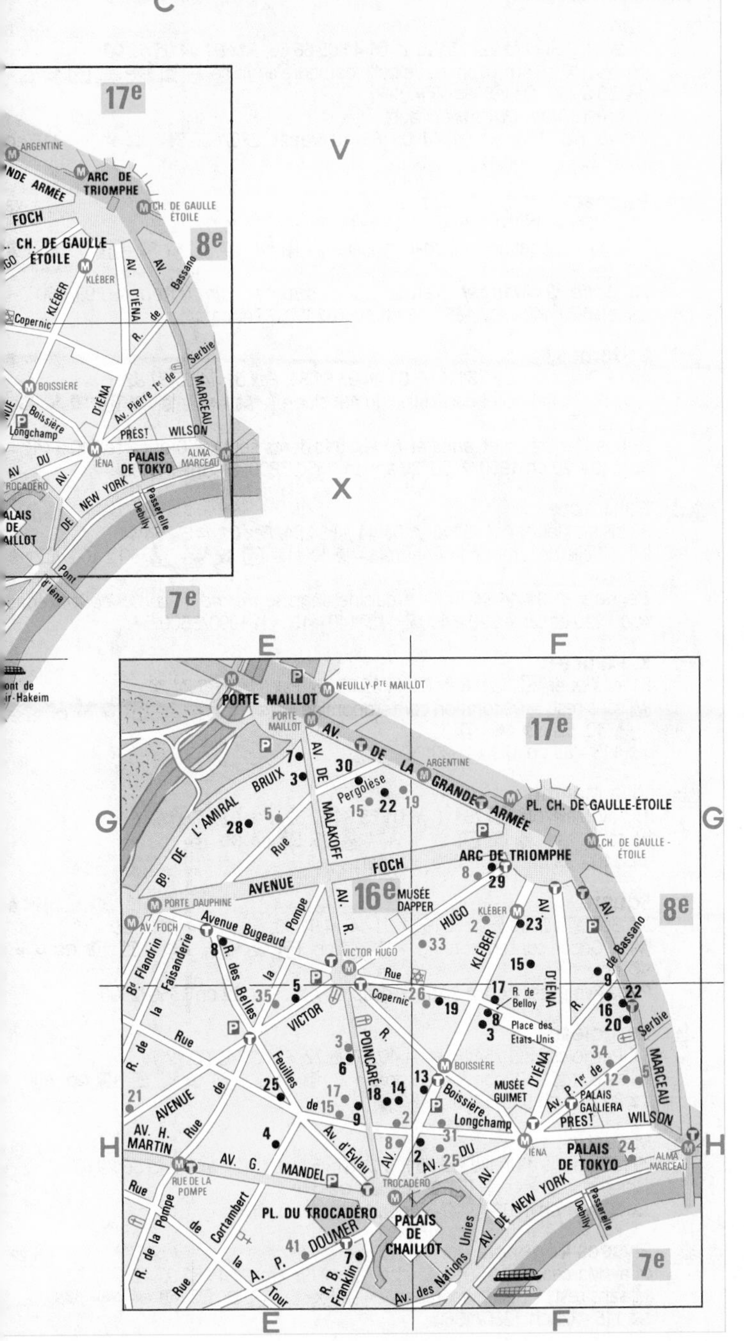
C
17e
V
ARGENTINE
ARC DE TRIOMPHE
CH. DE GAULLE ÉTOILE
FOCH
8e
KLÉBER
AV. D'IÉNA
AV. de Bassano
Copernic
BOISSIÈRE
Serbie
MARCEAU
Av. Pierre 1er de
Boissière
Longchamp
PRÉST
WILSON
IÉNA
PALAIS DE TOKYO
ALMA MARCEAU
NEW YORK
Passerelle Debilly
X
Pont d'Iéna
7e
E
F
G
H
PORTE MAILLOT
NEUILLY-PTE MAILLOT
AV. DE LA GRANDE ARMÉE
AV. DE MALAKOFF
Pergolèse
BD. DE L'AMIRAL BRUIX
PL. CH. DE GAULLE-ÉTOILE
ARC DE TRIOMPHE
AVENUE FOCH
16e
MUSÉE DAPPER
PORTE DAUPHINE
AV. FOCH
Avenue Bugeaud
R. des Belles Feuilles
Bd. Flandrin
la Faisanderie
VICTOR HUGO
Rue Copernic
R. de Belloy
Place des Etats-Unis
R. POINCARÉ
MUSÉE GUIMET
PALAIS GALLIERA
AV. H. MARTIN
RUE DE LA POMPE
AV. G. MANDEL
Av. d'Eylau
TROCADÉRO
PL. DU TROCADÉRO
PALAIS DE CHAILLOT
Av. des Nations Unies
AV. DE NEW YORK
R. B. Franklin
A. P. DOUMER
R. de la Pompe
Rue de la Tour
Rue de Cortambert

Parc EH 6
55 av. R. Poincaré 75116 01 44 05 66 66, *Fax 01 44 05 66 00*
M, « Atmosphère de belle demeure anglaise » – 30 à 250. AE GB JCB.
voir rest. ***Alain Ducasse*** ci-après
Relais du Parc 01 44 05 66 10 **Repas** 220/600 – 140 – **116 ch** 1990/2650, 3 duplex.

Raphaël FG 23
17 av. Kléber 75116 01 44 28 00 28, *Fax 01 45 01 21 50*
« Élégant cachet ancien, beau mobilier » – – 50. AE GB JCB
La Salle à Manger *(fermé août, sam. et dim.)* **Repas** 298/450 et carte 300 à 440 – 165 – **75 ch** 1950/2350, 25 appart.

St-James Paris EG 8
43 av. Bugeaud 75116 01 44 05 81 81, *Fax 01 44 05 81 82*
« Bel hôtel particulier du 19e siècle », – 25. AE GB JCB
Repas *(fermé week-ends et fériés)* (résidents seul.) 250 et carte 310 à 410 – 110 – **20 ch** 1900/2150, 20 appart 2650/3800, 8 duplex 2400.

Baltimore FH 13
88 bis av. Kléber 75116 01 44 34 54 54, *Fax 01 44 34 54 44*
M, « Belle décoration intérieure » – – 30 à 100. AE GB JCB
Bertie's 01 44 34 54 34 - cuisine anglaise *(fermé 1er au 15 août)* **Repas** *(190)* - 220 et carte 220 à 400 – 140 – **105 ch** 1990/3500.

K. Palace FH 2
81 av. Kléber 75116 01 44 05 75 75, *Fax 01 44 05 74 74*
M sans rest, « Décoration contemporaine », – – 40. AE GB JCB
115 – **83 ch** 1790/2690.

Villa Maillot EG 3
143 av. Malakoff 75116 01 53 64 52 52, *Fax 01 45 00 60 61*
M sans rest – – 25. AE GB JCB
110 – **39 ch** 1580/1800, 3 appart.

Square BY 6
3 r. Boulainvilliers 75016 01 44 14 91 90, *Fax 01 44 14 91 99*
M, « Décor contemporain » – , ch, . AE GB JCB. ch
Repas voir rest ***Zébra Square*** ci-après – 90 – **22 ch** 1350/2500.

Pergolèse EG 30
3 r. Pergolèse 75116 01 40 67 96 77, *Fax 01 45 00 12 11*
M sans rest, « Décor contemporain » – . AE GB JCB
80 – **40 ch** 950/1700.

Majestic FG 15
29 r. Dumont d'Urville 75116 01 45 00 83 70, *Fax 01 45 00 29 48*
sans rest – . AE GB JCB
70 – **27 ch** 1200/1500, 3 appart.

Élysées Régencia FH 22
41 av. Marceau 75016 01 47 20 42 65, *Fax 01 49 52 03 42*
M sans rest, « Belle décoration » – . AE GB JCB.
115 – **41 ch** 1260/1860.

Garden Élysée EH 14
12 r. St-Didier ✉ 75116 ℰ 01 47 55 01 11, *Fax 01 47 27 79 24*
M sans rest – AE GB JCB.
85 – **48 ch** 1100/1600.

Alexander EH 5
102 av. V. Hugo ✉ 75116 ℰ 01 45 53 64 65, *Fax 01 45 53 12 51*
sans rest – AE GB JCB.
85 – **62 ch** 840/1600.

Rond-Point de Longchamp EH 25
86 r. Longchamp ✉ 75116 ℰ 01 45 05 13 63, *Fax 01 47 55 12 80*
sans rest – 50. AE GB
70 – **57 ch** 1006/2012.

Élysées Sablons EH 4
32 r. Greuze ✉ 75116 ℰ 01 47 27 10 00, *Fax 01 47 27 47 10*
M sans rest – AE GB JCB
75 – **41 ch** 910/1125.

Frémiet BY 7
6 av. Frémiet ✉ 75016 ℰ 01 45 24 52 06, *Fax 01 42 88 77 46*
sans rest – AE GB JCB
50 – **34 ch** 697/990.

Élysées Bassano FH 16
24 r. Bassano ✉ 75116 ℰ 01 47 20 49 03, *Fax 01 47 23 06 72*
sans rest – AE GB JCB
75 – **40 ch** 920/1270.

Union H. Étoile FH 3
44 r. Hamelin, ✉ 75116 ℰ 01 45 53 14 95, *Fax 01 47 55 94 79*
sans rest – cuisinette AE GB JCB
42 – **29 ch** 715/830, 13 appart.

Résidence Impériale EG 7
155 av. Malakoff ✉ 75116 ℰ 01 45 00 23 45, *Fax 01 45 01 88 82*
M sans rest – AE GB
55 – **37 ch** 740/850.

Les Jardins du Trocadéro EH 7
35 r. Franklin ✉ 75116 ℰ 01 53 70 17 70, *Fax 01 53 70 17 80*
M sans rest – AE GB JCB.
75 – **18 ch** 1350/1550.

Floride Étoile EH 18
14 r. St-Didier ✉ 75116 ℰ 01 47 27 23 36, *Fax 01 47 27 82 87*
sans rest – 40. AE GB JCB.
45 – **60 ch** 850/950.

Kléber FH 8
7 r. Belloy ✉ 75116 ℰ 01 47 23 80 22, *Fax 01 49 52 07 20*
sans rest – AE GB JCB
60 – **23 ch** 790/890.

Victor Hugo FH 19
19 r. Copernic ✉ 75116 ℰ 01 45 53 76 01, *Fax 01 45 53 69 93*
sans rest – AE GB JCB.
65 – **75 ch** 740/890.

Sévigné FH 17
6 r. Belloy ✉ 75116 ℰ 01 47 20 88 90, *Fax 01 40 70 98 73*
sans rest – AE GB JCB
50 – **30 ch** 650/750.

Résidence Chambellan Morgane FG 9
6 r. Keppler ✉ 75116 ✆ 01 47 20 35 72, *Fax 01 47 20 95 69*
sans rest – AE GB JCB
50 – **20 ch** 650/900.

Holiday Inn Garden Court AZ 40
21 r. Gudin ✉ 75016 ✆ 01 46 51 99 22, *Fax 01 46 51 07 24*
M sans rest – AE GB JCB
65 – **47 ch** 980.

Étoile Maillot EG 22
10 r. Bois de Boulogne (angle r. Duret) ✉ 75116 ✆ 01 45 00 42 60, *Fax 01 45 00 55 89*
sans rest – AE GB
45 – **28 ch** 570/750.

Royal Élysées FG 29
6 av. V. Hugo ✉ 75116 ✆ 01 45 00 05 57, *Fax 01 45 00 13 88*
sans rest – AE GB JCB
50 – **35 ch** 1107/1214.

Passy Eiffel BX 21
10 r. Passy ✉ 75016 ✆ 01 45 25 55 66, *Fax 01 42 88 89 88*
sans rest – AE GB JCB
40 – **48 ch** 580/850.

Massenet BX 27
5 bis r. Massenet ✉ 75116 ✆ 01 45 24 43 03, *Fax 01 45 24 41 39*
sans rest – AE GB JCB.
40 – **41 ch** 500/760.

Régina de Passy AY 12
6 r. Tour ✉ 75116 ✆ 01 45 24 43 64, *Fax 01 40 50 70 62*
sans rest – AE GB
58 – **62 ch** 540/830.

Résidence Foch EG 28
10 r. Marbeau ✉ 75116 ✆ 01 45 00 46 50, *Fax 01 45 01 98 68*
sans rest – AE GB
50 – **25 ch** 800.

Résidence Marceau FH 20
37 av. Marceau ✉ 75116 ✆ 01 47 20 43 37, *Fax 01 47 20 14 76*
sans rest – AE GB JCB.
35 – **30 ch** 560/650.

Murat AZ 9
119 bis bd Murat ✉ 75016 ✆ 01 46 51 12 32, *Fax 01 46 51 70 01*
sans rest – AE GB.
45 – **28 ch** 600/700.

Hameau de Passy BX 30
48 r. Passy ✉ 75016 ✆ 01 42 88 47 55, *Fax 01 42 30 83 72*
M sans rest – AE GB JCB
30 – **32 ch** 510/550.

Palais de Chaillot EH 9
35 av. R. Poincaré ✉ 75016 ✆ 01 53 70 09 09, *Fax 01 53 70 09 08*
M sans rest – AE GB JCB.
39 – **28 ch** 460/590.

Eiffel Kennedy BY 9
12 r. Boulainvilliers ✉ 75016 ☎ 01 45 24 45 75, *Fax 01 42 30 83 32*
sans rest – . AE GB JCB
45 – **30 ch** 480/700.

Nicolo BX 5
3 r. Nicolo ✉ 75116 ☎ 01 42 88 83 40, *Fax 01 42 24 45 41*
sans rest – . AE GB JCB
35 – **28 ch** 380/450.

Alain Ducasse EH 3
59 av. R. Poincaré ✉ 75116 ☎ 01 47 27 12 27, *Fax 01 47 27 31 22*
« Bel hôtel particulier de style "Art Nouveau" » – . AE GB JCB.
fermé 17 juil. au 17 août, 24 déc. au 4 janv., sam., dim. et fériés – **Repas** 480 (déj.)/920 et carte 760 à 1 100
Spéc. Pâtes mi-séchées crémées et truffées au ris de veau, crêtes et rognons de coq. Lard paysan croustillant aux pommes de terre caramélisées, tête de porc en salade d'herbes amères truffée. Coupe glacée de saison.

Faugeron EH 2
52 r. Longchamp ✉ 75116 ☎ 01 47 04 24 53, *Fax 01 47 55 62 90*
« Décor élégant » – . AE GB JCB.
fermé août, 23 déc. au 3 janv., sam. sauf le soir de sept. à avril et dim. – **Repas** (250) - 320 (déj.), 470/550 bc et carte 490 à 600
Spéc. Oeufs coque à la purée de truffes. Truffes (janv. à mars). Gibier (15 oct. au 10 janv.).

Prunier-Traktir FG 8
16 av. V. Hugo ✉ 75116 ☎ 01 44 17 35 85, *Fax 01 44 17 90 10*
« Cadre "Art Déco" » – . AE GB JCB
fermé 19 juil. au 17 août, lundi midi et dim. – **Repas** - produits de la mer - carte 420 à 670
Spéc. Soupe crémeuse de homard aux haricots blancs et chorizo. Gros filets de sole cuits au beurre demi-sel et aux herbes fraîches. Petits pots de crème Emile Prunier.

Vivarois (Peyrot) EH 21
192 av. V. Hugo ✉ 75116 ☎ 01 45 04 04 31, *Fax 01 45 03 09 84*
. AE GB JCB
fermé août, sam. et dim. – **Repas** 345 (déj.) et carte 430 à 700
Spéc. Terrine de ris de veau, pied de veau, queue de boeuf et lentilles. Turbot viennoise. Gâteau de pommes au miel et à l'orange (saison).

Relais d'Auteuil (Pignol) AY 16
31 bd. Murat ✉ 75016 ☎ 01 46 51 09 54, *Fax 01 40 71 05 03*
. AE GB
fermé 3 au 28 août, sam. midi et dim. – **Repas** 250 (déj.), 440/540 et carte 390 à 560
Spéc. Amandine de foie gras. Dos de bar au poivre. Madeleines au miel de bruyére , glace miel et noix..

Jamin (Guichard) FH 31
32 r. Longchamp ✉ 75116 ☎ 01 45 53 00 07, *Fax 01 45 53 00 15*
. AE GB
fermé 25 juil. au 17 août, sam. et dim. – **Repas** 280/375 et carte 300 à 420
Spéc. Fantaisie d'araignée de mer (avril à sept.). Fricassée de langoustines. Fine volaille fermière cuite à l'étouffée.

XXX **Tsé-Yang** FH 34
25 av. Pierre 1er de Serbie ✉ 75016 ☎ 01 47 20 70 22, *Fax 01 49 52 03 68*
« Cadre élégant » – ▤. AE ⓓ GB JCB. ✈
Repas - cuisine chinoise - 115 (déj.), 245/340 et carte 190 à 320.

XXX **Port Alma** (Canal) FH 24
✿ 10 av. New York ✉ 75116 ☎ 01 47 23 75 11, *Fax 01 47 20 42 92*
▤. AE ⓓ GB
fermé août et dim. – **Repas** - produits de la mer - 200 et carte 290 à 440
Spéc. Croustillant de langoustines. Bar en croûte de sel de Guérande. Rouget poêlé au vinaigre, trilogie de poivrons.

XXX **Pavillon Noura** FH 5
21 av. Marceau ✉ 75116 ☎ 01 47 20 33 33, *Fax 01 47 20 60 31*
▤. AE ⓓ GB. ✈
Repas - cuisine libanaise - 168 (déj.), 245/350 et carte 200 à 250 ♀.

XXX **Pergolèse** (Corre) EG 5
✿ 40 r. Pergolèse ✉ 75116 ☎ 01 45 00 21 40, *Fax 01 45 00 81 31*
AE GB
fermé août, sam. et dim. – **Repas** 230 et carte 310 à 440
Spéc. Carpaccio de jambon d'agneau fumé. Saint-Jacques en robe des champs (hiver). Moelleux au chocolat, glace vanille.

XXX **Chez Ngo** EH 15
70 r. Longchamp ✉ 75116 ☎ 01 47 04 53 20, *Fax 01 47 04 53 20*
▤. AE ⓓ GB JCB
Repas - cuisine chinoise et thaïlandaise - 98 bc (déj.)/168 bc et carte 110 à 230.

XX **Zébra Square** BY 42
3 pl. Clément Ader ✉ 75016 ☎ 01 44 14 91 91, *Fax 01 45 20 46 41*
« Décor moderne original » – AE ⓓ GB JCB
Repas *(115)* - carte 210 à 280 ♀.

XX **Al Mounia** FH 25
16 r. Magdebourg ✉ 75116 ☎ 01 47 27 57 28
▤. AE GB. ✈
fermé 10 juil. au 31 août et dim. – **Repas** - cuisine marocaine - (le soir, prévenir) carte 200 à 300.

XX **Conti** FH 26
✿ 72 r. Lauriston ✉ 75116 ☎ 01 47 27 74 67, *Fax 01 47 27 37 66*
▤. AE ⓓ GB
fermé 3 au 24 août, 25 déc. au 3 janv., sam., dim. et fériés – **Repas** - cuisine italienne - 198 (déj.) et carte 310 à 420
Spéc. Tortellini au crabe (20 avril au 31 oct.). Cacciuco à la livournaise. Agneau de lait sauté aux poivrades et romarin (1er mars au 30 juin).

XX **Giulio Rebellato** EH 35
136 r. Pompe ✉ 75116 ☎ 01 47 27 50 26
▤. AE GB. ✈
fermé 26 juil. au 16 août – **Repas** - cuisine italienne - carte 270 à 410.

XX **Tang** BX 38
125 r. de la Tour ✉ 75116 ☎ 01 45 04 35 35, *Fax 01 45 04 58 19*
AE GB. ✈
fermé 11 au 15 juil., août, sam. midi et lundi – **Repas** - cuisine chinoise et thaïlandaise - 200 et carte 250 à 360.

XX **Marius** AZ 6
82 bd Murat ✉ 75016 ✆ 01 46 51 67 80, *Fax 01 47 43 10 24*
– AE GB
fermé 3 au 23 août, sam. midi et dim. – **Repas** carte 200 à 290 ♀.

XX **Villa Vinci** FG 33
23 r. P. Valéry ✉ 75116 ✆ 01 45 01 68 18
▤. AE GB
fermé août, sam. et dim. – **Repas** - cuisine italienne - 182 et carte 250 à 370 ♀.

XX **Paul Chêne** EH 17
123 r. Lauriston ✉ 75116 ✆ 01 47 27 63 17, *Fax 01 47 27 53 18*
▤. AE ⓓ GB
fermé 3 au 23 août, 24 déc. au 1er janv., sam. midi et dim. – **Repas** 200/250 et carte 220 à 380.

XX **Fontaine d'Auteuil** BY 4
35bis r. La Fontaine ✉ 75016 ✆ 01 42 88 04 47, *Fax 01 42 88 95 12*
▤. AE ⓓ GB
fermé 2 au 23 août, sam. midi et dim. – **Repas** 175 (déj.), 230/350 et carte 240 à 370 ♀.

XX **Chez Géraud** BX 28
31 r. Vital ✉ 75016 ✆ 01 45 20 33 00, *Fax 01 45 20 46 60*
« Belle fresque en faïence de Longwy » – AE GB
fermé août, dim. soir et sam. – **Repas** 180 et carte 230 à 340.

XX **Detourbe Duret** EG 15
23 r. Duret ✉ 75016 ✆ 01 45 00 10 26, *Fax 01 45 00 10 16*
▤. GB
fermé sam. midi et dim. – **Repas** menu unique *(150)* - 180 (déj.)/220.

XX **Petite Tour** BX 18
11 r. de la Tour ✉ 75116 ✆ 01 45 20 09 31
AE ⓓ GB JCB
fermé 1er au 25 août et dim. sauf en juin – **Repas** carte 310 à 440 ♀.

XX **Bellini** EG 19
28 r. Lesueur ✉ 75116 ✆ 01 45 00 54 20, *Fax 01 45 00 11 74*
▤. AE GB
fermé sam. midi et dim. – **Repas** - cuisine italienne - 180 et carte 240 à 320 ♀.

X **Beaujolais d'Auteuil** AY 20
99 bd Montmorency ✉ 75016 ✆ 01 47 43 03 56, *Fax 01 46 51 27 81*
bistrot – ▤. GB
fermé 10 au 16 août – **Repas** 127 bc/147 bc et carte 180 à 220.

X **Butte Chaillot** EH 8
110 bis av. Kléber ✉ 75116 ✆ 01 47 27 88 88, *Fax 01 47 04 85 70*
▤. AE GB JCB
Repas 150/195 et carte 210 à 280 ♀.

X **Cuisinier François** AZ 4
19 r. Le Marois ✉ 75016 ✆ 01 45 27 83 74, *Fax 01 45 27 83 74*
AE GB
fermé août, vacances de fév., merc. soir, dim. soir et lundi – **Repas** 160 et carte 310 à 400 ♁.

X **Rosimar** BX 2
26 r. Poussin ✉ 75016 ✆ 01 45 27 74 91, *Fax 01 45 20 75 05*
▤. AE GB JCB
fermé août, 21 au 27 déc., sam. midi, dim. et fériés – **Repas** - poissons et spécialités espagnoles - *(100)* - 175 et carte 190 à 270 ♀.

Driver's FH 12
6 r. G. Bizet ✉ 75016 ☎ 01 47 23 61 15, *Fax 01 47 23 80 17*
« Collection d'objets du sport automobile » – ▤. AE GB
fermé sam. midi et dim. – **Repas** *(96)* - carte 140 à 210 ♨.

Vin et Marée AZ 23
2 r. Daumier ✉ 75016 ☎ 01 46 47 91 39, *Fax 01 46 47 69 07*
▤. AE ⓓ GB JCB
Repas - produits de la mer - carte 160 à 270 ♀.

Bistrot de l'Étoile FG 2
19 r. Lauriston ✉ 75016 ☎ 01 40 67 11 16, *Fax 01 45 00 99 87*
▤. AE GB JCB
fermé sam. midi et dim. – **Repas** *(135)* - 165 (déj.) et carte 200 à 250 ♀.

Scheffer EH 41
22 r. Scheffer ✉ 75016 ☎ 01 47 27 81 11
bistrot – AE GB
fermé sam., dim. et fériés – **Repas** carte 140 à 190.

au Bois de Boulogne :

Pré Catelan AX 22
rte Suresnes ✉ 75016 ☎ 01 44 14 41 14, *Fax 01 45 24 43 25*
☂, ⛱ – P. AE ⓓ GB JCB
fermé vacances de fév., dim. soir et lundi – **Repas** 295 (déj.), 550/750 et carte 530 à 830
Spéc. Choux-fleurs et artichauts à la grecque (avril à sept.). Fricassée de grosses langoustines aux pommes de terre. Poire rôtie, petite gaufre caramélisée, crème glacée à la bergamote.

Grande Cascade
allée de Longchamp (face hippodrome) ✉ 75016 ☎ 01 45 27 33 51, *Fax 01 42 88 99 06*
☂, « Pavillon Napoléon III » – P. AE ⓓ GB
fermé 20 déc. au 20 janv. – **Repas** 295/600 et carte 450 à 700
Spéc. Macaroni aux germes de blé fourrés au foie gras et céleri, lamelles de truffes glacées au porto. Dos de Saint-Pierre clouté de citrons confits. Caneton de Challans aux épices, rôti à la broche, en aigre-doux.

Terrasse du Lac AX 37
rte Suresnes ✉ 75016 ☎ 01 40 67 11 56, *Fax 01 45 00 31 24*
<, ☂ – P. AE GB JCB
fermé 24 déc. au 4 janv., dim. soir du 4 mai au 3 oct., week-ends et le soir du 3 oct. au 4 mai – **Repas** 210/380 et carte 270 à 400 ♀.

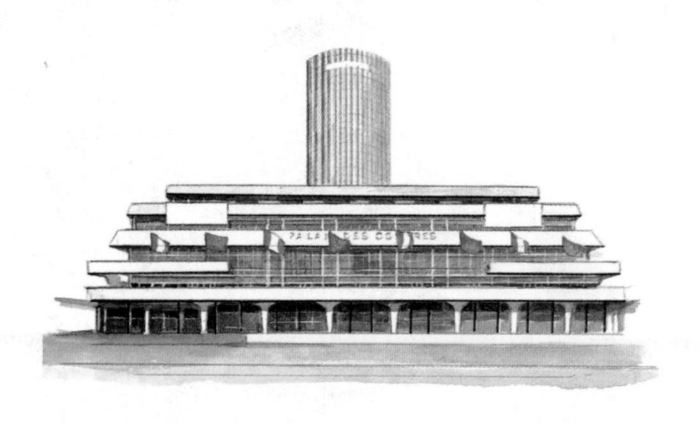

Palais des Congrès
Wagram - Ternes
Batignolles

17e arrondissement

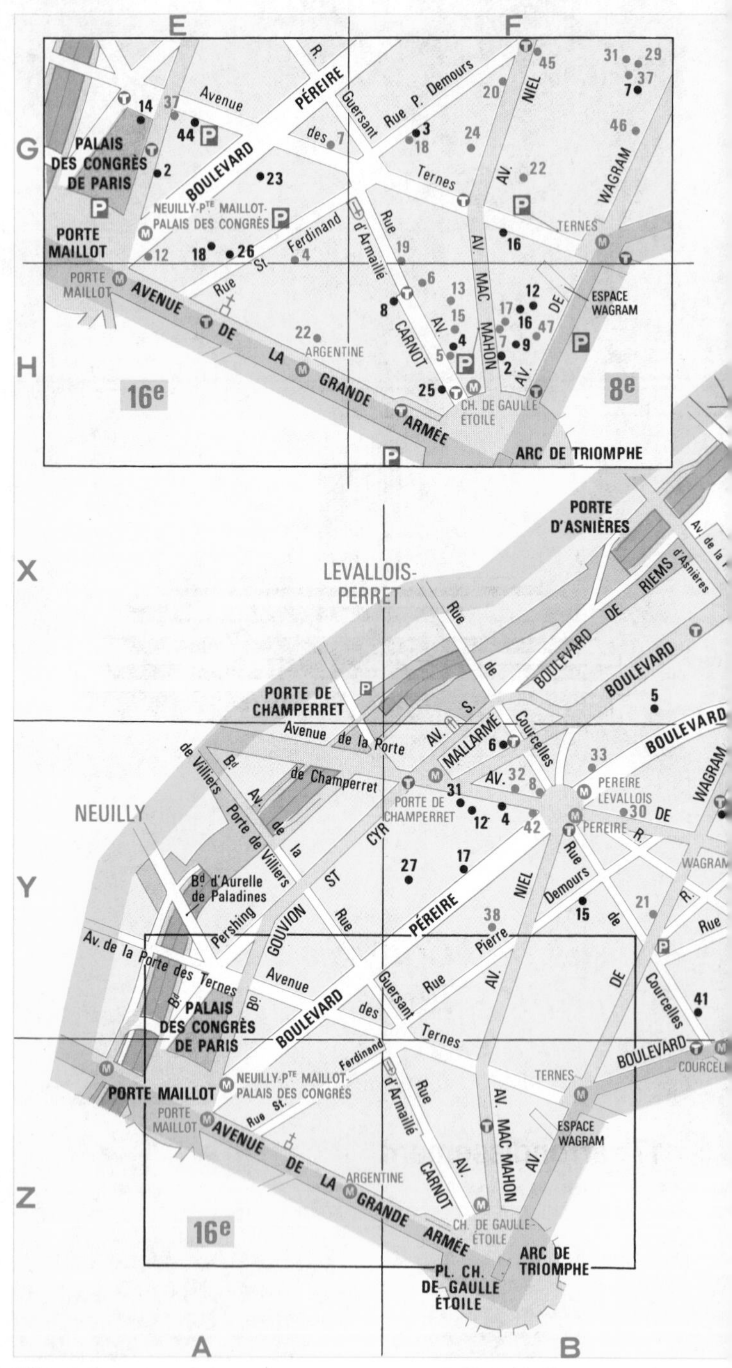

PALAIS DES CONGRÈS DE PARIS
PORTE MAILLOT
BOULEVARD
PÉREIRE
Avenue
des
Ternes
Rue P. Demours
Guersant
NIEL
AV.
WAGRAM
TERNES
NEUILLY-Pte MAILLOT-PALAIS DES CONGRÈS
Rue St. Ferdinand
d'Armaillé
Rue
AVENUE DE LA GRANDE ARMÉE
ARGENTINE
CARNOT
AV. MAC MAHON
ESPACE WAGRAM
CH. DE GAULLE ETOILE
ARC DE TRIOMPHE
16e
8e
PORTE D'ASNIÈRES
LEVALLOIS-PERRET
NEUILLY
BOULEVARD DE RIEMS
Rue de Courcelles
AV. S. MALLARMÉ
PORTE DE CHAMPERRET
Avenue de la Porte de Champerret
PEREIRE LEVALLOIS
PEREIRE
Bd de Villiers
Av. de la Porte de Villiers
GOUVION ST CYR
Bd d'Aurelle de Paladines
Pershing
Av. de la Porte des Ternes
Rue Pierre Demours
COURCELLES
PL. CH. DE GAULLE ÉTOILE

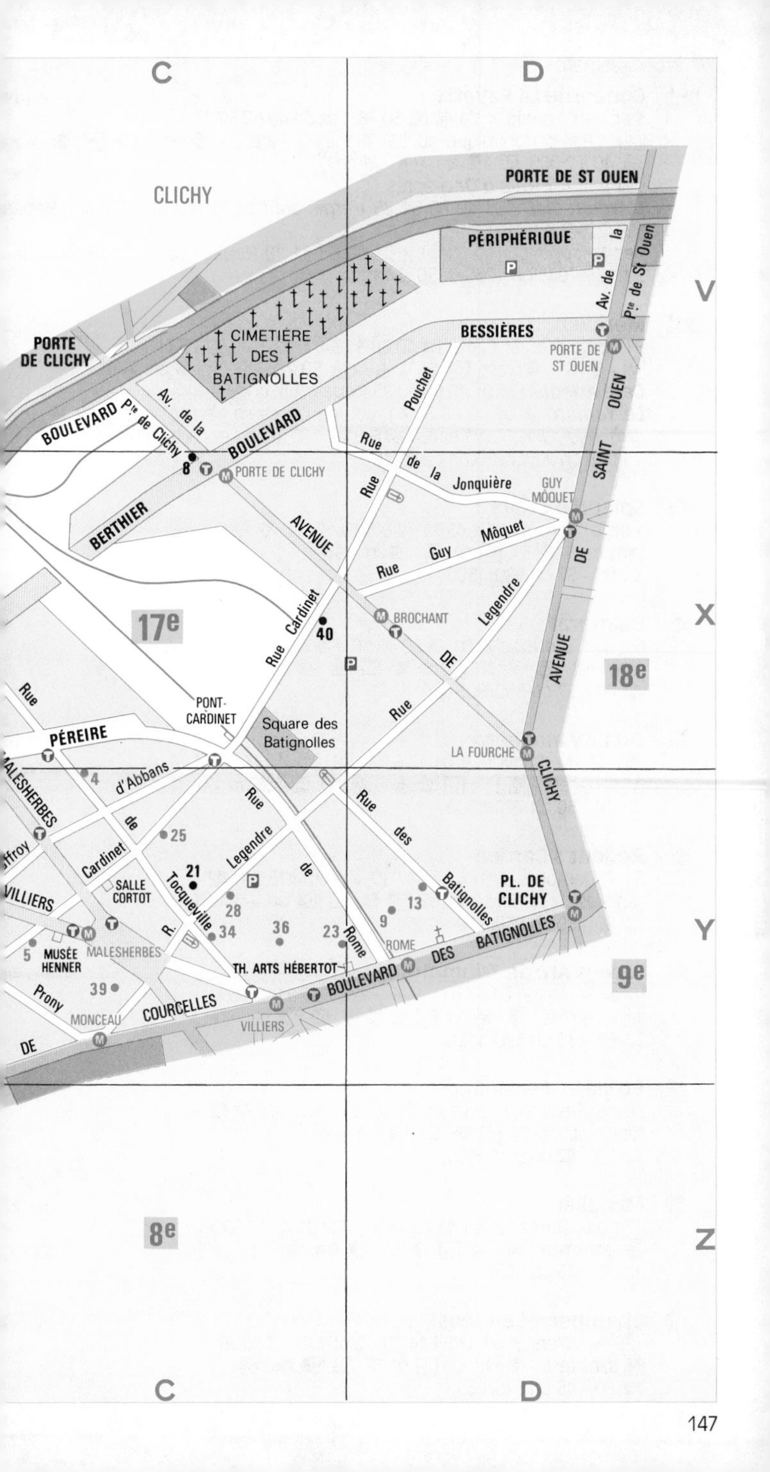

C
D
CLICHY
PORTE DE ST OUEN
PÉRIPHÉRIQUE
PORTE DE CLICHY
CIMETIÈRE DES BATIGNOLLES
BESSIÈRES
PORTE DE ST OUEN
Av. de la
Pte de St Ouen
V
BOULEVARD
Pte de Clichy
Av. de la
BOULEVARD
Pouchet
SAINT OUEN
Rue de la Jonquière
GUY MÔQUET
8
PORTE DE CLICHY
BERTHIER
AVENUE
Rue Guy Môquet
DE
17e
Rue Cardinet
40
BROCHANT
Legendre
X
DE
AVENUE
18e
Rue
PONT-CARDINET
Square des Batignolles
PÉREIRE
LA FOURCHE
CLICHY
d'Abbans
4
MALESHERBES
Rue
Rue des Batignolles
de
25
Legendre
Cardinet
21
SALLE CORTOT
Tocqueville
28
de
13
PL. DE CLICHY
VILLIERS
9
R.
34
36
23
Rome
ROME
BATIGNOLLES
DES
Y
5
MUSÉE HENNER
MALESHERBES
TH. ARTS HÉBERTOT
BOULEVARD
9e
Prony
39
COURCELLES
MONCEAU
VILLIERS
DE
8e
Z
C
D

Concorde La Fayette EG 14
3 pl. Gén. Koenig ✆ 01 40 68 50 68, *Fax 01 40 68 50 43*
M, « Bar panoramique au 33e étage ≤ Paris » – ⛓ ✈ ▤ TV ☎ ✆ – 🚶 40 à 2 000. AE ⓓ GB JCB. ✂ ch
voir rest. ***L'Étoile d'Or*** ci-après
L'Arc-en-Ciel ✆01 40 68 51 25 *(fermé août et 21 fév. au 1er mars)* **Repas** 194/225 ⅀, enf. 102
Les Saisons (coffee shop) ✆01 40 68 51 19 **Repas** *(130 bc)* - 159 ⅀, enf. 50 – ☕ 133 – **943 ch** 1750/2150, 27 appart.

Meridien EG 2
81 bd Gouvion St-Cyr ✆ 01 40 68 34 34, *Fax 01 40 68 31 31*
M – ⛓ ✈, ▤ rest, TV ☎ ✆ ♿ – 🚶 50 à 1 500. AE ⓓ GB JCB
Café Arlequin ✆ 01 40 68 30 85 **Repas** 165, enf. 55
Le Yamato ✆ 01 40 68 30 41, cuisine japonaise *(fermé août, 4 au 10 janv., sam. midi, dim., lundi et fériés)* **Repas** 160 (dîner) et carte 160 à 250 – ☕ 115 – **1 008 ch** 2000/2600, 17 appart.

Splendid Étoile FH 25
1 bis av. Carnot ✆ 01 45 72 72 00, *Fax 01 45 72 72 01*
sans rest – ⛓ ▤ TV ☎. AE ⓓ GB. ✂
☕ 85 – **57 ch** 980/1300.

Balmoral FH 4
6 r. Gén. Lanrezac ✆ 01 43 80 30 50, *Fax 01 43 80 51 56*
sans rest – ⛓ ✈ ▤ TV ☎ ✆. AE ⓓ GB
☕ 40 – **57 ch** 550/800.

Quality Inn Pierre BY 15
25 r. Th.-de-Banville ✆ 01 47 63 76 69, *Fax 01 43 80 63 96*
M sans rest – ⛓ ✈ TV ☎ ♿ – 🚶 30. AE ⓓ GB JCB
☕ 70 – **50 ch** 720/1500.

Regent's Garden FG 3
6 r. P. Demours ✆ 01 45 74 07 30, *Fax 01 40 55 01 42*
sans rest, « Jardin » – ⛓ ▤ TV ☎. AE ⓓ GB JCB. ✂
☕ 50 – **39 ch** 830/980.

Ternes Arc de Triomphe EG 44
97 av. Ternes ✆ 01 53 81 94 94, *Fax 01 53 81 94 95*
M sans rest – ⛓ ✈ ▤ TV ☎ ✆ ♿. AE ⓓ GB JCB
☕ 68 – **39 ch** 690/1120.

Étoile St-Ferdinand EG 26
36 r. St-Ferdinand ✆ 01 45 72 66 66, *Fax 01 45 74 12 92*
sans rest – ⛓ ▤ TV ☎. AE ⓓ GB JCB
☕ 50 – **42 ch** 900/1100.

Magellan BY 27
17 r. J.B.-Dumas ✆ 01 45 72 44 51, *Fax 01 40 68 90 36*
🐎 sans rest, 🌳 – ⛓ TV ☎. AE ⓓ GB. ✂
☕ 45 – **75 ch** 595/635.

Champerret Elysées BY 4
129 av. Villiers ✆ 01 47 64 44 00, *Fax 01 47 63 10 58*
M sans rest – ⛓ ✈ ▤ TV ☎ ✆. AE ⓓ GB JCB
☕ 60 – **45 ch** 515/665.

Banville BY 6
166 bd Berthier 01 42 67 70 16, *Fax 01 44 40 42 77*
sans rest – AE GB
60 – **38 ch** 735/860.

Mercure Étoile FG 16
27 av. Ternes 01 47 66 49 18, *Fax 01 47 63 77 91*
M sans rest – AE GB
70 – **56 ch** 880.

de Neuville BX 5
3 r. Verniquet 01 43 80 26 30, *Fax 01 43 80 38 55*
sans rest – AE GB JCB
55 – **28 ch** 750.

Cheverny BY 31
7 Villa Berthier 01 43 80 46 42, *Fax 01 47 63 26 62*
sans rest – – 50. AE GB JCB.
55 – **48 ch** 530/670.

Neva FH 12
14 r. Brey 01 43 80 28 26, *Fax 01 47 63 00 22*
M sans rest – AE GB
45 – **31 ch** 520/790.

Mercédès BY 10
128 av. Wagram 01 42 27 77 82, *Fax 01 40 53 09 89*
sans rest – AE GB
55 – **37 ch** 590/740.

Étoile Park H. FH 2
10 av. Mac Mahon 01 42 67 69 63, *Fax 01 43 80 18 99*
sans rest – AE GB JCB
fermé 24 déc. au 1er janv.
52 – **28 ch** 450/650.

Harvey EG 18
7 bis r. Débarcadère 01 55 37 20 00, *Fax 01 40 68 03 56*
sans rest – AE GB JCB
40 – **32 ch** 590/720.

Monceau FG 7
7 r. Rennequin 01 47 63 07 52, *Fax 01 47 66 84 44*
sans rest – AE GB JCB
75 – **25 ch** 645/890.

Tilsitt Étoile FH 16
23 r. Brey 01 43 80 39 71, *Fax 01 47 66 37 63*
sans rest – AE GB JCB
60 – **39 ch** 610/850.

Monceau Étoile CY 21
64 r. de Levis 01 42 27 33 10, *Fax 01 42 27 59 58*
sans rest – AE GB
35 – **26 ch** 600/650.

Royal Magda FH 9
7 r. Troyon 01 47 64 10 19, *Fax 01 47 64 02 12*
sans rest – AE GB.
45 – **26 ch** 650/730, 11 appart.

Abrial CX 40
176 r. Cardinet ✆ 01 42 63 50 00, *Fax 01 42 63 50 03*
M sans rest – |♦| TV ☎ ♿ 🚗. AE GB. ✗
☕ 55 – **80 ch** 646/692.

Étoile Péreire BY 17
146 bd Péreire ✆ 01 42 67 60 00, *Fax 01 42 67 02 90*
sans rest – |♦| TV ☎. AE ① GB JCB. ✗
☕ 54 – **21 ch** 590/790, 5 duplex.

Monceau Élysées BY 41
108 r. Courcelles ✆ 01 47 63 33 08, *Fax 01 46 22 87 39*
sans rest – |♦| TV ☎. AE ① GB
☕ 50 – **29 ch** 650/790.

Astrid FH 8
27 av. Carnot ✆ 01 44 09 26 00, *Fax 01 44 09 26 01*
sans rest – |♦| TV ☎. AE ① GB JCB
☕ 50 – **40 ch** 470/750.

Palma EG 23
46 r. Brunel ✆ 01 45 74 74 51, *Fax 01 45 74 40 90*
sans rest – |♦| TV ☎. AE GB. ✗
☕ 35 – **37 ch** 390/500.

Campanile CX 8
4 bd Berthier ✆ 01 46 27 10 00, *Fax 01 46 27 00 57*
– |♦| ✗ ▤ TV ☎ ♿ 🚗 – 40. AE ① GB
Repas *(72)* - 92 bc/119 bc, enf. 39 – ☕ 36 – **247 ch** 416.

Champerret-Héliopolis BY 12
13 r. Héliopolis ✆ 01 47 64 92 56, *Fax 01 47 64 50 44*
sans rest – TV ☎. AE ① GB
☕ 38 – **22 ch** 350/495.

XXXX ✿✿ **Guy Savoy** FH 17
18 r. Troyon ✆ 01 43 80 40 61, *Fax 01 46 22 43 09*
▤. AE GB JCB
fermé 13 au 19 juil., sam. midi et dim. – **Repas** 500/1000 et carte 570 à 770 ♀
Spéc. Huîtres en nage glacée. Soupe d'artichauts à la truffe. Bar en écailles grillées aux épices douces.

XXXX ✿✿ **Michel Rostang** FG 31
20 r. Rennequin ✆ 01 47 63 40 77, *Fax 01 47 63 82 75*
« Cadre élégant » – ▤. AE ① GB JCB
fermé 1er au 16 août, sam. midi et dim. – **Repas** 325 (déj.), 595/795 et carte 640 à 880 ♀
Spéc. Brochettes de langoustines au romarin, grappes de tomates farcies Canette au sang en deux services. Carte des truffes (15 déc. au 15 mars).

XXXX ✿ **L'Étoile d'Or** - Hôtel Concorde La Fayette EG 14
3 pl. Gén. Koenig ✆ 01 40 68 51 28, *Fax 01 40 68 50 43*
▤. AE ① GB JCB
fermé août, sam. et dim. – **Repas** 270 et carte 330 à 580 ♀
Spéc. Marinière de moules aux épices (avril à sept.). Joue de boeuf aux choux en ravigote. Soufflé chaud au chocolat.

XXX **Apicius** (Vigato) BY 32
✿✿ 122 av. Villiers ✆ 01 43 80 19 66, *Fax 01 44 40 09 57*
▤. AE ⓓ GB JCB
fermé août, sam. et dim. – **Repas** 450 (déj.), 550/750 et carte 380 à 560 ♀
Spéc. Foie gras et canard rôti aux poivres noirs, orange et chocolat (hiver-printemps). Crème de cèpes et sabayon de truffes blanches (oct. à déc.). Blanc-manger au lait d'amandes.

XXX **Amphyclès** (Groult) EG 7
✿ 78 av. Ternes ✆ 01 40 68 01 01, *Fax 01 40 68 91 88*
▤. AE ⓓ GB JCB
fermé sam. midi et dim. – **Repas** 260 (déj.), 540/680 et carte 440 à 600 ♀
Spéc. Délicat fondant frais d'artichauts à la crème d'oursins. Petits gris de garrigue, pignons de pin et basilic. Cocotte lutée de langoustes "puces" aux truffes et foie gras.

XXX **Sormani** (Fayet) FH 5
✿ 4 r. Gén. Lanrezac ✆ 01 43 80 13 91, *Fax 01 40 55 07 37*
▤. GB
fermé 13 au 17 avril, 1er au 21 août, 23 déc. au 2 janv., sam., dim. et fériés – **Repas** - cuisine italienne - 250 (déj.) et carte 330 à 400
Spéc. Gratin de pommes de terre au parmesan, oeufs et truffes blanches (1er oct. au 15 déc.). Ravioli de canard aux navets (oct. à mars). Chaud-froid de macaroni farcis d'asperges et de foie gras à la crème de basilic (avril à mai).

XXX **Faucher** BY 21
✿ 123 av. Wagram ✆ 01 42 27 61 50, *Fax 01 46 22 25 72*
AE GB
fermé sam. midi et dim. – **Repas** 390 et carte 240 à 440 ♀
Spéc. Millefeuille de boeuf. Montgolfière de Saint-Jacques aux cèpes (1er oct.-31 mars). Canette rôtie et ses filets laqués.

XXX **Pétrus** BY 8
12 pl. Mar. Juin ✆ 01 43 80 15 95, *Fax 01 43 80 06 96*
▤. AE ⓓ GB
Repas - produits de la mer - 250 et carte 310 à 450 ♀.

XXX **Timgad** EG 4
✿ 21 r. Brunel ✆ 01 45 74 23 70, *Fax 01 40 68 76 46*
« Décor mauresque » – ▤. AE ⓓ GB.
Repas - cuisine nord-africaine - carte 250 à 380
Spéc. Couscous princier. Pastilla. Tagine.

XXX **Manoir Detourbe** FG 18
6 r. P. Demours ✆ 01 45 72 25 25, *Fax 01 45 74 80 98*
▤. GB
fermé août, sam. midi et dim. – **Repas** 230 et carte 230 à 270 ♀.

XXX **Augusta** CY 4
98 r. Tocqueville ✆ 01 47 63 39 97, *Fax 01 42 27 21 71*
▤. GB
fermé 3 au 24 août, sam. sauf le soir d'oct. à avril et dim. – **Repas** - produits de la mer - carte 320 à 540 ♀.

XXX **Il Ristorante** FG 37
22 r. Fourcroy ✆ 01 47 54 91 48, *Fax 01 47 63 34 00*
▤. AE GB
fermé 10 au 23 août, sam. midi et dim. – **Repas** - cuisine italienne - 165 (déj.) et carte 220 à 370 ♀.

XX **Petit Colombier** (Fournier) FH 6
✿ 42 r. Acacias ✆ 01 43 80 28 54, *Fax 01 44 40 04 29*
AE GB
fermé 1er au 20 août, sam. et dim. du 1er mai au 15 sept. – **Repas** 190 (déj.)/360 et carte 280 à 460 ♀
Spéc. Oeufs à la broche aux truffes fraîches (15 déc. au 15 mars). Pigeonneau fermier, farce fine à la croque au sel et jus truffé. Lièvre à la royale (oct. à déc.).

XX **Table de Pierre** BY 33
116 bd Péreire ✆ 01 43 80 88 68, *Fax 01 47 66 53 02*
▤. AE GB
fermé sam. midi et dim. – **Repas** carte 220 à 370.

XX **Graindorge** FH 13
15 r. Arc de Triomphe ✆ 01 47 54 00 28, *Fax 01 47 54 00 28*
AE GB JCB
fermé 1er au 15 août, sam. midi et dim. – **Repas** *(138)* - 168 (déj.), 188/230 et carte 210 à 330.

XX **Les Béatilles** FG 24
11 bis r. Villebois-Mareuil ✆ 01 45 74 43 80, *Fax 01 45 74 43 81*
▤. AE GB
fermé 1er au 21 août, vacances de Noël, sam. et dim. – **Repas** 170/290 et carte 240 à 330 ♀.

XX **Truite Vagabonde** DY 13
17 r. Batignolles ✆ 01 43 87 77 80, *Fax 01 43 87 31 50*
☂ – AE GB JCB
fermé dim. soir – **Repas** 190 et carte 270 à 380.

XX **Billy Gourmand** CY 34
20 r. Tocqueville ✆ 01 42 27 03 71
AE GB
fermé 1er au 25 août, sam. sauf le soir dù 15 sept. au 15 juin, dim. et fériés – **Repas** 165 et carte 250 à 300 ♀.

XX **Beudant** CY 23
97 r. des Dames ✆ 01 43 87 11 20, *Fax 01 43 87 27 35*
▤. AE ① GB JCB
fermé 8 au 27 août, sam. midi, lundi soir et dim. – **Repas** 160/300 et carte 200 à 360 ♀.

XX **Aub. des Dolomites** FG 46
38 r. Poncelet ✆ 01 42 27 94 56, *Fax 01 47 66 38 54*
AE GB
fermé 24 juil. au 23 août, sam. midi et dim. – **Repas** *(108)* - 139/188 et carte 210 à 330 ♀.

XX **Les Marines de Pétrus** FG 20
27 av. Niel ✆ 01 47 63 04 24, *Fax 01 44 15 92 20*
▤. AE ① GB
fermé dim. – **Repas** - produits de la mer - 200/250 et carte 220 à 310 ♀.

XX **Dessirier** BY 42
9 pl. Mar. Juin ✆ 01 42 27 82 14, *Fax 01 47 66 82 07*
AE ① GB
Repas - produits de la mer - 198 et carte 270 à 460.

XX **Braisière** (Vaxelaire) CY 5
✿ 54 r. Cardinet ✆ 01 47 63 40 37, *Fax 01 47 63 04 76*
AE GB. ✱
fermé avril, sam. et dim. – **Repas** 185 et carte 260 à 340 ♀
Spéc. Saint-Jacques aux patates et fleur de sel (oct. à avril). Saint-Pierre à la peau et olives noires. Rognon de veau à la lie de vin.

XX **Taïra** EH 22
10 r. Acacias ✆ 01 47 66 74 14, *Fax 01 47 66 74 14*
▤. AE ⓓ GB
fermé 15 au 31 août, sam. midi et dim. – **Repas** - produits de la mer - 170/330 et carte 280 à 370 ♀.

XX **Petite Auberge** BY 38
38 r. Laugier ✆ 01 47 63 85 51, *Fax 01 47 63 85 81*
GB
fermé août, lundi midi et dim. – **Repas** (nombre de couverts limité, prévenir) 160 et carte 200 à 310 ♀.

XX **Chez Guyvonne** CY 39
14 r. Thann ✆ 01 42 27 25 43, *Fax 01 42 27 25 43*
▤. AE GB JCB. ✱
fermé 3 au 31 août, 24 déc. au 4 janv., sam. et dim. – **Repas** *(120)* - 150/180 et carte 280 à 400 ♀.

XX **Soupière** CY 15
154 av. Wagram ✆ 01 42 27 00 73
▤. AE GB
fermé 10 au 23 août, sam. midi et dim. – **Repas** 138/165 et carte 200 à 340.

XX **Chez Georges** EG 12
273 bd Péreire ✆ 01 45 74 31 00, *Fax 01 45 74 02 56*
bistrot – GB JCB. ✱
Repas carte 210 à 310 ♀.

XX **Epicure 108** CY 25
108 r. Cardinet ✆ 01 47 63 50 91
GB
fermé 10 au 22 août, sam. midi et dim. – **Repas** *(135 bc)* - 175/250.

XX **Ballon des Ternes** EG 37
103 av. Ternes ✆ 01 45 74 17 98, *Fax 01 45 72 18 84*
brasserie – AE GB JCB
fermé 1er au 21 août – **Repas** carte 180 à 290 ♀.

XX **Chez Léon** CY 28
32 r. Legendre ✆ 01 42 27 06 82
bistrot – ⓓ GB
fermé août, sam. et dim. – **Repas** *(145)* - 185 ♀.

X **Rôtisserie d'Armaillé** FG 19
6 r. Armaillé ✆ 01 42 27 19 20, *Fax 01 40 55 00 93*
▤. AE ⓓ GB JCB
fermé 8 au 16 août, sam. midi et dim. – **Repas** *(165)* - 218 ♀.

X **L'Impatient** CY 36
14 passage Geffroy Didelot ✆ 01 43 87 28 10
GB
fermé 10 au 22 avril, 8 au 31 août, lundi soir, sam. et dim. – **Repas** 102 (déj.), 120/158 et carte 210 à 320.

Caves Petrissans FG 45
30 bis av. Niel 01 42 27 52 03, *Fax 01 40 54 87 56*
, bistrot – AE GB
fermé 31 juil. au 23 août, sam., dim. et fériés – **Repas** 170 et carte 220 à 400.

Troyon FH 47
4 r. Troyon 01 40 68 99 40, *Fax 01 40 68 99 57*
AE GB.
fermé 2 au 23 août, sam. midi et dim. – **Repas** (prévenir) carte 160 à 260.

Bistro du 17e BY 30
108 av. Villiers 01 47 63 32 77, *Fax 01 42 27 67 66*
. AE GB
Repas 169 bc.

Bistrot d'à Côté Flaubert FG 29
10 r. G. Flaubert 01 42 67 05 81, *Fax 01 47 63 82 75*
AE GB
Repas carte 210 à 310.

Café d'Angel FH 15
16 r. Brey 01 47 54 03 33, *Fax 01 47 54 03 33*
bistrot – GB
fermé 1er au 15 août, 23 déc. au 2 janv., sam. et dim. – **Repas** *(78)* - 92 (déj.)/ 165.

Bistrot de l'Étoile FH 7
13 r. Troyon 01 42 67 25 95, *Fax 01 46 22 43 09*
. AE GB JCB
fermé en août, sam. et dim. – **Repas** 180 et carte environ 250.

L'Huitrier FH 22
16 r. Saussier-Leroy 01 40 54 83 44, *Fax 01 40 54 83 86*
AE GB
fermé août, dim. soir et lundi – **Repas** - produits de la mer - carte 220 à 340.

Petite Provence DY 9
69 rue des Dames 01 45 22 03 03
GB
fermé août, sam. midi et lundi – **Repas** *(98)* - 135 et carte 190 à 260.

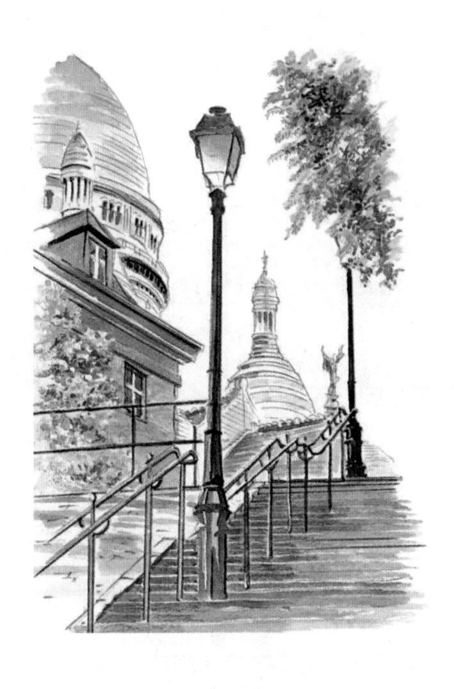

Montmartre - La Villette
Buttes Chaumont
Belleville - Père Lachaise

18e, 19e et 20e arrondissements

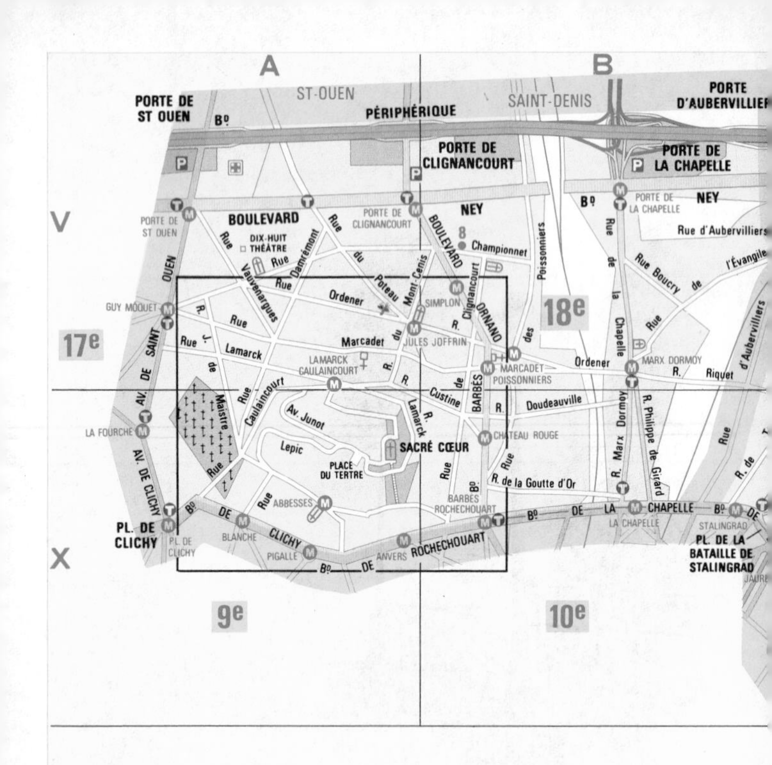
A
B
PORTE DE ST OUEN
ST-OUEN
PÉRIPHÉRIQUE
SAINT-DENIS
PORTE D'AUBERVILLIER
PORTE DE CLIGNANCOURT
PORTE DE LA CHAPELLE
BOULEVARD
NEY
V
DIX-HUIT THÉÂTRE
Championnet
Ordener
Marcadet
18e
17e
Lamarck
JULES JOFFRIN
SIMPLON
MARCADET POISSONNIERS
MARX DORMOY
Riquet
Doudeauville
SACRÉ CŒUR
PLACE DU TERTRE
Av. Junot
Lepic
CHATEAU ROUGE
R. de la Goutte d'Or
LA FOURCHE
GUY MÔQUET
PL. DE CLICHY
BLANCHE
PIGALLE
ANVERS
ABBESSES
BARBÈS ROCHECHOUART
CHAPELLE
STALINGRAD
PL. DE LA BATAILLE DE STALINGRAD
X
9e
10e

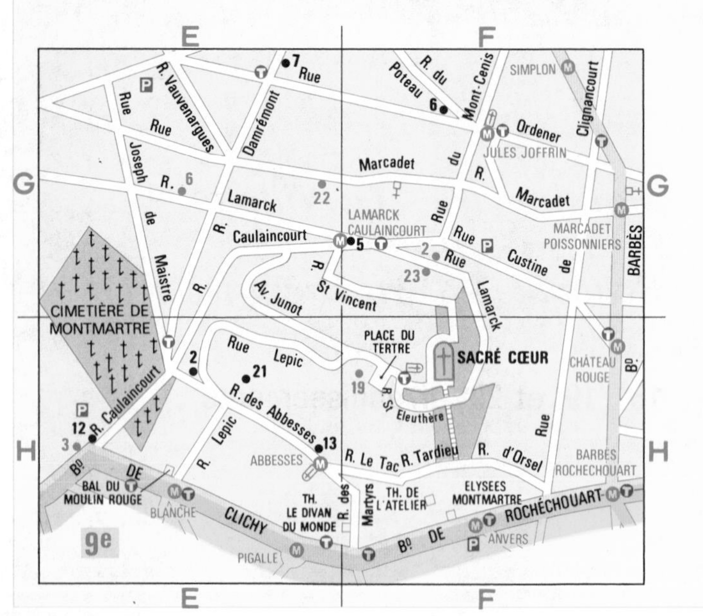
E
F
G
H
R. Vauvenargues
Rue Joseph de Maistre
Rue Damrémont
R. du Poteau
Mont-Cenis
SIMPLON
Ordener
JULES JOFFRIN
Clignancourt
Marcadet
R. Lamarck
R. Caulaincourt
LAMARCK CAULAINCOURT
MARCADET POISSONNIERS
BARBÈS
Rue Custine
R. St Vincent
Av. Junot
CIMETIÈRE DE MONTMARTRE
PLACE DU TERTRE
SACRÉ CŒUR
Rue Lepic
R. des Abbesses
R. St Eleuthère
CHÂTEAU ROUGE
R. Le Tac
R. Tardieu
R. d'Orsel
ABBESSES
BARBÈS ROCHECHOUART
BAL DU MOULIN ROUGE
BLANCHE
TH. LE DIVAN DU MONDE
R. des Martyrs
TH. DE L'ATELIER
ELYSEES MONTMARTRE
Bd DE CLICHY
Bd DE ROCHECHOUART
ANVERS
PIGALLE
9e

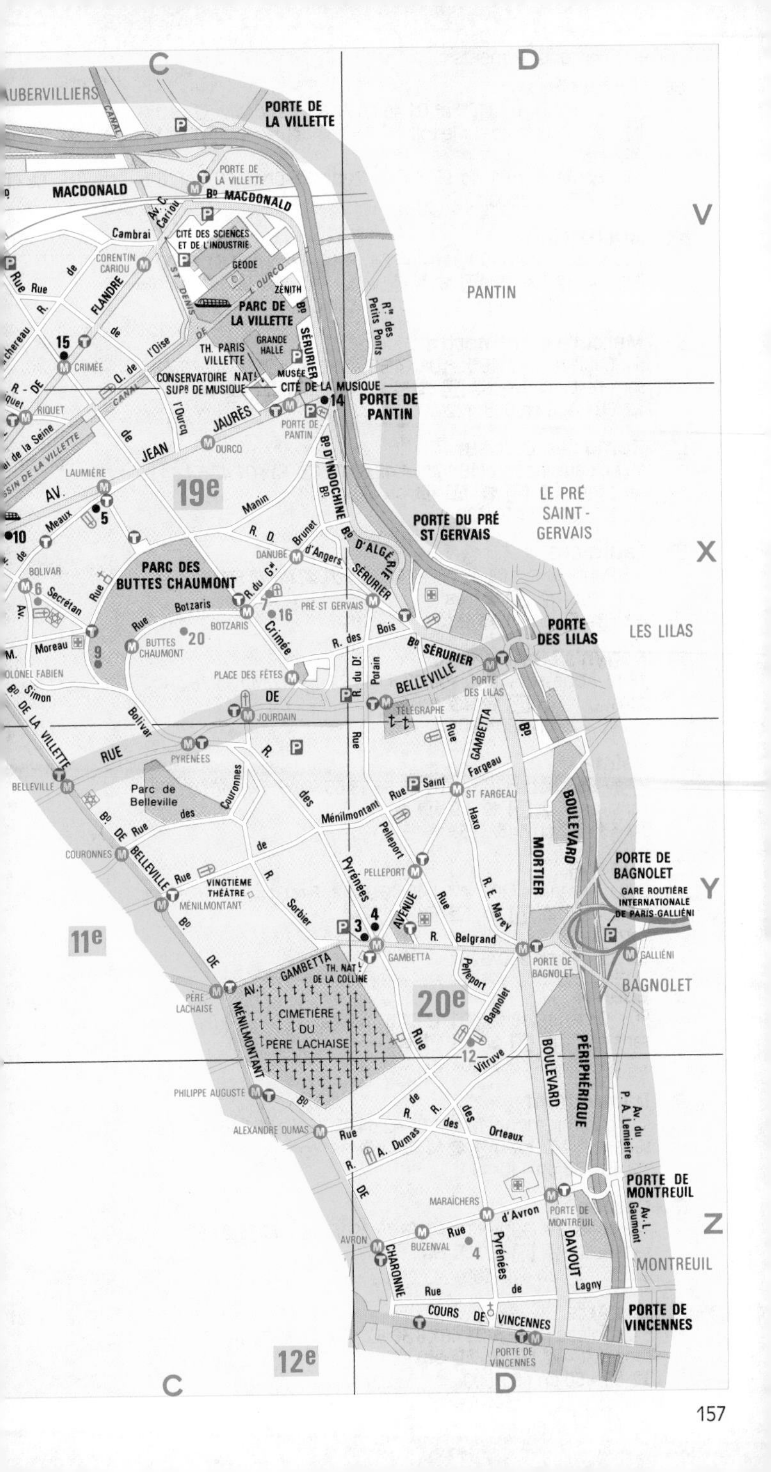
C
D
AUBERVILLIERS
CANAL
PORTE DE LA VILLETTE
PORTE DE LA VILLETTE
MACDONALD
Bd MACDONALD
Av. C. Cariou
Cambrai
CITÉ DES SCIENCES ET DE L'INDUSTRIE
GÉODE
CORENTIN CARIOU
ZÉNITH
PARC DE LA VILLETTE
GRANDE HALLE
TH. PARIS VILLETTE
SÉRURIER
MUSÉE
CONSERVATOIRE NATL SUPR DE MUSIQUE
CITÉ DE LA MUSIQUE
PORTE DE PANTIN
PORTE DE PANTIN
Rte des Petits Ponts
PANTIN
V
CRIMÉE
RIQUET
JEAN JAURÈS
OURCQ
LAUMIÈRE
19e
Bd D'INDOCHINE
Manin
PORTE DU PRÉ ST GERVAIS
LE PRÉ SAINT-GERVAIS
X
DANUBE
d'Angers
Bd D'ALGÉRIE
BOLIVAR
PARC DES BUTTES CHAUMONT
Secrétan
Botzaris
BOTZARIS
PRÉ-ST GERVAIS
Bois
Crimée
BUTTES CHAUMONT
Moreau
Bd SÉRURIER
PORTE DES LILAS
LES LILAS
COLONEL FABIEN
PLACE DES FÊTES
BELLEVILLE
PORTE DES LILAS
JOURDAIN
TÉLÉGRAPHE
GAMBETTA
Bolivar
RUE PYRÉNÉES
Parc de Belleville
Couronnes
BELLEVILLE
Bd DE LA VILLETTE
Saint Fargeau
ST FARGEAU
Haxo
Ménilmontant
BOULEVARD MORTIER
PORTE DE BAGNOLET
GARE ROUTIÈRE INTERNATIONALE DE PARIS-GALLIÉNI
Y
COURONNES
Bd DE BELLEVILLE
VINGTIÈME THÉÂTRE
MÉNILMONTANT
Sorbier
Pyrénées
PELLEPORT
Pelleport
R. E. Marey
Belgrand
11e
GAMBETTA
TH. NATL DE LA COLLINE
PORTE DE BAGNOLET
GALLIÉNI
BAGNOLET
PÈRE LACHAISE
AV. GAMBETTA
CIMETIÈRE DU PÈRE LACHAISE
20e
Bagnolet
Vitruve
Bd DE MÉNILMONTANT
PÉRIPHÉRIQUE
BOULEVARD DAVOUT
Av. du P. A. Lemierre
PHILIPPE AUGUSTE
ALEXANDRE DUMAS
Rue A. Dumas
R. des Orteaux
PORTE DE MONTREUIL
MARAÎCHERS
d'Avron
PORTE DE MONTREUIL
Av. L. Gaumont
Z
AVRON
BUZENVAL
CHARONNE
MONTREUIL
Lagny
COURS DE VINCENNES
PORTE DE VINCENNES
PORTE DE VINCENNES
12e
C
D

Terrass'H. EH
12 r. J. de Maistre (18e) 01 46 06 72 85, *Fax 01 42 52 29 11*
M, « Terrasse sur le toit, Paris » – 160. AE
GB JCB
La Terrasse 01 44 92 34 00 **Repas** 130bc/168, enf. 60 – 70 – **88 ch**
840/1430, 13 appart.

Holiday Inn CX 1
216 av. J. Jaurès (19e) 01 44 84 18 18, *Fax 01 44 84 18 20*
M, – – 180. AE GB JCB
Repas 89/110, enf. 45 – 75 – **174 ch** 890, 8 appart.

Mercure Montmartre EH 1
3 r. Caulaincourt (18e) 01 44 69 70 70, *Fax 01 44 69 70 71*
sans rest – – 120. AE GB
68 – **308 ch** 895/1220.

Roma Sacré Coeur FG
101 r. Caulaincourt (18e) 01 42 62 02 02, *Fax 01 42 54 34 92*
sans rest – . AE GB JCB
37 – **57 ch** 410/480.

Laumière CX
4 r. Petit (19e) 01 42 06 10 77, *Fax 01 42 06 72 50*
sans rest – . GB
32 – **54 ch** 285/370.

Regyn's Montmartre EH 13
18 pl. Abbesses (18e) 01 42 54 45 21, *Fax 01 42 23 76 69*
sans rest – . AE GB
40 – **22 ch** 380/460.

Palma DY 3
77 av. Gambetta (20e) 01 46 36 13 65, *Fax 01 46 36 03 27*
sans rest – . AE GB
33 – **32 ch** 345/395.

Super H. DY 4
208 r. Pyrénées (20e) 01 46 36 97 48, *Fax 01 46 36 26 10*
sans rest – . AE GB JCB
fermé août
35 – **32 ch** 250/520.

Eden H. FG 6
90 r. Ordener (18e) 01 42 64 61 63, *Fax 01 42 64 11 43*
sans rest – . AE GB JCB
35 – **35 ch** 380/420.

Damrémont EG 7
110 r. Damrémont (18e) 01 42 64 25 75, *Fax 01 46 06 74 64*
sans rest – . AE GB JCB
40 – **35 ch** 440/490.

Crimée CV 15
188 r. Crimée (19e) 01 40 36 75 29, *Fax 01 40 36 29 57*
sans rest – . AE GB
35 – **31 ch** 310/350.

des Arts EH 21
5 r. Tholozé (18e) 01 46 06 30 52, *Fax 01 46 06 10 83*
sans rest – . AE GB.
35 – **50 ch** 460/500.

Abricotel CX **10**
15 r. Lally Tollendal (19e) 01 42 08 34 49, *Fax 01 42 40 83 95*
sans rest – TV. AE GB.
33 – **39 ch** 295/400.

Beauvilliers (Carlier) FG 2
52 r. Lamarck (18e) 01 42 54 54 42, *Fax 01 42 62 70 30*
, « Décor original, terrasse » – . AE GB JCB.
fermé lundi midi et dim. – **Repas** 185/400 bc et carte 430 à 580
Spéc. "Cul" d'artichaut frais au tourteau, jus de moutarde à la pistache. Escalopines de foie de canard poêlées aux pêches de vigne (juin à octobre). Timbale de macaroni aux ris de veau et morilles.

Pavillon Puebla CX 9
Parc Buttes-Chaumont, entrée : av Bolivar, r. Botzaris (19e) 01 42 08 92 62, *Fax 01 42 39 83 16*
, « Agréable situation dans le parc » – P. AE GB
fermé 9 au 24 août, dim. et lundi – **Repas** 180/250 et carte 380 à 460.

Cottage Marcadet EG 22
151 bis r. Marcadet (18e) 01 42 57 71 22
. GB.
fermé 12 au 19 avril, 25 juil. au 24 août et dim. – **Repas** *(120)* - 160 (déj.)/ 215 bc et carte 230 à 320.

Les Allobroges DZ 4
71 r. Grands-Champs (20e) 01 43 73 40 00
AE GB
fermé 12 au 21 avril, 31 juil. au 25 août, dim., lundi et fériés – **Repas** 95/169 et carte 200 à 340.

Relais des Buttes CX 16
86 r. Compans (19e) 01 42 08 24 70, *Fax 01 42 03 20 44*
– GB
fermé 8 au 31 août, sam. midi et dim. – **Repas** 178 et carte 230 à 320 ♀.

Chaumière CX 6
46 av. Secrétan (19e) 01 42 06 54 69, *Fax 01 42 06 28 12*
. AE GB JCB
fermé 15 au 31 août et dim. soir – **Repas** 143/198 bc et carte 180 à 340 ♀.

Au Clair de la Lune FH 19
9 r. Poulbot (18e) 01 42 58 97 03
AE GB JCB
fermé 17 août au 6 sept., lundi midi et dim. – **Repas** 165 et carte 210 à 320.

Eric Frechon CX 7
10 r. Gén. Brunet (19e) 01 40 40 03 30, *Fax 01 40 40 03 30*
. GB
fermé août, dim. et lundi – **Repas** 200 ♀.

Poulbot Gourmet FG 23
39 r. Lamarck (18e) 01 46 06 86 00
GB
fermé dim. sauf le midi d'oct. à mai – **Repas** *(115)* - 170 et carte 210 à 300.

L'Étrier
EG

154 r. Lamarck (18e) ✆ 01 42 29 14 01
bistrot – ▤. GB
fermé 9 au 31 août, dim. et lundi – **Repas** (nombre de couverts limit… prévenir) *(65)* - 76 (déj.)/160 ♀.

Bistrot du 19e
CX 2…

45 r. Alouettes (19e) ✆ 01 42 00 84 85
GB
fermé août, dim. soir et lundi – **Repas** *(75)* - 165.

Aucune Idée ?
DY 1…

2 pl. St-Blaise (20e) ✆ 01 40 09 70 67, *Fax 01 43 56 12 34*
AE GB JCB
fermé 3 au 17 août, dim. soir et lundi – **Repas** 175 et carte 180 à 260 ♀.

Marie-Louise
BV

52 r. Championnet (18e) ✆ 01 46 06 86 55
bistrot – ⓓ GB
fermé 31 juil. au 1er sept., vacances de Pâques, dim., lundi et fériés – **Repa…** 130 et carte 150 à 260.

Environs

40 km autour de Paris

Hôtels ___

Restaurants ___

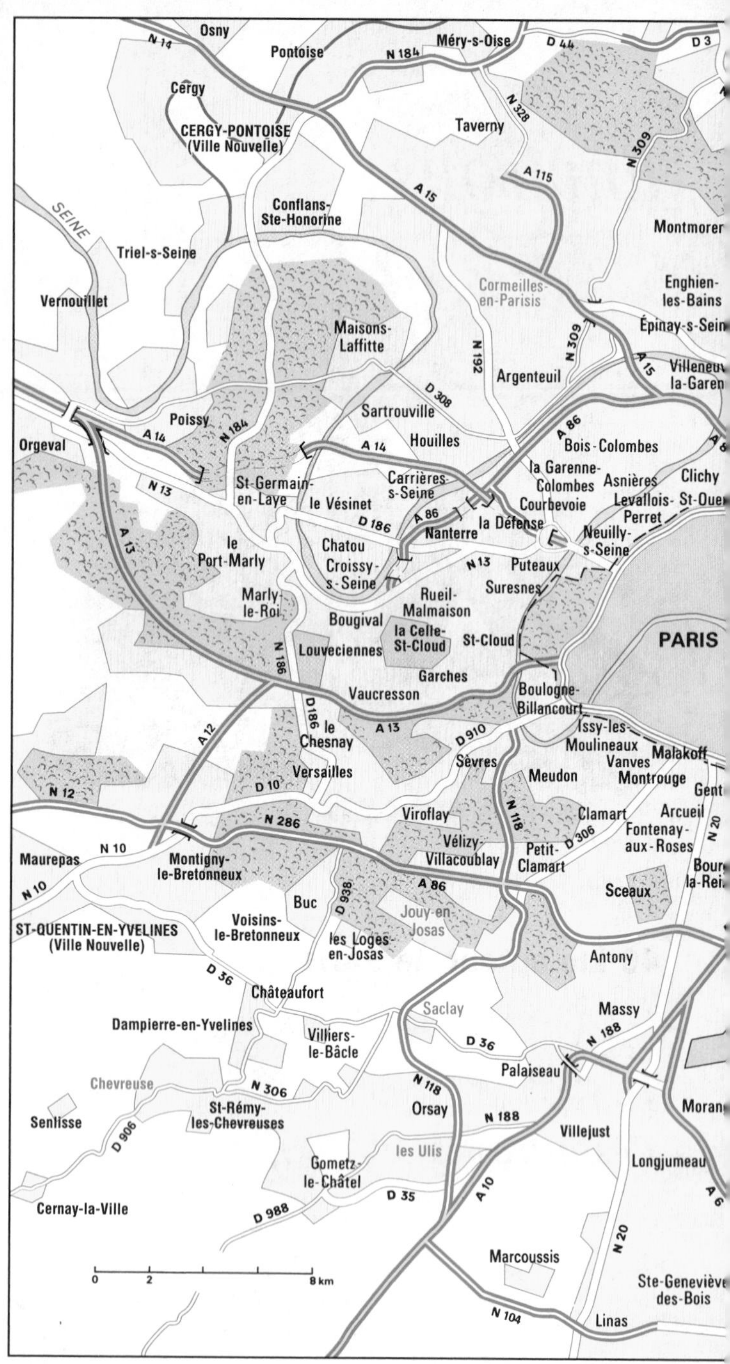
Osny
Pontoise
Méry-s-Oise
Cergy
CERGY-PONTOISE
(Ville Nouvelle)
Taverny
Conflans-
Ste-Honorine
Montmorer
SEINE
Triel-s-Seine
Cormeilles-
en-Parisis
Enghien-
les-Bains
Vernouillet
Épinay-s-Sei
Maisons-
Laffitte
Argenteuil
Villeneu
la-Garen
Sartrouville
Poissy
Orgeval
Houilles
Bois-Colombes
la Garenne-
Colombes
Asnières
Clichy
St-Germain-
en-Laye
Carrières-
s-Seine
Levallois-
Perret
St-Oue
le Vésinet
Courbevoie
la Défense
Neuilly-
s-Seine
Nanterre
le
Port-Marly
Chatou
Croissy-
s-Seine
Puteaux
Suresnes
Marly-
le-Roi
Rueil-
Malmaison
Bougival
la Celle-
St-Cloud
St-Cloud
PARIS
Louveciennes
Garches
Vaucresson
Boulogne-
Billancourt
le
Chesnay
Issy-les-
Moulineaux
Malakoff
Vanves
Montrouge
Sèvres
Versailles
Meudon
Gent
Viroflay
Clamart
Arcueil
Fontenay-
aux-Roses
Vélizy-
Villacoublay
Petit-
Clamart
Maurepas
Montigny-
le-Bretonneux
Bour
la-Rei
Sceaux
Buc
Jouy-en-
Josas
Voisins-
le-Bretonneux
ST-QUENTIN-EN-YVELINES
(Ville Nouvelle)
les Loges-
en-Josas
Antony
Châteaufort
Saclay
Massy
Dampierre-en-Yvelines
Villiers-
le-Bâcle
Palaiseau
Chevreuse
St-Rémy-
les-Chevreuses
Orsay
Moran
Senlisse
Villejust
les Ulis
Gometz-
le-Châtel
Longjumeau
Cernay-la-Ville
Marcoussis
Ste-Genevièv
des-Bois
Linas
N 14
N 184
D 44
D 3
N 328
N 309
A 115
A 15
N 192
D 308
A 86
A 14
N 184
N 13
D 186
A 13
N 186
D 186
A 12
D 910
N 12
D 10
N 286
N 118
D 306
N 20
N 10
D 938
D 36
N 188
N 306
D 906
D 35
D 988
A 10
A 6
N 104
0
2
8 km

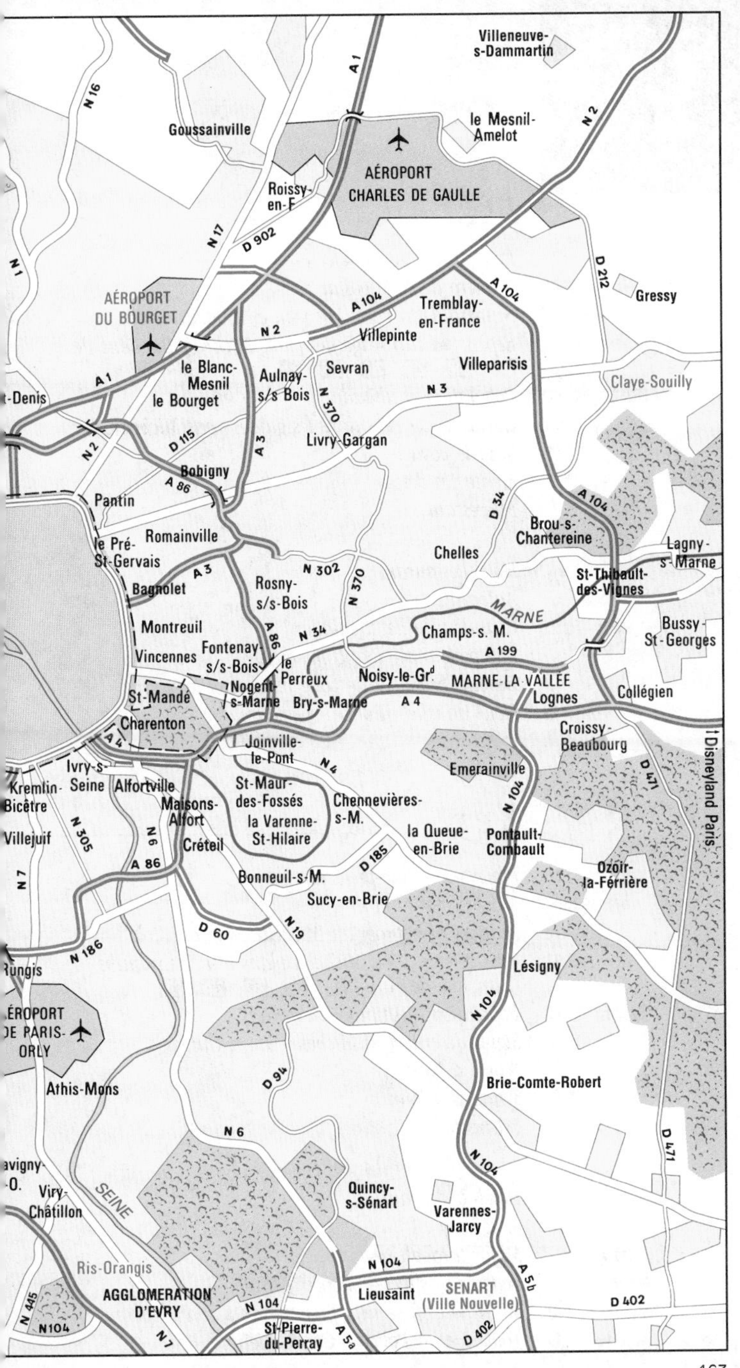

Villeneuve-s-Dammartin
A 1
N 16
N 2
Goussainville
le Mesnil-Amelot
AÉROPORT CHARLES DE GAULLE
Roissy-en-F
N 17
D 902
N 1
D 212
A 104
Gressy
AÉROPORT DU BOURGET
A 104
Tremblay-en-France
N 2
Villepinte
Villeparisis
le Blanc-Mesnil
Aulnay-s/s Bois
Sevran
A 1
Claye-Souilly
-Denis
le Bourget
N 370
N 3
D 115
Livry-Gargan
N 2
A 3
Bobigny
A 86
Pantin
D 34
A 104
Romainville
Brou-s-Chantereine
le Pré-St-Gervais
Chelles
Lagny-s-Marne
A 3
N 302
Bagnolet
Rosny-s/s-Bois
N 370
St-Thibault-des-Vignes
MARNE
Montreuil
A 86
N 34
Champs-s. M.
Bussy-St-Georges
Fontenay-s/s-Bois
Vincennes
le Perreux
A 199
Noisy-le-Grd
MARNE-LA-VALLEE
St-Mandé
Nogent-s-Marne
Bry-s-Marne
A 4
Lognes
Collégien
Charenton
Croissy-Beaubourg
A 4
Joinville-le-Pont
Disneyland Paris
Ivry-s-Seine
N 4
Emerainville
D 471
Kremlin-Bicêtre
Alfortville
St-Maur-des-Fossés
Maisons-Alfort
Chennevières-s-M.
N 104
N 305
la Varenne-St-Hilaire
la Queue-en-Brie
Pontault-Combault
Villejuif
N 6
Créteil
D 185
Ozoir-la-Ferrière
N 7
A 86
Bonneuil-s-M.
Sucy-en-Brie
D 60
N 19
N 186
Rungis
Lésigny
N 104
ÉROPORT DE PARIS-ORLY
D 94
Athis-Mons
Brie-Comte-Robert
N 6
D 471
N 104
avigny-O.
Viry-Châtillon
SEINE
Quincy-s-Sénart
Varennes-Jarcy
Ris-Orangis
N 104
A 5b
AGGLOMERATION D'EVRY
Lieusaint
SENART (Ville Nouvelle)
D 402
N 445
N 104
N 7
St-Pierre-du-Perray
A 5a
D 402

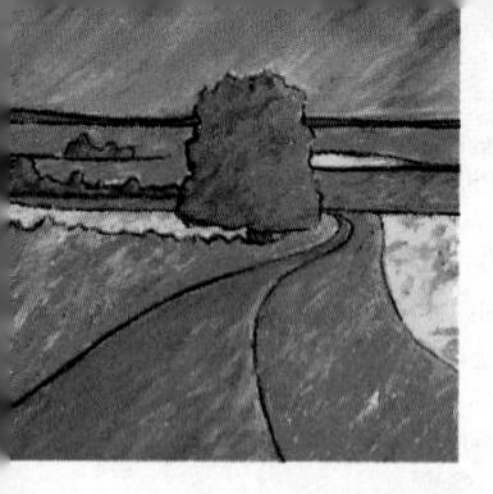

Légende

P SP	*Préfecture – Sous-préfecture*
93300	*Numéro de code postal*
101 ⑭	*Numéro de la carte Michelin et numéro de pli*
AJ 27	*Repère du carroyage des plans Michelin Banlieue de Paris* 18, 20, 22, 24, 25
36252 h. alt. 102	*Population et altitude*
Voir	*Curiosités décrites dans les guides Verts Michelin*
★★★	*Vaut le voyage*
★★	*Mérite un détour*
★	*Intéressant*
	Plans des Environs
• •	*Hôtel-Restaurant*
	Autoroute
	Grande voie de circulation
Pasteur	*Rue piétonne – Rue commerçante*
	Bureau principal de poste restante et téléphone
H POL.	*Hôtel de ville – Police – Gendarmerie*

Key

P SP	*Prefecture – Sub-prefecture*
93300	*Local postal number*
101 ⑭	*Number of appropriate Michelin map and fold*
AJ 27	*Grid reference on Michelin plans of Paris suburbs «Banlieue de Paris»* 18, 20, 22, 24, 25
36252 h. alt. 102	*Population – Altitude (in metres)*
Voir	*Sights described in Michelin Green Guides:*
★★★	*Worth a journey*
★★	*Worth a detour*
★	*Interesting*
	Towns plans of the Environs
• •	*Hotel-Restaurant*
	Motorway
	Major through route
Pasteur	*Pedestrian street – Shopping street*
	Main post office with poste restante and telephone
H POL.	*Town Hall – Police – Gendarmerie*

Alfortville *94140 Val-de-Marne 101 ㉗, 24 25 – 36 119 h alt. 32.*
Paris 10 – Créteil 5 – Maisons-Alfort 1 – Melun 40.

Chinagora H. BE 55
centre Chinagora, 1 pl. Confluent France-Chine ✆ 01 43 53 58 88, *Fax 01 49 77 57 17*
M sans rest – |$| ⇔ ▤ TV ☎ ♿ – 🏛 200. AE ⓓ GB JCB. ✂
☕ 50 – **177 ch** 490/550, 4 appart.

CITROEN Gar. des Quais 2 r. Ch -de-Gaulle ✆.01 43 78 50 34 N ✆ 06 07 97 57 69

Antony *92160 Hauts-de-Seine 101 ㉕, 22 25 – 57 771 h alt. 80.*
ℹ *Office de Tourisme pl. Auguste-Mounie ✆ 01 42 37 57 77, Fax 01 46 66 30 80.*
Paris 12 – Bagneux 8 – Corbeil-Essonnes 25 – Nanterre 24 – Versailles 16.

L'Amandier BM45-46
8 r. Église ✆ 01 46 66 22 02
▤. AE GB. ✂
fermé 23 déc. au 2 janv., dim. soir et lundi – **Repas** *(110)* - 155/220 et carte 200 à 330 🍷.

Tour de Marrakech BN 46
72 av. Division Leclerc ✆ 01 46 66 00 54
▤. GB. ✂
fermé août et lundi – **Repas** - cuisine nord-africaine - 140 (déj.) et carte environ 200.

Visitez la capitale avec le **guide Vert Michelin** PARIS

Arcueil *94110 Val-de-Marne 101 ㉖, 22 25 – 20 334 h alt. 65.*
Paris 7 – Boulogne-Billancourt 9 – Longjumeau 14 – Montrouge 3 – Versailles 20.

Campanile BF 48
73 av. A. Briand, N 20 ✆ 01 47 40 87 09, *Fax 01 45 47 51 93*
|$| ⇔ TV ☎ ✆ ♿ P – 🏛 30. AE ⓓ GB
Repas *(72)* - 92 bc/119 bc, enf. 39 – ☕ 36 – **83 ch** 340.

Ⓜ Equipneu, 32 r. de la Gare ✆ 01 46 65 10 44

Argenteuil ◇SP◇ *95100 Val-d'Oise 101 ⑭, 18 25 G. Ile de France – 93 096 h alt. 33.*
Paris 17 – Chantilly 35 – Pontoise 19 – St-Germain-en-Laye 18.

Campanile AR 41
1 r. Ary Scheffer ✆ 01 39 61 34 34, *Fax 01 39 61 44 20*
M – |$| ⇔ TV ☎ ✆ ♿ P – 🏛 40. AE ⓓ GB
Repas *(72)* - 92 bc/119 bc, enf. 39 – ☕ 36 – **100 ch** 360.

Ferme d'Argenteuil AP 41
2 bis r. Verte ✆ 01 39 61 00 62, *Fax 01 30 76 32 31*
AE GB
fermé lundi soir, mardi soir et dim. – **Repas** 175/300 bc et carte 250 à 380.

FORD Gar. des Grandes Fontaines, 70 bd J. Allemane ✆ 01 39 81 61 61
RENAULT S.R.P.A., 181 bd Général-Delambre ✆ 01 39 81 51 95 N ✆ 08 00 02 83 07
RENAULT Rousseau Argenteuil, 139 bis bd J.-Allemane ✆ 01 39 25 95 95
RENAULT Succursale, 219 r. H.-Barbusse ✆ 01 39 96 41 41
SKODA Gar. Busson, 21 r. Chapeau-Rouge à Sannois ✆ 01 39 81 43 27

Ⓜ Monteils Pneumatiques, 48-50 av. Stalingrad ✆ 01 34 11 44 44

Asnières-sur-Seine *92600 Hauts-de-Seine* 101 ⑮, 18 25 *G. Ile de France – 71 850 h alt. 37.*
Paris 9 – Argenteuil 8 – Nanterre 8 – Pontoise 28 – St-Denis 6 – St-Germain-en-Laye 19.

XXX **Van Gogh** AT 46
Port Van Gogh ✆ 01 47 91 05 10, *Fax 01 47 93 00 93*
– P. AE ⓓ GB.
fermé 10 août au 1er sept., sam. et dim. – **Repas** carte 250 à 410.

XX **Petite Auberge** AT 44
118 r. Colombes ✆ 01 47 93 33 94
GB
fermé 4 au 24 août et lundi – **Repas** 150.

PEUGEOT Gar. Hôtel-de-Ville, 18 r. P.-Brossolette ✆ 01 47 33 02 60
RENAULT Gar. Cretaz, 34 r. de Colombes ✆ 01 47 93 23 90

Athis-Mons *91200 Essonne* 101 ㊱, 25 – *29 123 h alt. 85.*
Paris 18 – Créteil 13 – Évry 12 – Fontainebleau 48.

Rotonde
25 bis r. H. Pinson ✆ 01 69 38 97 78, *Fax 01 69 38 48 02*
sans rest – TV ☎ P. GB.
30 – **22 ch** 300/340.

BMW VP Automobiles, 111 r. R.-Schumann ✆ 01 69 38 64 36

Participez à notre effort permanent de mise à jour

Adressez-nous vos remarques et vos suggestions.

Cartes et guides Michelin

46 avenue de Breteuil - 75324 Paris Cedex 07

Aulnay-sous-Bois *93600 Seine-St-Denis* 101 ⑱, 20 25 – *82 314 h alt. 46.*
Paris 19 – Bobigny 8 – Lagny-sur-Marne 23 – Meaux 31 – St-Denis 16 – Senlis 38.

Novotel AM 62
rte Gonesse N 370 ✆ 01 48 66 22 97, *Fax 01 48 66 99 39*
M, , , – TV ☎ P – 200. AE ⓓ GB
Repas carte environ 170 ♀, enf. 50 – 60 – **139 ch** 480/495.

XXX **Aub. des Saints Pères** AS 62
212 av. Nonneville ✆ 01 48 66 62 11, *Fax 01 48 66 25 22*
. AE GB
fermé 4 au 25 août, sam. midi, dim. soir et lundi – **Repas** 195/360 et carte 340 à 430.

XX **A l'Escargot** AR 62
40 rte Bondy ✆ 01 48 66 88 88, *Fax 01 48 68 26 91*
AE ⓓ GB
fermé août, 1er au 10 janv. et lundi – **Repas** (dîner, prévenir) *(80)* - 130/180 et carte environ 250 ♀, enf. 90.

CITROEN Gar. des Petits Ponts, 153 rte de Mitry ✆ 01 43 83 70 81 N ✆ 01 48 60 60 30
CITROEN Gar. Nonneville, 205 av. de Nonneville ✆ 01 48 66 40 01
FORD Gar. Bocquet, 37 av. A.-France ✆ 01 48 66 47 33
RENAULT Paris Nord Autos, r. J.-Duclos N 370 ✆ 01 48 66 30 65 N ✆ 08 00 05 15 15

Auvers-sur-Oise *95430 Val-d'Oise* 101 ③, 106 ⑥ *G. Ile de France – 6 129 h alt. 30.*

Voir *Maison de Van Gogh★ – Parcours-spectacle "voyage au temps des Impressionnistes"★ au château de Léry.*

Office de Tourisme Manoir des Colombières r. de La Sansonne ☎ 01 30 36 10 06, Fax 01 34 48 08 47.

Paris 33 – Compiègne *71 – Beauvais 55 – Chantilly 29 – L'Isle-Adam 7 – Pontoise 7 – Taverny 7.*

XX **Host. du Nord**
r. Gén. de Gaulle ☎ 01 30 36 70 74, *Fax 01 30 36 72 75*
– P. GB
fermé août, dim. soir et lundi – **Repas** 120/190.

X **Aub. Ravoux**
face Mairie ☎ 01 30 36 60 60, *Fax 01 30 36 60 61*
« Ancien café d'artistes dit "Maison de Van Gogh" » – AE GB JCB.
fermé dim. soir et lundi – **Repas** (nombre de couverts limité, prévenir) *(145)* - 185.

Bagnolet *93170 Seine-St-Denis* 101 ⑰, 20 25 – *32 600 h alt. 96.*

Paris 8 – Bobigny 10 – Lagny-sur-Marne 32 – Meaux 38.

Novotel Porte de Bagnolet AZ 56
av. République, échangeur porte de Bagnolet ☎ 01 49 93 63 00, *Fax 01 43 60 83 95*
– TV ☎ – 600. AE GB
Repas carte environ 170 ♀, enf. 50 – 65 – **611 ch** 790/840.

Campanile AZ 56
30 av. Gén. de Gaulle, échangeur Porte de Bagnolet ☎ 01 48 97 36 00, *Fax 01 48 97 95 60*
M – TV ☎ – 200. AE GB
Repas *(72)* - 92 bc/119 bc, enf. 39 – 36 – **274 ch** 395.

Le Blanc-Mesnil *93150 Seine-St-Denis* 101 ⑰, 20 25 – *46 956 h alt. 48.*

Paris 19 – Bobigny 5 – Lagny-sur-Marne 26 – St-Denis 9 – Senlis 38.

Bleu Marine AN 60
219 av. Descartes ☎ 01 48 65 52 18, *Fax 01 45 91 07 75*
M, – TV ☎ P – 45. AE GB JCB
Repas 145 ♀, enf. 49 – 60 – **128 ch** 650/680.

voir aussi ***Le Bourget***

Bobigny *93000 Seine-St-Denis* 101 ⑰, 20 25 – *44 659 h alt. 42.*

Paris 12 – St-Denis 11.

Campanile AU 59
304 av. Paul Vaillant-Couturier ☎ 01 48 31 37 55, *Fax 01 48 31 53 30*
M – TV ☎ P – 30. AE GB
Repas *(72)* - 92 bc/119 bc, enf. 39 – 36 – **120 ch** 340.

PEUGEOT SIA Paris Nord, 97-103 av. Galliéni à Bondy ☎ 01 48 47 31 19

Bois-Colombes *92270 Hauts-de-Seine* 101 ⑮, 18 25 – *24 415 h alt. 37.*

Paris 12 – Nanterre 8 – Pontoise 25 – St-Denis 9 – St-Germain-en-Laye 18.

XXX **Bouquet Garni** AT 44
7 r. Ch. Chefson ✆ 01 47 80 55 51, *Fax 01 47 60 15 55*
AE GB
fermé août, sam. et dim. – **Repas** 170/205.

X **Chefson** AT 44
17 r. Ch. Chefson ✆ 01 42 42 12 05, *Fax 01 42 42 12 05*
bistrot – GB
fermé 2 au 24 août, vacances de fév., sam. et dim. – **Repas** (nombre de couverts limité, prévenir) 70 (déj.), 112/160 et carte 180 à 240.

CITROEN Gar. Central, 17 bis av. Gambetta ✆ 01 42 42 11 00

CITROEN Gar. Messager, 249 av. d'Argenteuil ✆ 01 47 81 42 22

Bonneuil-sur-Marne *94380 Val-de-Marne* 101 ㉗, 24 25 – *13 626 h alt. 50.*

Paris 17 – Chennevières-sur-Marne 6 – Créteil 4 – Lagny-sur-Marne 28 – St-Maur-des-Fossés 4.

Campanile BL 62
ZI Petits Carreaux, 2 av. Bleuets ✆ 01 43 77 70 29, *Fax 01 43 99 42 96*
– TV ☎ P – 25. AE GB
Repas *(66)* - 84 bc/107 bc, enf. 39 – 34 – **58 ch** 278.

XX **Aub. du Moulin Bateau** BJ 63
imp. Moulin Bateau ✆ 01 43 77 00 10, *Fax 01 43 77 36 39*
, « Terrasse en bordure de Marne » – P. AE GB
fermé sam. midi et dim. soir – **Repas** 120/195 et carte environ 250.

CITROEN Soulard et Faure, av. du 19 Mars 1962 ✆ 01 43 39 63 66

MERCEDES Gar. Val des Nations, ZA des Petits Carreaux ✆ 01 43 39 70 11

RENAULT Central Gar., 11 r. du Colonel-Fabien ✆ 01 43 39 62 76

RENAULT Central Gar., 3 av. de Boissy ✆ 01 43 39 62 39

Bougival *78380 Yvelines* 101 ⑬, 18 25 *G. Ile de France – 8 552 h alt. 40.*

Syndicat d'Initiative Hôtel-de-Ville - r. Joffre ✆ 01 39 69 01 15.

Paris 20 – Rueil-Malmaison 5 – St-Germain-en-L. 6 – Versailles 7 – Le Vésinet 8.

Forest Hill AZ 32
10-12 r. Yvan Tourgueneff ✆ 01 39 18 17 16, *Fax 01 39 18 15 80*
M, – , rest, TV ☎ – 150. AE GB JCB
Repas 79/134 bc, enf. 39 – 55 – **175 ch** 690.

Maréchaux
10 côte de la Jonchère ✆ 01 30 82 77 11, *Fax 01 30 82 78 40*
sans rest, parc, – TV ☎ P – 120. AE GB
42 – **40 ch** 550/630.

XXX **Camélia** AZ 31
7 quai G. Clemenceau ✆ 01 39 18 36 06, *Fax 01 39 18 00 25*
. AE GB
fermé 26 juil. au 18 août, 20 au 29 déc., dim. soir et lundi – **Repas** *(135)* - 185.

Boulogne-Billancourt

92100 Hauts-de-Seine 101 ㉔, 22 25 *G. Ile de France – 101 743 h alt. 35.*

Voir *Musée départemental Albert-Kahn★ : jardin★ – Musée Paul Landowski★.*

Paris 9 – Nanterre 12 – Versailles 11.

Latitudes — BC 42
37 pl. René Clair ✆ 01 49 10 49 10, *Fax 01 46 08 27 09*
M, – – 150. AE GB JCB
L'Entracte ✆01 49 10 49 50 **Repas** 150 déj. et carte 170 à 240 – 75 –
180 ch 1150/1250.

Acanthe — BB 39
9 rd-pt Rhin et Danube ✆ 01 46 99 10 40, *Fax 01 46 99 00 05*
M sans rest – . AE GB JCB
75 – **69 ch** 860/995.

Adagio — BB 40
20 r. Abondances ✆ 01 48 25 80 80, *Fax 01 48 25 33 13*
M, – – 60. AE GB JCB
Repas *(fermé vend. soir, dim. midi et sam.)* 150 – 65 – **75 ch** 770/815.

Paris — BB40-41
104 bis r. Paris ✆ 01 46 05 13 82, *Fax 01 48 25 10 43*
sans rest – . AE GB
38 – **31 ch** 345/420.

Sélect H. — BC 40
66 av. Gén.-Leclerc ✆ 01 46 04 70 47, *Fax 01 46 04 07 77*
sans rest – . AE GB JCB
40 – **63 ch** 480/540.

Olympic H. — BC 41
69 av. V. Hugo ✆ 01 46 05 20 69, *Fax 01 46 04 04 07*
sans rest – . AE GB
30 – **36 ch** 340/430.

Bijou H. — BC 41
15 r. V. Griffuelhes, pl. Marché ✆ 01 46 21 24 98, *Fax 01 46 21 12 98*
sans rest – . AE GB JCB
27 – **50 ch** 270/350.

Au Comte de Gascogne (Charvet) — BB 40
89 av. J.-B. Clément ✆ 01 46 03 47 27, *Fax 01 46 04 55 70*
« Jardin d'hiver » – . AE GB JCB
fermé 9 au 17 août, sam. midi et dim. – **Repas** 260 (déj.)/350 et carte 430 à 590
Spéc. Dégustation de foie gras de canard. Ragoût de homard breton, ravioli de légumes. Pigeon désossé farci et confit (oct. à mai).

L'Auberge — BB 40
86 av. J.-B. Clément ✆ 01 46 05 67 19, *Fax 01 46 05 23 16*
. AE GB
fermé août, sam. midi et dim. – **Repas** 150/190 et carte 220 à 340 ♀.

Ferme de Boulogne — BB 40
1 r. Billancourt ✆ 01 46 03 61 69, *Fax 01 46 04 55 70*
AE GB
fermé 8 au 24 août, sam. midi et dim. – **Repas** *(140)* - 175 (dîner)/235 et carte 200 à 290.

AUDI, VOLKSWAGEN Aguesseau Autom., 183 r. Galliéni ☎ 01 46 05 62 60
BMW Zol'Auto, 24 r. du Chemin Vert ☎ 01 46 09 91 43 N ☎ 01 46 08 23 00
CITROEN Gar. Augustin, 53 r. Danjou ☎ 01 46 10 43 10 N ☎ 08 00 05 24 24
FIAT, LANCIA C.F.B.A., 58 r. Rochereau et 65 r. du Château ☎ 01 46 99 45 45
JAGUAR, ROVER Adam Clayton, 77 av. P.-Grenier ☎ 01 46 09 15 32
OPEL, SAAB Cap Ouest Autom., 6 bis r. de la Ferme ☎ 01 46 94 07 06
PEUGEOT Paris Ouest Autom., 21-23 q. A.-Le Gallo ☎ 01 46 05 43 43 N ☎ 08 00 44 24 24
RENAULT Succursale, 577 av. Gén.-Leclerc ☎ 01 47 61 39 39 N ☎ 08 00 05 15 15
SAAB, TOYOTA Paris Boulogne Auto, 6 r. de la Ferme ☎ 01 46 94 09 09

Cent Mille Pneus, 117 rte de la Reine ☎ 01 46 99 98 78
Etter Pneus, 57 r. Thiers ☎ 01 46 20 18 55

Le Bourget *93350 Seine-St-Denis 101 ⑰, 20 25 G. Ile de France – 11 699 h alt. 47.*

Voir *Musée de l'Air et de l'Espace★★.*

Paris 12 – Bobigny 7 – Chantilly 37 – Meaux 41 – St-Denis 6 – Senlis 37.

Novotel — AM 59

ZA pont Yblon au Blanc Mesnil ✉ 93150 ☎ 01 48 67 48 88, *Fax 01 45 91 08 27*
M, ☂, ⛱, – ⇕ ⇆ ▤ TV ☎ ✆ ♿ P – 🏛 25 à 200. AE ⓪ GB JCB
Repas carte environ 170 ♀, enf. 50 – ☕ 60 – **143 ch** 490/550.

Bleu Marine — AM 58

aéroport du Bourget - Zone aviation d'affaires ☎ 01 49 34 10 38, *Fax 01 49 34 10 35*
M – ⇕ ⇆ ▤ TV ☎ ♿ P – 🏛 60. AE ⓪ GB
Repas *(125)* - 145 ♀, enf. 49 – ☕ 60 – **86 ch** 650.

CITROEN Gar. de l'Angelus, 205-207 av.P.-V.-Couturier à Blanc-Mesnil ☎ 01 48 66 81 54

Euromaster, 190 av. Ch.-Floquet à Blanc-Mesnil ☎ 01 48 67 17 40 N ☎ 01 48 60 60 30

Bourg-la-Reine *92340 Hauts-de-Seine 101 ㉕, 22 25 – 18 499 h alt. 56.*

Office de Tourisme 1 bd Carnot ☎ 01 46 61 36 41.

Paris 10 – Boulogne-Billancourt 17 – Évry 23 – Versailles 17.

Alixia — BJ 47

82 av. Gén. Leclerc ☎ 01 46 60 56 56, *Fax 01 46 60 57 34*
M sans rest – ⇕ ⇆ TV ☎ ✆ 🚗. AE ⓪ GB
☕ 45 – **41 ch** 530/550.

PEUGEOT Gar. Sireine Autos, 12 bis av. Gén.-Leclerc ☎ 01 46 11 15 15
RENAULT Gar. des Cottages, 19 av. des Cottages ☎ 01 43 50 13 75

Vaysse, 30 av. du Gén.-Leclerc ☎ 01 46 65 67 69

Brie-Comte-Robert *77170 S.-et-M. 101 ㊴ G. Ile de France – 11 501 h alt. 90.*

Voir *Verrière★ du chevet de l'église.*

Syndicat d'Initiative (ouvert mer. et sam. après-midi, dim. matin) pl. Jeanne d'Évreux ☎ 01 64 05 30 09.

Paris 31 – Brunoy 10 – Évry 20 – Melun 18 – Provins 63.

A la Grâce de Dieu

79 r. Gén. Leclerc (N 19) ☎ 01 64 05 00 76, *Fax 01 64 05 60 57*
M – TV ☎ ✆ P. AE GB
fermé 1er au 15 août – **Repas** *(fermé dim. soir)* 99/200 ♀, enf. 60 – ☕ 30 – **18 ch** 185/260 – ½ P 225.

CITROEN Pasquier Autom., 6 av. Gén.-Leclerc ✆ 01 64 05 00 94
PEUGEOT Metin, 7 r. Gén.-Leclerc ✆ 01 64 05 05 50 **N** ✆ 06 07 52 88 27
RENAULT Gar. Redelé Brie, 17 av. Gén.-Leclerc ✆ 01 60 62 50 50 **N** ✆ 08 00 05 15 15

Interpneu Mélia Vulco, 75 r. Gén.-Leclerc ✆ 01 64 05 88 99

Brou-sur-Chantereine *77177 S.-et-M.* 101 ⑲, 25 *– 4 469 h alt. 120.*

Paris 27 – Coulommiers 39 – Meaux 28 – Melun 47.

XX **Lotus de Brou**
2 ter r. Carnot ✆ 01 64 21 01 44
GB.
fermé août et lundi – **Repas** - cuisine chinoise et thaï - carte 150 à 220.

RAVM, 12 r. de Chantereine ✆ 01 60 20 99 05

Bry-sur-Marne *94360 Val-de-Marne* 101 ⑱, 25 *– 13 826 h alt. 40.*

Paris 15 – Créteil 11 – Joinville-le-Pont 6 – Nogent-sur-Marne 4 – Vincennes 8.

XX **Aub. du Pont de Bry** **BC 65**
3 av. Gén. Leclerc ✆ 01 48 82 27 70
AE GB
fermé 1er au 21 août, dim. soir et lundi – **Repas** 145.

Buc *78530 Yvelines* 101 ㉓, 22 25 *– 5 434 h alt. 130.*

Paris 28 – Bièvres 8 – Chevreuse 13 – Versailles 5.

Campanile **BM 30**
Z.A.C. du Pré Clos ✆ 01 39 56 26 26, *Fax 01 39 56 26 27*
– TV P – 25. AE GB
Repas *(66)* - 84 bc/107 bc, enf. 39 – 34 – **49 ch** 278.

RENAULT Succursale, ZI, 2-4 r. R.-Garros ✆ 01 30 84 60 00 **N** ✆ 08 00 05 15 15

Carrières-sur-Seine *78420 Yvelines* 101 ⑭, 18 25 *– 11 469 h alt. 52.*

Paris 19 – Argenteuil 9 – Asnières-sur-Seine 11 – Courbevoie 9 – Nanterre 9 – Pontoise 30 – St-Germain-en-Laye 6.

XX **Panoramic de Chine** **AT 36**
1 r. Fermettes ✆ 01 39 57 64 58, *Fax 01 39 15 17 68*
– P. AE GB.
Repas - cuisine chinoise et thaï - 88/150 et carte 120 à 160.

La Celle-St-Cloud *78170 Yvelines* 101 ⑬, 18 25 *– 22 834 h alt. 115.*

Paris 21 – Rueil-Malmaison 7 – St-Germain-en-L. 7 – Versailles 6 – Le Vésinet 9.

X **Au Petit Chez Soi** **BA 32**
pl. Église, au bourg ✆ 01 39 69 69 51, *Fax 01 39 18 30 42*
, bistrot – AE GB
fermé 25 déc. au 1er janv., dim. soir et lundi de sept. à avril – **Repas** 163.

Pour visiter la région parisienne,
utilisez
le guide Vert Michelin ILE-DE-FRANCE,
les cartes 101, 106, 237
les plans de Banlieue 17, 19, 21 *et* 23,
l'atlas 25 *Paris et Banlieue.*

Cergy-Pontoise Ville Nouvelle P 95 Val-d'Oise 55 ⑳ 106 ⑤ 101 ② *G. Ile de France.*

Golf d'Ableiges ✆ 01 34 66 06 05 à Pontoise ; ✆ 01 34 21 03 48, O : 7 km par D 922 à Cergy.

Paris 34 – Mantes-la-Jolie 39 – Pontoise 2 – Rambouillet 60 – St-Germain-en-Laye 19 – Versailles 34.

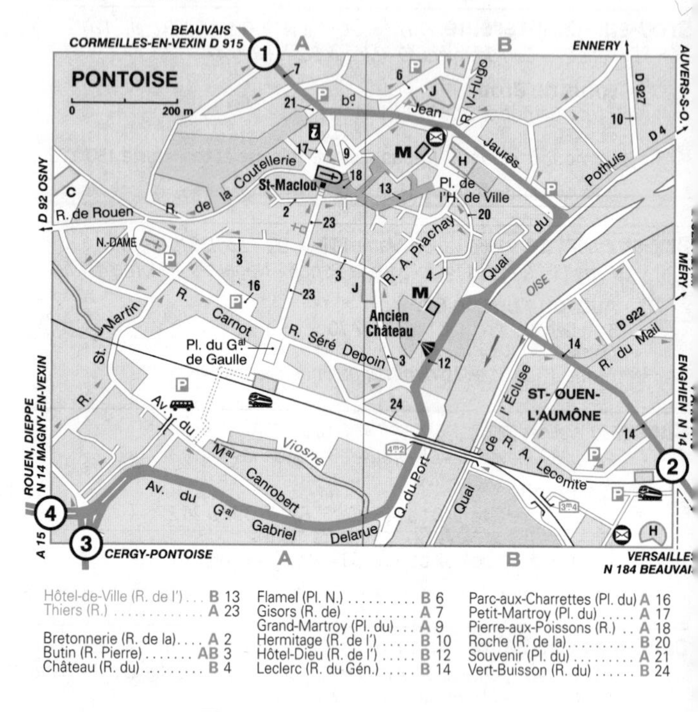

Hôtel-de-Ville (R. de l') . . . B 13
Thiers (R.) . . . . A 23

Bretonnerie (R. de la) . . . . A 2
Butin (R. Pierre) . . . . AB 3
Château (R. du) . . . . B 4
Flamel (Pl. N.) . . . . B 6
Gisors (R. de) . . . . A 7
Grand-Martroy (Pl. du) . . . A 9
Hermitage (R. de l') . . . . . B 10
Hôtel-Dieu (R. de l') . . . . . B 12
Leclerc (R. du Gén.) . . . . . B 14
Parc-aux-Charrettes (Pl. du) A 16
Petit-Martroy (Pl. du) . . . . . A 17
Pierre-aux-Poissons (R.) . . A 18
Roche (R. de la) . . . . B 20
Souvenir (Pl. du) . . . . A 21
Vert-Buisson (R. du) . . . . . . B 24

Cergy – *48 226 h. alt. 30* – ✉ *95000 :.*

Astrée
3 r. Chênes Émeraude par bd Oise ✆ 01 34 24 94 94, *Fax 01 34 24 95 15*
sans rest – 60. AE GB
48 – **55 ch** 520/650.

Novotel
3 av. Parc, près préfecture ✆ 01 30 30 39 47, *Fax 01 30 30 90 46*
ch, – 100. AE GB
Repas carte environ 170 ♀, enf. 50 – 60 – **191 ch** 640/675.

Campanile
Parc d'activités St-Christophe (sortie échangeur n° 11) r. Petit Albi ✆ 01 34 24 02 44, *Fax 01 30 73 99 96*
– – 25. AE GB
Repas *(66)* - 84 bc/107 bc, enf. 39 – 34 – **46 ch** 278.

Les Coupoles
1 r. Chênes Emeraude par bd Oise ✆ 01 30 73 13 30, *Fax 01 30 73 46 90*
AE GB
fermé sam. et dim. – **Repas** 168 bc/258 bc et carte 260 à 350.

Cormeilles-en-Véxin – *802 h. alt. 111 – ✉ 95830 :*

XXX **Relais Ste-Jeanne** (Cagna)
✿✿ sur ancienne D 915 ✆ 01 34 66 61 56, *Fax 01 34 66 40 31*
« Jardin » – P. AE GB
fermé 25 juil. au 18 août, 23 au 28 déc., dim. et lundi – **Repas** 220/600 bc
Spéc. Paupiettes de sole au persil plat et champignons sylvestres. Douceur de homard aux aromates à l'huile d'olive. Pigeon de Bretagne aux griottes et jus acidulé.

Méry-sur-Oise – *6 179 h. alt. 29 – ✉ 95540 :.*
Syndicat d'Initiative 30 av. M. Perrin ✆ 01 34 64 85 15.

XXX **Chiquito** (Mihura)
✿ rte Pontoise 1,5 km par D922 ✆ 01 30 36 40 23, *Fax 01 30 36 42 22*
– P. AE GB
fermé 16 fév. au 2 mars, sam. midi, dim. soir et lundi – **Repas** (prévenir) 300/370
Spéc. Ragoût de petits gris et grenouilles. Homard rôti à l'infusion de porto au pistou. Assiette "Saint-Hubert" (oct. à déc.).

Osny – *12 195 h. alt. 37 – ✉ 95520 :*

XX **Moulin de la Renardière**
r. Gd Moulin ✆ 01 30 30 21 13, *Fax 01 34 25 04 98*
, « Ancien moulin dans un parc » – P. AE GB
fermé dim. soir et lundi – **Repas** 169.

Pontoise P – *27 150 h. alt. 48 – ✉ 95300 :.*
Office de Tourisme 6 pl. du Petit-Matroy ✆ 01 30 38 24 45, Fax 01 30 73 54 84.

Campanile
r. P. de Coubertin par ④ ✆ 01 30 38 55 44, *Fax 01 30 30 48 87*
– TV P – 25. AE GB
Repas *(66)* - 84 bc/107 bc, enf. 39 – 34 – **80 ch** 278.

CITROEN Pontoise Cergy Autos, 17 r. d'Anjou ZI de Béthune à St-Ouen-l'Aumône pa r r.du Mail ✆ 01 34 20 15 15
CITROEN Pontoise Cergy Autos, 21 ch. J.-César ✆ 01 30 30 28 29
FORD Rémy Goudé Auto, 15 r. de la Pompe à Cergy ✆ 01 34 33 32 31
LANCIA Gar. SOGEL, 10 r. Séré-Depoin à Pontoise ✆ 01 30 75 33 00
PEUGEOT Cergy-Pontoise Autom., 8 ch. J.-César par ⑥ **à Osny** ✆ 01 30 30 12 12
N ✆ 08 00 44 24 24

RENAULT Rousseau, 2 ch. J.-César par ⑥ **à Osny** ✆ 01 34 41 95 95

Euromaster, 121 av. du Gén.-Leclerc à Pierrelaye ✆ 01 34 64 07 50
Inter Pneu Melia Vulco, ZA 67 r. F.-Combes ✆ 01 30 30 11 91
Vaysse, 15 rte de Gisors D 915 à Osny ✆ 01 34 24 85 88

Cernay-la-Ville *78720 Yvelines* 101 ㉛, 106 ㉙ – *1 757 h alt. 170.*
Voir *Abbaye★ des Vaux-de-Cernay O : 2 km,* **G.Île de France.**
Paris 45 – Chartres 53 – Longjumeau 27 – Rambouillet 12 – Versailles 23.

Abbaye des Vaux de Cernay
Ouest : 2,5 km par D 24 ✆ 01 34 85 23 00, *Fax 01 34 85 11 60*
, <, « Ancienne abbaye cistercienne du 12e siècle dans un grand parc », , – – 500. AE GB. rest
Repas 160 (déj.), 255/415, enf. 90 – 80 – **55 ch** 390/1590, 3 appart – ½ P 700/800.

PEUGEOT Gar. Vallée, ✆ 01 34 85 21 27 N ✆ 08 00 44 24 24

Charenton-le-Pont *94220 Val-de-Marne 101 ㉗, 24 25 – 21 872 h alt. 45.*

Paris 8 – Alfortville 4 – Ivry-sur-Seine 4.

Novotel Atria BD 55
5 pl. Marseillais (r. Paris) ✆ 01 46 76 60 60, *Fax 01 49 77 68 00*
M, – – 25 à 180. AE GB JCB
Repas *(95)* - 125 ♀, enf. 55 – 65 – **133 ch** 775/850.

L'Amphitryon BE 56
21 av. Mar. de Lattre de Tassigny ✆ 01 49 77 65 65
GB
fermé 10 au 25 août, dim. et lundi – **Repas** - produits de la mer - *(130)* - 175 ♀.

Chatou *78400 Yvelines 101 ⑬, 18 25 G. Île de France – 27 977 h alt. 30.*

Paris 16 – Maisons-Laffitte 11 – Pontoise 32 – St-Germain-en-Laye 5 – Versailles 13.

Canotiers AW 33
16 av. Mar. Foch ✆ 01 30 71 58 69, *Fax 01 30 53 27 28*
. AE GB JCB
fermé dim. soir et lundi – **Repas** *(85)* - 120 (déj.), 160/260 et carte 240 à 360 ♀.

RENAULT Gar. de la Résidence, 40 et 119 av. du Mar. Foch ✆ 01 30 15 77 77 N ✆ 08 00 05 15 15

Visitez la capitale avec le ***guide Vert Michelin PARIS***

Chelles *77500 S.-et-M. 101 ⑲, 20 25 – 45 365 h alt. 45.*

Office de Tourisme 51 bis av. de la Résistance ✆ 01 60 08 12 24, Fax 01 60 20 63 03.

Paris 24 – Coulommiers 42 – Meaux 26 – Melun 45.

Climat de France AX 72
D 34, rte Claye-Souilly ✆ 01 60 08 75 58, *Fax 01 60 08 90 94*
P – 50. GB
Repas *(55)* - 65 (déj.), 89/125 ♀, enf. 39 – 35 – **44 ch** 305.

AUDI, VOLKSWAGEN Gar. Lourdin, 33 r. G.-Nast ✆ 01 60 08 38 42
CITROEN Gar. Pacha, 59-61 av. Mar.-Foch ✆ 01 64 26 64 26
FORD Gar. Dubos, 92 av. Mar.-Foch ✆ 01 60 20 43 42
NISSAN Gar. Pirrot, 34 à 40 r. A.-Meunier ✆ 01 60 08 85 95
OPEL Chelles Autom., ZI, 6 av. de Sylvie ✆ 01 60 08 53 02
PEUGEOT Gar. Metin, 53 av. Mar.-Foch ✆ 01 64 21 87 00 N ✆ 08 00 44 24 24
RENAULT Gar. de Chelles, 9 av. du Marais ✆ 01 64 21 19 81 N ✆ 01 60 26 15 88

Euromaster, 41 r. A.-Meunier ✆ 01 60 08 07 68

Chennevières-sur-Marne *94430 Val-de-Marne 101 ㉘, 24 25 – 17 857 h alt. 108.*

18 *d'Ormesson* ✆ 01 45 76 20 71, SE : 3 km.

Paris 18 – Coulommiers 49 – Créteil 9 – Lagny-sur-Marne 20.

Écu de France BG 65
31 r. Champigny ✆ 01 45 76 00 03
, , « Cadre rustique, terrasse fleurie en bordure de rivière », – P. GB.
fermé 1er au 7 sept., dim. soir et lundi – **Repas** carte 230 à 360.

Bonheur de Chine BH 66
r. Amboile (centre comm. du Moulin) 01 45 93 32 30
AE GB
Repas - cuisine chinoise - 89/130.

BMW Gar. du Bac, 2 et 4 r. Lavoisier 01 49 62 03 30 N 01 40 25 59 00
FIAT Carrefour des Nations, 2 rte de la Libération 01 45 76 56 05
RENAULT SOVEA, 96 rte de la Libération 01 49 62 21 21 N 08 00 05 15 15
VOLVO Élysées Est Autos, 102 rte de la Libération 01 45 93 04 00

Clamart *92140 Hauts-de-Seine 101 ㉕, 22 25 – 47 227 h alt. 102.*

Office de Tourisme 22 rue P.-V.-Couturier 01 46 42 17 95, Fax 01 46 42 44 30.

Paris 10 – Boulogne-Billancourt 5 – Issy-les-Moulineaux 3 – Nanterre 15 – Versailles 13.

du Trosy BG 42
41 r. P. Vaillant-Couturier 01 47 36 37 37, *Fax 01 47 36 88 38*
sans rest – TV. AE GB
35 – **40 ch** 400.

AUDI, VOLKSWAGEN S.T.N.A., 154 av. V.-Hugo 01 46 42 20 61
PEUGEOT Gar. Claudis, 182 av. Gén.-de-Gaulle 01 41 07 90 20 N 08 00 44 24 24
RENAULT Clamart Autom., 185 av. V.-Hugo 01 46 44 38 03 N 08 00 05 15 15
Clamart Pneus, 329 av. Gén.-de-Gaulle 01 46 31 12 04

Clichy *92110 Hauts-de-Seine 101 ⑮, 18 25 – 48 030 h alt. 30.*

Office de Tourisme 61 r. Martre 01 47 15 31 61.

Paris 9 – Argenteuil 8 – Nanterre 9 – Pontoise 28 – St-Germain-en-Laye 20.

Sovereign AU 46
14 r. Dagobert 01 47 37 54 24, *Fax 01 47 30 05 80*
sans rest – TV. AE GB
40 – **42 ch** 390/450.

des Chasses AU 46
49 r. Pierre Bérégovoy 01 47 37 01 73, *Fax 01 47 31 40 98*
sans rest – TV. AE GB JCB.
40 – **35 ch** 360/400.

L'Europe AU 47
52 bd Gén. Leclerc 01 47 37 13 10, *Fax 01 40 87 11 06*
sans rest – TV – 25. AE GB
40 – **43 ch** 450.

Romantica AU 46
73 bd J. Jaurès 01 47 37 29 71, *Fax 01 47 37 76 32*
– AE GB
fermé sam. midi et dim. – **Repas** - cuisine italienne - 195 (déj.), 220/350 et carte 250 à 400.

Barrière de Clichy AV 47
1 r. Paris 01 47 37 05 18, *Fax 01 47 37 77 05*
. AE GB
fermé 8 au 31 août, sam. midi et dim. – **Repas** 160/270 et carte 200 à 360.

BMW G.P.M., 8 rue de Belfort 01 47 39 99 40
CITROEN Centre Citroën Clichy, 125 bd J.-Jaurès 01 42 70 17 17
CITROEN Succursale, 15-17 r. Fournier ZAC 01 47 37 30 02
FORD Gar. Sadeva, 129 bd Jean-Jaurès 01 47 39 71 13
Central Pneumatique, 22 r. Dr.-Calmette 01 42 70 99 94

Conflans-Ste-Honorine *78700 Yvelines* 101 ③ *G. Ile de France* (plan) – *31 467 h alt. 25 Pardon national de la Batellerie (fin juin).*

Voir ≤★ *de la terrasse du parc – Musée de la Batellerie.*

Office de Tourisme 23 r. Maurice-Berteaux ☎ 01 34 90 99 09.

Paris 39 – Mantes-la-Jolie 41 – Poissy 12 – Pontoise 8 – St-Germain-en-Laye 14 – Versailles 28.

XX **Au Confluent de l'Oise**
15 cours Chimay ☎ 01 39 72 60 31, *Fax 01 39 19 99 90*
≤, – P. AE GB
fermé 16 août au 3 sept., vacances de fév., dim. soir et lundi sauf fériés – **Repas** *(88)* - 159/198 bc.

X **Au Bord de l'Eau**
15 quai Martyrs-de-la-Résistance ☎ 01 39 72 86 51
fermé 17 au 24 août, vend. midi, sam. midi et lundi – **Repas** 159.

Gar. Foch, 188 av. Foch ☎ 01 39 19 44 80

Visitez la capitale avec le **guide** *Vert Michelin* PARIS

Courbevoie *92400 Hauts-de-Seine* 101 ⑮, 18 25 *G. Ile de France – 65 389 h alt. 28.*

Paris 10 – Asnières-sur-Seine 4 – Levallois-Perret 5 – Nanterre 5 – St-Germain-en-Laye 18.

George Sand AV 41
18 av. Marceau ☎ 01 43 33 57 04, *Fax 01 47 88 59 38*
sans rest, « Décor évoquant l'époque de George Sand » – TV ☎. AE GB
40 – **31 ch** 410/500.

Clarine AV42-43
85 bd St-Denis ☎ 01 47 88 28 58, *Fax 01 47 88 24 80*
sans rest – TV ☎. AE GB
40 – **33 ch** 460.

Central AV 41
99 r. Cap. Guynemer ☎ 01 47 89 25 25, *Fax 01 46 67 02 21*
sans rest – TV ☎ P. AE GB JCB
32 – **55 ch** 360/420.

Quartier Charras :

Mercure La Défense 5 AV 41
18 r. Baudin ☎ 01 49 04 75 00, *Fax 01 47 68 83 32*
M – TV ☎ – 25 à 250. AE GB JCB
Charleston Brasserie ☎ 01 49 04 75 85 **Repas** *(98)*-138 ♀, enf. 50 – 75 – **510 ch** 920/970, 5 appart.

au Parc de Bécon :

XX **Trois Marmites** AV 43
215 bd St-Denis ☎ 01 43 33 25 35
. AE GB
fermé août, sam., dim. et le soir – **Repas** *(160)* - 190.

HONDA Japauto Autom., 96-102 bd de Verdun ☎ 01 41 88 30 30
RENAULT Succursale, 8 bd G.-Clémenceau ☎ 01 46 67 55 55 N ☎ 08 00 05 15 15

Cenci Pneu Point S, 8 r. de Bitche ☎ 01 43 33 25 36

Créteil P 94000 *Val-de-Marne* 101 ㉗, 24 25 *G. Ile de France – 82 088 h alt. 48.*

Voir *Hôtel de ville★ : parvis★.*

Office de Tourisme 1 r. F.-Mauriac ✆ 01 48 98 58 18, Fax 01 42 07 09 65.

Paris 14 – Bobigny 20 – Évry 22 – Lagny-sur-Marne 29 – Melun 35.

Novotel BJ 58
au lac ✆ 01 42 07 91 02, *Fax 01 48 99 03 48*
M, –, – 80. AE GB
Repas carte environ 170, enf. 50 – 60 – **110 ch** 510/650.

CITROEN Gar. des Quais, 30 r. de Valenton ✆ 01 42 07 21 00 N ✆ 08 00 05 24 24
PEUGEOT SCA-SVICA, 89 av. Gén.-de-Gaulle ✆ 01 45 17 94 94
RENAULT SVAC, ZI Petites Haies, 37 r. de Valenton ✆ 01 45 17 98 00

Euromaster, 54 av. H.-Barbusse à Valenton ✆ 01 43 89 06 54
Vulco, Ferme de la Grange à Yerres ✆ 01 69 83 90 20

Croissy-sur-Seine *78290 Yvelines* 101 ⑬, 18 25 *– 9 098 h alt. 24.*

Paris 20 – Maisons-Laffitte 11 – Pontoise 28 – St-Germain-en-Laye 5 – Versailles 10.

Buissonnière AX 32
9 av. Mar. Foch (près église) ✆ 01 39 76 73 55
GB
fermé 15 août au 15 sept., dim. soir et lundi – **Repas** 150 et carte 180 à 270.

If you intend sightseeing in the capital use the Michelin Green Guide to PARIS *(In English).*

Dampierre-en-Yvelines *78720 Yvelines* 101 ㉛ *– 1 030 h alt. 100.*

Voir *Château de Dampierre★★*, G. Ile de France.

Paris 43 – Chartres *57 – Longjumeau 28 – Rambouillet 16 – Versailles 18.*

Aub. du Château "Table des Blot"
1 Grande rue ✆ 01 30 47 56 56, *Fax 01 30 47 51 75*
avec ch – TV. GB
fermé dim. soir et lundi – **Repas** 170 et carte le dim. environ 230 – 50 – **15 ch** 350/400
Spéc. Soupe crémeuse aux crustacés. Filet de boeuf sauce vin rouge, pommes macaire. Savarin tiède au chocolat.

Écuries du Château
au château ✆ 01 30 52 52 99, *Fax 01 30 52 59 90*
P. AE GB
fermé vacances de fév. et mardi – **Repas** 220/320 et carte 250 à 350.

Aub. St-Pierre
1 r. Chevreuse ✆ 01 30 52 53 53, *Fax 01 30 52 58 57*
AE GB
fermé dim. soir et lundi – **Repas** (140) - 180.

La Défense *92 Hauts-de-Seine* 101 ⑭, 18 25 *G. Paris – ✉ 92400 Courbevoie.*

Voir *Quartier★★ : perspective★ du parvis.*

Paris 9 – Courbevoie 1 – Nanterre 4 -- Puteaux 1.

Sofitel CNIT AV-AW40
2 pl. Défense ✆ 01 46 92 10 10, *Fax 01 46 92 10 50*
M – , ch, TV – 70. AE GB JCB
voir rest. ***Les Communautés*** ci-après – 100 – **141 ch** 1500, 6 appart.

Sofitel La Défense AW 41
34 cours Michelet, par bd circulaire sortie La Défense 4 ✉ 92060 Puteaux
✆ 01 47 76 44 43, *Fax 01 47 76 72 20*
M, – 80. AE GB
Les 2 Arcs *(fermé vend. soir, dim. midi et sam.)* **Repas** 295 (déj.) et carte 190 à 300 ♀
Le Botanic *(fermé le soir sauf vend. et sam.)* **Repas** 160 ♀ – 105 – **149 ch** 1450.

Renaissance AW 40
60 Jardin de Valmy, par bd circulaire, sortie La Défense 7 ✉ 92918 Puteaux
✆ 01 41 97 50 50, *Fax 01 41 97 51 51*
M, – 200. AE GB
Repas 170 ♀ – 95 – **314 ch** 1400/1600, 20 appart.

Novotel La Défense AW 42
2 bd Neuilly ✆ 01 41 45 23 23, *Fax 01 41 45 23 24*
M, – 25 à 150. AE GB JCB
Repas *(89)* - carte environ 170 ♀, enf. 50 – 70 – **280 ch** 810/850.

Ibis La Défense AW 42
4 bd Neuilly ✆ 01 41 97 40 40, *Fax 01 41 97 40 50*
M, – 50. AE GB
Repas *(72)* - carte 100 à 130 ♀ – 39 – **284 ch** 530.

Les Communautés - Hôtel Sofitel CNIT AV-AW40
2 pl. Défense, 5e étage ✆ 01 46 92 10 30, *Fax 01 46 92 10 50*
AE GB JCB
fermé sam. et dim. – **Repas** 190 (dîner) et carte 290 à 340 ♀.

Demandez chez le libraire le catalogue des publications Michelin.

Enghien-les-Bains *95880 Val-d'Oise* 101 ⑤, 18 25 *G. Ile de France – 10 077 h alt. 45 – Stat. therm. – Casino.*

Voir *Lac★ – Deuil-la-Barre : chapiteaux historiés★ de l'église N.-Dame NE : 2 km.*

de Domont Montmorency ✆ 01 39 91 07 50, N : 8 km.

Office de Tourisme pl. du Mar. Foch ✆ 01 34 12 41 15, Fax 01 39 34 05 76.

Paris 18 – Argenteuil 5 – Chantilly 32 – Pontoise 21 – St-Denis 7 – St-Germain-en-Laye 23.

Grand Hôtel AL 46
85 r. Gén. de Gaulle ✆ 01 39 34 10 00, *Fax 01 39 34 10 01*
– 35. AE GB
Repas *(145)* - 185 et carte 200 à 350 ♀, enf. 60 – 80 – **44 ch** 670/740, 3 appart.

Lac AL 46
89 r. Gén. de Gaulle ✆ 01 39 34 11 00, *Fax 01 33 34 11 01*
M, – cuisinette – 120. AE GB JCB
Repas 155 bc/190 ♀ – 70 – **106 ch** 550/590, 3 appart.

Aub. Landaise AK 47
32 bd d'Ormesson ✆ 01 34 12 78 36
AE GB JCB
fermé août, vacances de fév., dim. soir et merc. – **Repas** carte 160 à 230.

BMW Enghien Autom., 211 av. Division Leclerc ✆ 01 39 89 14 17
NISSAN Gar. Andréoli, 14 r. J.-Ferry ✆ 01 39 64 70 32
RENAULT Relais des Courses, 4 av. Kellermann à Eaubonne ✆ 01 39 59 89 45

Épinay-sur-Seine 93800 Seine-St-Denis 101 ⑮, 18 25 – 48 762 h alt. 34.

Paris 15 – Argenteuil 5 – Bobigny 19 – Pontoise 21 – St-Denis 5.

Myriades AN 49
127 rte St-Leu ☎ 01 42 35 81 63, *Fax 01 42 35 81 62*
rest, – 30. GB
Repas *(fermé dim. soir)* (62) - 81/147, enf. 44 – 36 – **46 ch** 290 – ½ P 246.

Ibis AM 46
1 av. 18-Juin-1940 ☎ 01 48 29 83 41, *Fax 01 48 22 93 03*
– – 25 à 50. AE GB
Repas (75) - 95 ♀, enf. 39 – 36 – **91 ch** 360.

Euromaster, 123-125 av. Mar.-de-Lattre-de-Tassigny ☎ 01 48 41 43 75

Circulez autour de Paris avec les cartes Michelin
101 *à 1/50 000 - Banlieue de Paris*
106 *à 1/100 000 - Environs de Paris*
237 *à 1/200 000 - Ile de France*

Évry (Agglomération d') 91 Essonne 101 ㊲.

18 9 *du Coudray* ☎ 01 64 93 81 76, par ③ : 7,5 kms ; 18 *de St-Germain-les-Corbeil* ☎ 01 60 75 81 54, par N 7 et N104 : 7 kms.

Office de Tourisme de l'Agglomération d'Evry 23 cours B. Pascal, Evry Centre ☎ 01 60 78 79 99, Fax 01 60 78 03 01.

Paris 32 – Fontainebleau 36 – Chartres 80 – Créteil 30 – Étampes 36 – Melun 23 – Versailles 38.

Évry P *G. Ile de France – 45 531 h. alt. 54 – ✉ 91000.*

Voir *Cathédrale de la Résurrection★.*

Mercure
52 bd Coquibus (face cathédrale) ☎ 01 69 47 30 00, *Fax 01 69 47 30 10*
M, – , rest, – 120. AE GB
Repas *(fermé dim. midi et sam.)* (85) - 170 – 60 – **114 ch** 520/550.

Novotel
Z.I. Évry, quartier Bois Briard, 3 r. Mare Neuve ☎ 01 69 36 85 00, *Fax 01 69 36 85 10*
M, , , – – 250. AE GB
Repas carte environ 170 ♀, enf. 50 – 60 – **174 ch** 510/540.

Ibis
Z.I. Évry, quartier Bois Briard, 1 av. Lac ☎ 01 60 77 74 75, *Fax 01 60 78 06 03*
AE GB
Repas (75) - 95, enf. 39 – 35 – **90 ch** 320.

à Lisses – *6 860 h. alt. 86 – ✉ 91090 :*

Léonard de Vinci
av. Parcs ☎ 01 64 97 66 77, *Fax 01 64 97 59 21*
M, , centre de balnéothérapie, , , , – – 100. AE GB
Repas (80) - 130/250 – 50 – **76 ch** 485/570.

RENAULT Gar. de l'Agora, à Courcouronnes par ④ ☎ 01 64 97 94 95

Vaysse, Angle N 7, bd Champs Elysées ☎ 01 60 77 19 39

Fontenay-aux-Roses

92260 Hauts-de-Seine 101 ㉕, 22 25 – 23 322 h alt. 120.

Paris 9 – Boulogne-Billancourt 8 – Nanterre 19 – Versailles 14.

Climat de France — BH 45

32 av. J. M. Dolivet ✆ 01 43 50 02 04, *Fax 01 46 83 81 20*

– 40. AE GB

Repas 92/138, enf. 39 – 37 – **58 ch** 360.

CITROEN B.F.A., 98 r. Boucicaut ✆ 01 46 61 21 75

FORD Gar. Mécanoel, 2 r. des Benards angle av. Lombart ✆ 01 46 61 11 14

RENAULT Gar. Beck, 17 av. Jean-Moulin ✆ 01 43 50 61 90

Fontenay-sous-Bois

94120 Val-de-Marne 101 ⑰, 20 24 – 51 868 h alt. 70.

Office de Tourisme 4 bis av. Charles Garcia ✆ 01 43 94 33 48, Fax 01 43 94 02 93.

Paris 11 – Créteil 13 – Lagny-sur-Marne 24 – Villemomble 8 – Vincennes 4.

Mercure — BA 62

av. Olympiades ✆ 01 49 74 88 88, *Fax 01 43 94 17 73*

M – – 90. AE GB

Repas *(109)* - 149, enf. 50 – 60 – **133 ch** 680/720.

Musardière — BA 62

61 av. Mar. Joffre ✆ 01 48 73 96 13

AE GB

fermé 10 au 16 août, lundi soir et dim. – **Repas** 149 et carte 180 à 300.

MERCEDES Etoile des Nations, 189 av. Mar.-De-Lattre-de-Tassigny ✆ 01 48 77 09 09

Garches

92380 Hauts-de-Seine 101 ⑭, 22 25 – 17 957 h alt. 114.

de St-Cloud (92) ✆ 01 47 01 01 85, parc de Buzenval 60 r. 19-Janv.

Paris 15 – Courbevoie 9 – Nanterre 8 – St-Germain-en-Laye 15 – Versailles 9.

Tardoire — BB 36

136 Grande Rue ✆ 01 47 41 41 59

GB

fermé 15 juil. au 15 août, 2 au 10 janv., dim. soir et lundi – **Repas** 100 (déj.), 150/170 et carte 170 à 260.

CITROEN Gar. Magenta, 4 bd Gén.-de-Gaulle ✆ 01 47 10 91 50

La Garenne-Colombes

92250 Hauts-de-Seine 101 ⑭, 18 25 – 21 754 h alt. 40.

Office de Tourisme 24 r. E.-d'Orves ✆ 01 47 85 09 90.

Paris 12 – Argenteuil 6 – Asnières-sur-Seine 4 – Courbevoie 2 – Nanterre 2 – Pontoise 27 – St-Germain-en-Laye 15.

Aub. du 14 Juillet — AU 42

9 bd République ✆ 01 42 42 21 79, *Fax 01 42 42 24 56*

AE GB

fermé août, sam., dim. et fériés – **Repas** 180 et carte 210 à 390.

PEUGEOT Succursale, 9 bd National ✆ 01 41 19 55 00 N ✆ 08 00 44 24 24

Gentilly

94250 Val-de-Marne 101 ㉖, 24 25 – 17 093 h alt. 46.

Paris 7 – Créteil 15.

Mercure — BE 50

51 av. Raspail ✆ 01 47 40 87 87, *Fax 01 47 40 15 88*

M, – – 40. AE GB

Repas *(fermé vend. soir, sam. et dim.) (95)* - 130, enf. 50 – 57 – **87 ch** 675/715.

Gometz-le-Chatel 91940 Essonne 101 ㉝ – 1 763 h alt. 168.

Paris 32 – Arpajon 21 – Évry 30 – Rambouillet 25 – Versailles 22.

Mancelière
83 rte Chartres ✆ 01 60 12 30 10, *Fax 01 60 12 53 10*
AE GB.
fermé 13 juil. au 17 août, sam. midi et dim. – **Repas** 155 et carte 220 à 310.

Goussainville 95190 Val-d'Oise 101 ⑦ – 24 812 h alt. 95.

Paris 28 – Chantilly 24 – Pontoise 32 – Senlis 30.

Médian
2 av. F. de Lesseps (par D 47) ✆ 01 39 88 93 93, *Fax 01 39 88 75 65*
M, – – 30. AE GB
Repas *(59)* - 78/137, enf. 39 – 35 – **49 ch** 390/420, 6 appart.

Gressy 77410 S.-et-M. 101 ⑩ – 868 h alt. 98.

Paris 33 – Meaux 20 – Melun 57 – Senlis 35.

Manoir de Gressy
✆ 01 60 26 68 00, *Fax 01 60 26 45 46*
M, , , – , rest, – 100. AE GB JCB
Repas 195/300 ♀, enf. 80 – 95 – **88 ch** 1250/1500.

Foreign Exchange Offices	*Everyday from 6:30 AM to 11:30 PM:* at Orly Sud Airport *Everyday from 8 AM to 10 PM:* Invalides Air terminal *Everyday from 6 AM to 11:30 PM:* at Charles de Gaulle *(Roissy)* Airport

Issy-les-Moulineaux 92130 Hauts-de-Seine 101 ㉕, 22 25 – 46 127 h alt. 37.

Office de Tourisme Esplanade de l'Hôtel-de-Ville ✆ 01 40 95 65 43, Fax 01 40 95 67 33.

Paris 7 – Boulogne-Billancourt 3 – Clamart 3 – Nanterre 14 – Versailles 12.

Campanile BD 42
213 r. J.-J. Rousseau ✆ 01 47 36 42 00, *Fax 01 47 36 88 93*
– 45. AE GB
Repas *(72)* - 92 bc/119 bc, enf. 39 – 36 – **168 ch** 360.

Manufacture BD 44
20 espl. Manufacture (face au 30 r. E. Renan) ✆ 01 40 93 08 98, *Fax 01 40 93 57 22*
– . AE GB
fermé 4 au 19 août, sam. midi et dim. – **Repas** *(155)* - 180 ♀.

Coquibus BD 43
16 av. République ✆ 01 46 38 75 80, *Fax 01 41 08 95 80*
brasserie – AE GB
fermé 1er au 25 août, sam. midi et dim. – **Repas** *(130)* - 170/270 ♀.

ALFA-ROMEO, FIAT, LANCIA C.A.R. France, 41-45 q. Prés.-Roosevelt ✆ 01 46 62 78 78 N ✆ 08 00 31 14 11

Cent Mille Pneus, 30 r. A.-Briand ✆ 01 46 48 88 88

R.A.V.M., 56 av. du Bas-Meudon ✆ 01 46 38 81 77
RAVM, 11 av. Bourgain ✆ 01 47 36 51 59

Ivry-sur-Seine *94200 Val-de-Marne 101 ㉖, 24 25 – 53 619 h alt. 60.*

Paris 7 – Créteil 10 – Lagny-sur-Marne 29.

L'Oustalou — BE 54
9 bd Brandebourg ✆ 01 46 72 24 71, *Fax 01 46 70 36 86*
AE GB
fermé 31 juil. au 16 août, sam. et dim. – **Repas** (107 bc) - 158 ♁.

Pneu Service, 14-16 bd Brandebourg ✆ 01 46 72 16 47

Joinville-le-Pont *94340 Val-de-Marne 101 ㉗, 24 25 – 16 657 h alt. 49.*

Syndicat d'Initiative 23 r. de Paris ✆ 01 42 83 41 16, Fax 01 49 76 92 28.
Paris 11 – Créteil 6 – Lagny-sur-Marne 24 – Maisons-Alfort 4 – Vincennes 5.

Bleu Marine — BE 61
16 av. Gén. Gallièni ✆ 01 48 83 11 99, *Fax 01 48 89 51 58*
M, – – 100. AE GB
Repas (95) - 145 ♁, enf. 49 – 60 – **91 ch** 420/480.

Cinépole — BE 61
8 av. Platanes ✆ 01 48 89 99 77, *Fax 01 48 89 43 92*
sans rest – . AE GB
30 – **34 ch** 290.

AUDI, VOLKSWAGEN Gar. Bonnet, 134 av. R.-Salengro à Champigny-sur-Marne ✆ 01 48 81 90 10
PEUGEOT Sabrie, 49-57 av. Gén.-Galliéni ✆ 01 45 11 75 75 N ✆ 06 80 12 68 48
RENAULT Gar. Girardin, 118 av. R.-Salengro à Champigny-sur-Marne ✆ 01 48 82 11 05
SEAT C O V A C, 26 bis 30 r. J.-Jaurès à Champigny-sur-Marne ✆ 01 47 06 19 60

Euromaster, 146 av. R.-Salengro N4 à Champigny-sur-Marne ✆ 01 48 81 32 12
Inter Pneu Melia Vulco, 33 av. Gén.-de-Gaulle à Champigny-sur-Marne ✆ 01 48 83 66 67

Le Kremlin-Bicêtre *94270 Val-de-Marne 101 ㉖, 24 25 – 19 348 h alt. 60.*

Paris 5 – Boulogne-Billancourt 10 – Évry 28 – Versailles 23.

Campanile — BE 51
bd Gén. de Gaulle (pte d'Italie) ✆ 01 46 70 11 86, *Fax 01 46 70 64 47*
– – 100. AE GB
Repas (72) - 92 bc/119 bc, enf. 39 – 36 – **150 ch** 360.

Lésigny *77150 S.-et-M. 101 ㉙, 25 – 7 865 h alt. 95.*

Paris 33 – Brie-Comte-Robert 8 – Évry 28 – Melun 25 – Provins 62.

au golf *par rte secondaire, Sud : 2 km ou par Francillienne : sortie n° 19 – ✉ 77150 Lésigny :*

Réveillon
ferme des Hyverneaux ✆ 01 60 02 25 26, *Fax 01 60 02 03 84*
golf – P – 80. AE GB
Repas (110) - 145/165 ♁, enf. 51 – 45 – **46 ch** 310/355.

Levallois-Perret *92300 Hauts-de-Seine 101 ⑮, 18 25 – 47 548 h alt. 30.*

Paris 8 – Argenteuil 10 – Nanterre 9 – Pontoise 30 – St-Germain-en-Laye 20.

Espace Champerret — AW 45
26 r. Louise Michel ✆ 01 47 57 20 71, *Fax 01 47 57 31 39*
sans rest – . AE GB
35 – **36 ch** 325/450.

Parc AV 44
18 r. Baudin ✆ 01 47 58 61 60, *Fax 01 47 48 07 92*
sans rest – TV ☎. GB
20 – **52 ch** 380/465.

ABC Champerret AW 44
63 r. Danton ✆ 01 47 57 01 55, *Fax 01 47 57 54 23*
sans rest – TV ☎. AE GB
32 – **39 ch** 330/380.

Splendid'H. AW 45
73 r. Louise Michel ✆ 01 47 37 47 03, *Fax 01 47 37 50 01*
sans rest – TV ☎. AE GB JCB
37 – **47 ch** 385/429.

Champagne H. AV 44
20 r. Baudin ✆ 01 47 48 96 00, *Fax 01 47 58 13 29*
M sans rest – TV ☎. AE GB
35 – **30 ch** 320/410.

Hermès AV 44
22 r. Baudin ✆ 01 47 59 96 00, *Fax 01 47 48 90 84*
sans rest – TV ☎. AE GB
40 – **33 ch** 360/450.

Rôtisserie AW 45
24 r. A. France ✆ 01 47 48 13 82
AE GB
fermé sam. midi et dim. – **Repas** 155.

Jardin AV 45
9 pl. Jean Zay ✆ 01 47 39 54 02, *Fax 01 47 39 59 99*
AE GB
fermé 10 au 31 août, sam. midi et dim. – **Repas** *(135)* - 175.

L'Instant Gourmand AW 45
113 r. L. Rouquier ✆ 01 47 37 13 43, *Fax 01 47 37 79 68*
AE GB
fermé 1er au 25 août, sam. et dim. – **Repas** *(128)* - 155.

Petit Poste AV 45
39 r. Rivay ✆ 01 47 37 34 46
bistrot – AE GB
fermé 15 juil. au 15 août, lundi soir, sam. midi et dim. – **Repas** 170.

ALFA ROMEO, FIAT, LANCIA Fiat Auto France, 80-82 q. Michelet ✆ 01 41 27 56 56
BMW Gar. Pozzi, 114-116 r. A.-Briand ✆ 01 47 70 81 33
CHRYSLER, MITSUBISHI, PORSCHE Sonauto Levallois, 53 r. Marjolin ✆ 01 47 39 97 40
FERRARI Gar. Pozzi, 109. r. A.-Briand ✆ 01 47 39 96 50 N ✆ 01 46 42 41 78
JAGUAR Gar. Wilson, 116 r. Prés.-Wilson ✆ 01 47 39 92 50
JAGUAR Franco Britannic Autom., 25 r. P.-V.-Couturier ✆ 01 47 57 50 80 N ✆ 01 46 42 41 78
NISSAN France Carrosserie Autom., 49 r. A.-France ✆ 01 47 57 23 93

Coudert Pneus, 2 r. de Bretagne ✆ 01 47 37 89 16
Euromaster, 101 r. A.-France ✆ 01 47 58 56 70

Lieusaint *77127 S.-et-M. 101 ㊳ – 5 200 h alt. 89.*
Paris 36 – Brie-Comte-Robert 11 – Évry 11 – Melun 13.

Flamboyant
98 r. Paris (près N 6) ✆ 01 60 60 05 60, *Fax 01 60 60 05 32*
M, – , rest, TV ☎ P – 45. AE GB
Repas 105/205, enf. 50 – 35 – **72 ch** 310/380.

Linas *91310 Essonne* 101 ㉟ – *4 767 h alt. 55* **Autodrome permanent de Linas-Montlhéry.**
Paris 26 – Arpajon 6 – Évry 15 – Montlhéry 1.

XX **L'Escargot de Linas**
136 av. Div. Leclerc ☎ 01 69 01 00 30, *Fax 01 69 01 00 30*
– AE GB
fermé août, vacances de fév., lundi soir, merc. soir et dim. – **Repas** (140) - 180 et carte 250 à 420 ♀.

Livry-Gargan *93190 Seine-St-Denis* 101 ⑱, 20 *25 – 35 387 h alt. 60.*
Office de Tourisme 5 pl. F.-Mitterand ☎ 01 43 30 61 60, Fax 01 43 30 48 41.
Paris 18 – Aubervilliers 16 – Aulnay-sous-Bois 4 – Bobigny 7 – Meaux 27 – Senlis 39.

XX **Petite Marmite** **AU 65**
8 bd République ☎ 01 43 81 29 15, *Fax 01 43 02 69 59*
– . GB
fermé 8 au 31 août, dim. soir et merc. – **Repas** carte 190 à 340 ♀, enf. 100.

OPEL Gar. Guiot, 1-3 av. A.-Briand ☎ 01 43 02 63 31

Bonnet-Point S, 4 av. C.-Desmoulins ☎ 01 43 81 53 13

Les Loges-en-Josas *78350 Yvelines* 101 ㉓, 22 *25 – 1 506 h alt. 160.*
Paris 29 – Bièvres 7 – Chevreuse 14 – Palaiseau 12 – Versailles 6.

Relais de Courlande **BL 31**
23 av. Div. Leclerc ☎ 01 30 83 84 00, *Fax 01 39 56 06 72*
M , , , – TV – 100. AE GB
Repas 155/360 ♀, enf. 90 – 47 – **49 ch** 450/540, 3 appart.

RENAULT Gar. de la Halte, rte du Petit Jouy ☎ 01 39 07 12 50 N ☎ 08 00 05 15 15

Longjumeau *91160 Essonne* 101 ㉟, 25 *– 19 864 h alt. 78.*
Paris 20 – Chartres 69 – Dreux 85 – Évry 15 – Melun 38 – Orléans 111 – Versailles 26.

Relais des Chartreux **BX 44**
à Saulxier, Sud Ouest : 2 km, sur N 20 ☎ 01 69 09 34 31, *Fax 01 69 34 57 70*
, parc, , , – , rest, TV – 100. AE GB
Repas 210/470 – 45 – **100 ch** 280/330.

XX **St-Pierre** **BV 45**
42 Grande Rue (F. Mitterand) ☎ 01 64 48 81 99, *Fax 01 69 34 25 53*
. AE GB
fermé 27 juil. au 17 août, lundi soir et dim. – **Repas** 135/170 et carte 240 à 300 ♀, enf. 98.

à Saulx-les-Chartreux *Sud-Ouest par D 118 – 4 141 h. alt. 75 – ✉ 91160 :*

St-Georges **BX42-43**
rte de Montlhéry : 1 km ☎ 01 64 48 36 40, *Fax 01 64 48 89 48*
, ←, , parc, – TV P – 150. AE GB
fermé mi-juil. à mi-août – **Repas** 150/450 et carte 190 à 330 – 40 – **40 ch** 380/430.

Euromaster, 5 rte de Versailles, Petit Champlan ☎ 01 69 34 11 50

Louveciennes *78430 Yvelines* 101 ⑬, 25 *G. Ile de France – 7 446 h alt. 125.*
Paris 21 – St-Germain-en-Laye 6 – Versailles 10.

XX **Aux Chandelles**
12 pl. Église ☎ 01 39 69 08 40
, – AE GB
fermé 17 au 23 août, sam. midi et merc. – **Repas** 120/280 bc.

Maisons-Alfort *94700 Val-de-Marne* 101 ㉗, 24 25 *G. Ile de France – 53 375 h alt. 37.*
Paris 10 – Créteil 4 – Évry 34 – Melun 39.

XX **Bourgogne** BG 57
164 r. J. Jaurès ☎ 01 43 75 12 75, *Fax 01 43 68 05 86*
. AE GB
fermé sam. et dim. – **Repas** 180 et carte 210 à 420.

RENAULT M.A.E.S.A., 8 av. Prof. Cadiot ☎ 01 43 76 63 70

Vaysse Pneus, 249 av. de la République ☎ 01 42 07 36 85

Legros Point S, 19 av. G.-Clémenceau ☎ 01 41 79 09 99

Maisons-Laffitte *78600 Yvelines* 101 ⑬, 18 25 *G. Ile de France – 22 173 h alt. 38.*
Voir Château★.
Office de Tourisme 41 av. de Longueil ☎ 01 39 62 63 64, Fax 01 39 12 02 89.
Paris 22 – Argenteuil 11 – Mantes-la-Jolie 38 – Poissy 9 – Pontoise 20 – St-Germain-en-Laye 7 – Versailles 24.

Climat de France
2 r. Paris (accès par av. Verdun) ☎ 01 39 12 20 20, *Fax 01 39 62 45 54*
M, , – TV ☎ P – 25. AE GB
Repas *(69)* - 89/111 ♀, enf. 39 – 35 – **66 ch** 338.

XXX **Tastevin** (Blanchet) AN 32
✿ 9 av. Eglé ☎ 01 39 62 11 67, *Fax 01 39 62 73 09*
, – P. AE GB JCB
fermé 11 août au 5 sept., vacances de fév., lundi soir et mardi – **Repas** 420 et carte 370 à 460
Spéc. Escalope de foie gras chaud poêlé au vinaigre de cidre, pomme confite au miel. Gibier (saison). Sanciaux aux pommes (sept. à avril).

XX **Rôtisserie Vieille Fontaine** AM 33
8 av. Grétry ☎ 01 39 62 01 78, *Fax 01 39 62 13 43*
, parc – AE GB JCB
fermé 17 au 23 août et lundi – **Repas** 172.

XX **Ribot** AN 32
5 av. St-Germain ☎ 01 39 62 01 53, *Fax 01 39 62 01 53*
AE GB
fermé 15 au 31 août, mardi midi et lundi – **Repas** - cuisine italienne - 140/185 et carte 190 à 260 ♀.

RENAULT Gar. de la Station, 5, r. du Fossé ☎ 01 39 62 05 45

Malakoff *92240 Hauts-de-Seine* 101 ㉕, 22 25 – *30 959 h alt. 67.*
Paris 6 – Boulogne-Billancourt 5 – Évry 29 – Versailles 16.

Climat de France BE 47
122 av. P. Brossolette ☎ 01 46 56 11 52, *Fax 01 46 56 18 57*
sans rest – TV ☎ . AE GB
35 – **53 ch** 440.

PEUGEOT Gar. Parisud Malakoff, 105 bd G.-Péri ☎ 01 40 92 55 00

PEUGEOT Gar. Blond, 28-30 bd de Stalingrad ☎ 01 46 55 22 36

Marcoussis *91460 Essonne* 101 ㉞ *G. Île de France – 5 680 h alt. 79.*

Voir *Vierge★ en marbre dans l'église.*

Paris 29 – Arpajon 10 – Étampes 27 – Évry 17 – Montlhéry 3.

Bellejame
97 r. A. Dubois ✆ 01 69 80 66 47
AE ⓓ GB
fermé jeudi soir, dim. soir et lundi – **Repas** (55) - 79/180 et carte 170 à 230, enf. 30.

PEUGEOT Gar. du Gay, rte d'Orsay ✆ 01 69 01 16 91

Marly-le-Roi *78160 Yvelines* 101 ⑫ ⑬, 18 25 *G. Ile de France – 16 741 h alt. 90.*

Voir *Parc★.*

Paris 23 – Saint-Germain-en-Laye 4 – Versailles 9.

Village AZ 28
3 Grande Rue ✆ 01 39 16 28 14, *Fax 01 39 58 62 60*
GB
fermé 26 juil. au 18 août, 2 au 10 janv., sam. midi, dim. soir et lundi soir – **Repas** (nombre de couverts limité, prévenir) 135 bc (déj.)/170 et carte 180 à 250, enf. 80.

Marne-la-Vallée *77206 S.-et-M.* 101 ⑲ ⑳, 24 *G. Ile de France.*

18 *de Bussy-St-Georges (privé)* ✆ 01 64 66 00 00 ; 18 9 *de Disneyland Paris* ✆ 01 60 45 68 04.

Maison du Tourisme d'Ile-de-France, Disney Village ✆ *01 60 43 33 33, Fax 01 60 43 36 91.*

Paris 27 – Meaux 28 – Melun 39.

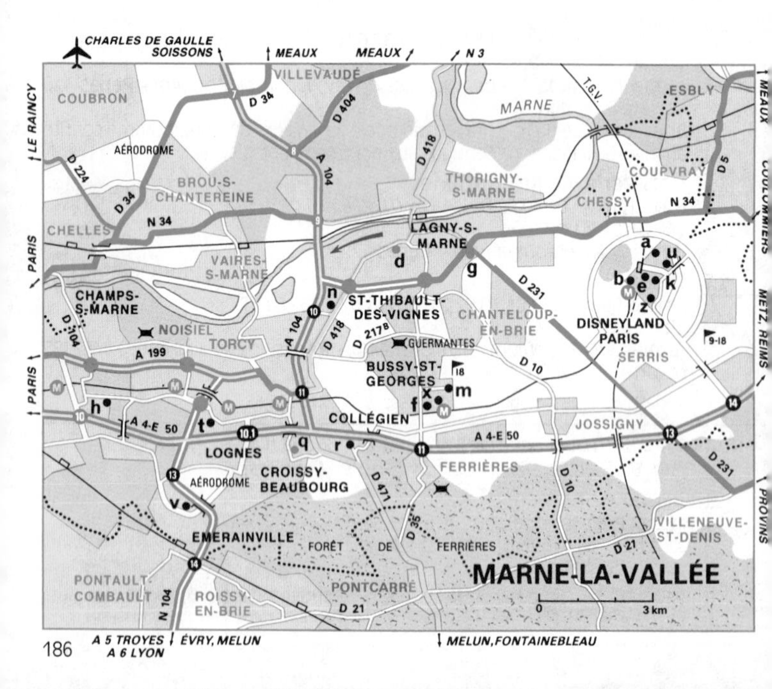

à Bussy-St-Georges – *1 545 h. alt. 105 – ✉ 77600 :*

Holiday Inn
39 bd Lagny **(f)** ✆ 01 64 66 35 65, *Fax 01 64 66 03 10*
M, – 65. AE GB JCB. rest
Repas 150, enf. 60 – 70 – **120 ch** 685/755.

Golf H.
15 av. Golf **(m)** ✆ 01 64 66 30 30, *Fax 01 64 66 04 36*
M – P – 120. AE GB
Repas *(69)* - 78/158, enf. 47 – 65 – **94 ch** 470/595.

Sol Inn Paris Bussy
44 bd A. Giroust **(x)** ✆ 01 64 66 11 11, *Fax 01 64 66 29 05*
M – 90. AE GB JCB
Repas *(68)* - 89/150, enf. 58 – 48 – **87 ch** 420/540.

à Champs-sur-Marne – *21 611 h. alt. 80 – ✉ 77420 .*
Voir *Château★ (salon chinois★★) et parc★★*

Ibis
cité Descartes, bd Newton **(h)** ✆ 01 64 68 00 83, *Fax 01 64 68 02 60*
– 45. AE GB
Repas *(75)* - 95 – 39 – **110 ch** 275/305.

à Collégien – *2 331 h. alt. 105 – ✉ 77090 :*

Novotel
à l'échangeur de Lagny A 4 **(r)** ✆ 01 64 80 53 53, *Fax 01 64 80 48 37*
– P – 250. AE GB
Repas *(98)* - 118 ♀, enf. 60 – 70 – **197 ch** 610/690.

à Croissy-Beaubourg – *2 396 h. alt. 102 – ✉ 77183 :*

L'Aigle d'Or
8 r. Paris **(q)** ✆ 01 60 05 31 33, *Fax 01 64 62 09 39*
– P. AE GB JCB
fermé dim. soir et lundi soir – **Repas** 180/450 et carte 350 à 450.

à Disneyland Paris *accès par autoroute A 4 et bretelle Disneyland.*
Voir *Disneyland Paris★★★ (voir Guide Vert Disneyland Paris).*

Disneyland Hôtel
(b) ✆ 01 60 45 65 00, *Fax 01 60 45 65 33*
M, «Bel ensemble de style victorien à l'entrée du parc d'attractions», – P – 25 à 50. AE GB JCB.
California : **Repas** 195/275 ♀, enf. 75
Inventions : **Repas** 180 (déj.)/250 ♀, enf. 140 – **478 ch** 2250/3500, 18 appart.

New-York
(e) ✆ 01 60 45 73 00, *Fax 01 60 45 73 33*
M, «Ambiance du Manhattan des années 30», – P – 1 500. AE GB JCB.
Manhattan Restaurant (dîner seul.) **Repas** 195/260, enf. 55
Parkside Diner : **Repas** carte environ 150 ♀, enf. 55 – **532 ch** 1400/1600, 31 appart.

Newport Bay Club
(z) 01 60 45 55 00, *Fax 01 60 45 55 33*
M, ←, , centre de conférences, « Évocation du bord de mer de la Nouvelle Angleterre », , , – – 5 000. AE GB JCB.

Cape Cod : **Repas** 145, enf. 55
Yacht Club : **Repas** 150/195, enf. 55 – **1 077 ch** 1180/1580, 15 appart.

Séquoia Lodge
(k) 01 60 45 51 00, *Fax 01 60 45 51 33*
M, , « Atmosphère d'un hôtel des Montagnes Rocheuses », , , , – – 35. AE GB JCB.
Hunter's Grill (dîner seul.) **Repas** 150, enf. 55
Beaver Creek Tavern : **Repas** *(115)*-150, enf. 55 – **997 ch** 1060/1260, 14 appart.

Cheyenne
(a) 01 60 45 62 00, *Fax 01 60 45 62 33*
, « Reconstitution d'une petite ville du Far-West » – , rest, . AE GB JCB.
Chuck Wagon Café : **Repas** carte environ 150, enf. 55 – **1 000 ch** 925.

Santa Fé
(u) 01 60 45 78 00, *Fax 01 60 45 78 33*
, « Construction évoquant les pueblos du Nouveau Mexique » – , rest, . AE GB JCB.
La Cantina : **Repas** carte environ 130, enf. 55 – **1 000 ch** 780.

à Émerainville – *6 766 h. alt. 109 – 77184 :*

Ibis
ZI Pariest bd Beaubourg **(v)** 01 60 17 88 39, *Fax 01 64 62 12 34*
– 80. AE GB
Repas *(75)* - 95, enf. 39 – 39 – **80 ch** 335.

à Lagny-sur-Marne – *18 643 h. alt. 51 – 77400 .*

Voir *Château de Guermantes*★ *S : 3 km par D 35.*

Office de Tourisme 1pl. de la Fontaine 01 64 02 15 15, Fax 01 64 30 42 52.

Egleny
13 av. Gén. Leclerc **(d)** 01 64 30 52 69, *Fax 01 60 07 56 79*
– P. AE GB
fermé 9 au 20 août, 2 au 7 janv., dim. soir et lundi – **Repas** 180/390 et carte 340 à 390.

Relais Fleuri
1 av. Stade **(g)** 01 64 30 06 42, *Fax 01 64 30 06 42*
, – . GB
fermé août, lundi et le soir sauf sam. – **Repas** 70/260 et carte 180 à 360.

à Lognes – *12 973 h. alt. 97 – 77185 :*

Frantour
55 bd Mandinet **(t)** 01 64 80 02 50, *Fax 01 64 80 02 70*
, – – 60. AE GB
Repas *(fermé le midi du 1er au 16 août, sam. midi, dim. midi et fériés le midi)* *(69)* - 104 (déj.)/186, enf. 52 – 60 – **85 ch** 448/493, 28 duplex.

à St-Thibault-des-Vignes – *4 207 h. alt. 80 – ✉ 77400 :*

Clarine
Parc de l'Esplanade **(n)** ✆ 01 64 02 02 44, *Fax 01 64 02 40 70*
– 30. AE GB
Repas 78/129 ♀, enf. 49 – ☕ 38 – **66 ch** 310/340.

CITROEN Gar. Yvois, 57 av. Leclerc à St-Thibault-des-Vignes ✆ 01 64 30 53 67
FORD Gar. Jamin, 34 av. Gén.-Leclerc à Lagny-sur-Marne ✆ 01 64 30 02 90
MERCEDES Cie de l'Est, 5-7 allée des Frènes à Champs-sur-Marne ✆ 01 64 68 70 87
PEUGEOT Métin Marne, 2 av. Gén.-Leclerc à Pomponne ✆ 01 64 12 78 00 N ✆ 08 00 44 24 24
RENAULT Gar. du Fort du Bois, 9-11 r. du Plateau à Lagny-sur-Marne ✆ 01 64 02 40 75
RENAULT Gar. Brie des Nations, 4-6 av. P.-M.-France à Noisiel ✆ 01 60 05 92 92

Euromaster, 6-8 r. C.-Chappé à Lagny-sur-Marne ✆ 01 64 30 55 00

Massy *91300 Essonne* 101 ㉕, 22 25 – *38 574 h alt. 78.*
Paris 19 – Arpajon 19 – Évry 20 – Palaiseau 3 – Rambouillet 46.

Mercure **BS 43**
21 av. Carnot (gare T.G.V.) ✆ 01 69 32 80 20, *Fax 01 69 32 80 25*
M – – 100. AE GB
Repas *(fermé dim. midi, sam. et fériés) (98)* - 118 – ☕ 60 – **116 ch** 660.

Pavillon Européen **BR 43**
5 av. Gén. de Gaulle ✆ 01 60 11 17 17, *Fax 01 69 20 05 60*
GB
Repas *(95)* - 150/350.

CITROEN Succursale, rte de Chilly CD120 ✆ 01 69 55 55 84
RENAULT Villaine Autom., 8 r. de Versailles ✆ 01 69 30 08 26
RENAULT Massy Autom., av. de l'Europe ✆ 01 69 53 77 00
Euromaster, 12 r. M.-Paul ZI de la Bonde ✆ 01 69 20 38 20

Maurepas *78310 Yvelines* 101 ㉑ – *19 718 h alt. 165.*
Voir *France Miniature★ NE : 3km*, **G. Île de France.**
Paris 36 – Houdan 30 – Palaiseau 32 – Rambouillet 16 – Versailles 17.

Mercure **BM 15**
N 10 ✆ 01 30 51 57 27, *Fax 01 30 66 70 14*
M, – rest, – 100. AE GB JCB
Repas *(90 bc)* - 130, enf. 45 – ☕ 60 – **91 ch** 470.

RENAULT Succursale, bd des Arpents ✆ 01 34 82 31 64 N ✆ 08 00 05 15 15
VOLVO Pariwest Autom., ZA 8 r. du Commerce ✆ 01 30 50 67 00

Le Mesnil-Amelot *77990 S.-et-M.* 101 ⑨ – *705 h alt. 80.*
Paris 31 – Bobigny 21 – Goussainville 12 – Meaux 28 – Melun 66 – Senlis 25.

Radisson
La Pièce du Gué ✆ 01 60 03 63 00, *Fax 01 60 03 74 40*
M, – – 300. AE GB JCB
Repas 165, enf. 55 – ☕ 80 – **240 ch** 800/1100.

Meudon *92190 Hauts-de-Seine* 101 ㉔, 22 25 *G. Ile de France* (plan) – *45 339 h alt. 100.*
Voir *Terrasse★ : ☼★ – Forêt de Meudon★.*
Paris 10 – Boulogne-Billancourt 3 – Clamart 3 – Nanterre 12 – Versailles 9.

XX **Relais des Gardes** BE 40
à Bellevue, 42 av. Gallieni ✆ 01 45 34 11 79, *Fax 01 45 34 44 32*
– AE ⓓ GB JCB
fermé sam. midi et dim. soir – **Repas** 190.

au sud *à Meudon-la-Forêt – ✉ 92360 :.*

Mercure Ermitage de Villebon BH 39
rte Col. Moraine ✆ 01 46 01 46 86, *Fax 01 46 01 46 95*
M, – |‡|, ch, TV ☎ ♿ – 60. AE ⓓ GB
Repas *(fermé dim. soir et soirs fériés)* (140) - 190 – 55 – **63 ch** 800.

Forest Hill BJ39-40
40 av. Mar. de Lattre de Tassigny ✆ 01 46 30 22 55, *Fax 01 46 32 16 54*
– |‡| TV ☎ ♿ – 150. AE ⓓ GB JCB
Repas 79/134 bc ♀, enf. 39 – 55 – **155 ch** 650.

CITROEN Gar. Rabelais, 31 bd Nations-Unies ✆ 01 46 26 45 50 N ✆ 08 00 05 15 15
RENAULT Gar. de l'Orangerie, 16 r. de l'Orangerie ✆ 01 45 34 27 18 N ✆ 08 00 05 15 15
RENAULT Gar. Biguet, 5 r. Docteur Arnaudet ✆ 01 46 26 27 80 N ✆ 08 00 05 15 15
RENAULT Gar. Biguet, 1 av. Gén.-de-Gaulle ✆ 01 46 31 65 40 N ✆ 08 00 05 15 15

Montmorency *95160 Val-d'Oise 101 ⑤, 25 G. Ile de France – 20 920 h alt. 82.*

Voir *Collégiale St-Martin★.*

Env. *Château d'Écouen★★ : musée de la Renaissance★★ (tenture de David et de Bethsabée★★★).*

de Domont Montmorency à Domont ✆ 01 39 91 07 50 par D 124.

Office de Tourisme 1 av. Foch ✆ 01 39 64 42 94.

Paris 19 – Enghien-les-Bains 3 – Pontoise 25 – St-Denis 9.

XX **Au Coeur de la Forêt**
av. Repos de Diane et accès par chemin forestier ✆ 01 39 64 99 19, *Fax 01 34 28 17 52*
, – P. GB
fermé 15 août au 6 sept., jeudi soir, dim. soir et lundi – **Repas** 130/190 et carte 250 à 350.

RENAULT Gar. Rousseau, 150 av. Div.-Leclerc ✆ 01 39 34 95 95
Gar. des Loges, 242 r. J.-Ferry à Montmagny ✆ 01 34 28 60 00

Montreuil *93100 Seine-St-Denis 101 ⑰, 20 25 G. Ile de France – 94 754 h alt. 70.*

Office de Tourisme 1 r. Kléber ✆ 01 42 87 38 09, Fax 01 42 87 27 13.

Paris 7 – Bobigny 9 – Lagny-sur-Marne 31 – Meaux 38 – Senlis 46.

XXX **Gaillard** AZ 57
28 r. Colbert ✆ 01 48 58 17 37, *Fax 01 48 70 09 74*
, – P. AE GB
fermé 9 au 24 août, dim. soir et lundi soir – **Repas** 160/220 et carte 230 à 360 ♀.

CITROEN Succursale, 224-226 bd A.-Briand ✆ 01 48 59 64 00
RENAULT Succursale, 57 r. A.-Carrel ✆ 01 49 20 38 38 N ✆ 08 00 05 15 15
RENAULT Gar. de la Mairie, 25 bd Couturier ✆ 01 42 87 07 20
Franor Vulco, 97 bd de Chanzy ✆ 01 42 87 39 60
Pneu-Service, 65 r. de St-Mandé ✆ 01 48 51 93 79

Montrouge *92120 Hauts-de-Seine* 101 ㉕, 22 25 – *38 106 h alt. 75.*
Paris 5 – Boulogne-Billancourt 6 – Longjumeau 17 – Nanterre 14 – Versailles 22.

Mercure — **BE 48**
13 r. F.-Ory ✆ 01 46 57 11 26, *Fax 01 47 35 47 61*
M – rest
Repas *(103)* - 133 ♀, enf. 50 – 65 – **186 ch** 710/910, 6 appart.

CITROEN Verdier-Montrouge Autom., 99 av. Verdier ✆ 01 46 57 12 00
MERCEDES Succursale, 15-17 r. Barbès ✆ 01 46 12 70 00
NISSAN Paris Sud Sce, 83 av. A.-Briand ✆ 01 46 55 71 24
RENAULT Colin-Montrouge, 59 av. République ✆ 01 46 55 26 20

Morangis *91420 Essonne* 101 ㉟, 25 – *10 043 h alt. 85.*
Paris 21 – Évry 13 – Longjumeau 4 – Versailles 23.

Sabayon
15 r. Lavoisier ✆ 01 69 09 43 80, *Fax 01 64 48 27 28*
GB
fermé 8 au 20 août, sam. midi et dim. – **Repas** 178/330 et carte 200 à 320 ♀.

RENAULT Gar. Richard, rte de Savigny ✆ 01 69 09 47 50

Nanterre P *92000 Hauts-de-Seine* 101 ⑭, 18 25 – *84 565 h alt. 35.*
Office de Tourisme 4 r. du Marché ✆ 01 47 21 58 02, Fax 01 47 25 99 02.
Paris 12 – Beauvais 81 – Rouen 121 – Versailles 15.

Mercure La Défense — **AV 39**
r. des 3 Fontanot ✆ 01 46 69 68 00, *Fax 01 47 25 46 24*
M – 130. AE GB JCB
Repas *(fermé dim. midi et sam.)* 135/180 – 70 – **97 ch** 820/850.

Quality Inn — **AV 37**
2 av. B. Frachon ✆ 01 46 95 08 08, *Fax 01 46 95 01 24*
M – rest, – 30. AE GB
Repas *(fermé sam. et dim.)* *(105)* - 120 ♀ – 60 – **85 ch** 680/850.

Rôtisserie — **AW 38**
180 av. G. Clemenceau ✆ 01 46 97 12 11, *Fax 01 46 97 12 09*
– AE GB
fermé sam. midi et dim. – **Repas** (prévenir) 155.

CITROEN Succursale, 100 av. F. -Araago ✆ 01 41 19 35 00
Euromaster, 74 av. V.-Lénine ✆ 01 47 24 61 01

Neuilly-sur-Seine *92200 Hauts-de-Seine* 101 ⑮, 18 25 *G. Ile de France – 61 768 h alt. 34.*
Paris 8 – Argenteuil 12 – Nanterre 5 – Pontoise 31 – St-Germain-en-Laye 15 – Versailles 17.

Jardin de Neuilly — **AX 44**
5 r. P. Déroulède ✆ 01 46 24 51 62, *Fax 01 46 37 14 60*
sans rest – AE GB JCB.
90 – **30 ch** 600/1200.

Paris Neuilly — **AX 42**
1 av. Madrid ✆ 01 47 47 14 67, *Fax 01 47 47 97 42*
M sans rest – AE GB
70 – **80 ch** 740/790.

Parc AV 43
4 bd Parc ✆ 01 46 24 32 62, *Fax 01 46 40 77 31*
sans rest – |‡| TV ☎. GB
☕ 43 – **69 ch** 380/470.

Roule AX 44
37 bis av. Roule ✆ 01 46 24 60 09, *Fax 01 40 88 37 89*
sans rest – |‡| TV ☎. AE ⓓ GB
☕ 35 – **35 ch** 390/480.

XXX **San Valero** AW 42
209 ter av. Ch. de Gaulle ✆ 01 46 24 07 87, *Fax 01 47 47 83 17*
AE ⓓ GB.
fermé 9 au 23 août, 24 déc. au 1er janv., sam. midi, dim. et fériés – **Repas** - cuisine espagnole - 150 (déj.)/190 et carte 220 à 320.

XX **Truffe Noire** (Jacquet) AX 44
✿ 2 pl. Parmentier ✆ 01 46 24 94 14, *Fax 01 46 37 27 02*
AE GB.
fermé 3 au 23 août, sam. et dim. – **Repas** 195/250 et carte 260 à 350 🍷
Spéc. Menu champignons (15 sept. au 30 oct.). Mousseline de brochet au beurre blanc. "Beuchelle tourangelle" (oct. à nov.).

XX **Le Riad** AX 44
42 av. Ch. de Gaulle ✆ 01 46 24 42 61
▤. AE GB.
fermé 25 juil. au 23 août, 26 au 31 déc. , sam. midi et dim. – **Repas** - cuisine marocaine - carte 280 à 340.

XX **Foc Ly** AW 42
79 av. Ch. de Gaulle ✆ 01 46 24 43 36, *Fax 01 46 24 48 46*
▤. AE GB
fermé lundi en juil.-août – **Repas** - cuisine chinoise - *(99)* - carte 150 à 240 🍷, enf. 75.

XX **Jarrasse** AX 42
4 av. Madrid ✆ 01 46 24 07 56, *Fax 01 40 88 35 60*
AE ⓓ GB
fermé août et dim. – **Repas** - produits de la mer - 195 et carte 290 à 530.

XX **Les Feuilles Libres** AW 43
34 r. Perronet ✆ 01 46 24 41 41, *Fax 01 46 40 77 61*
▤. AE ⓓ GB
fermé 5 au 25 août, sam. midi et dim. – **Repas** 220 et carte environ 250 🍷.

XX **Carpe Diem** AW 43
10 r. Église ✆ 01 46 24 95 01, *Fax 01 46 40 15 61*
▤. AE ⓓ GB
fermé août, sam. midi et dim. – **Repas** 180 et carte 280 à 450 🍷.

X **Bistrot d'à Côté Neuilly** AX 42
4 r. Boutard ✆ 01 47 45 34 55, *Fax 01 47 45 15 08*
AE GB
fermé sam. midi et dim. – **Repas** 129 (déj.)/189 🍷.

Catounière AX 43
4 r. Poissonniers ☎ 01 47 47 14 33, *Fax 01 47 47 14 33*
AE GB
fermé 1er au 26 août, sam. midi et dim. – **Repas** 178.

Petit Bofinger E 6
18 av. Ch. de Gaulle ☎ 01 47 22 37 25, *Fax 01 46 24 95 35*
bistrot – . AE GB
Repas *(89 bc)* - 128 et carte 140 à 220 ♀, enf. 45.

CITROEN Succursale, 124 av. A.-Peretti ☎ 01 40 88 26 00 N ☎ 08 00 05 24 24

Maillot Pneus, 69 av. Gén.-de-Gaulle ☎ 01 46 24 33 69

Nogent-sur-Marne

SP *94130 Val-de-Marne* 101 ㉗, 24 25 *G. Ile de France – 25 248 h alt. 59.*

Office de Tourisme 5 av. Joinville ☎ 01 48 73 73 97, Fax 01 48 73 75 90.
Paris 13 – Créteil 9 – Montreuil 4 – Vincennes 4.

Mercure Nogentel BC 62
8 r. Port ☎ 01 48 72 70 00, *Fax 01 48 72 86 19*
M, – 25 à 200. AE GB
Le Canotier : **Repas** *(135)*-165 – 60 – **60 ch** 510/560.

Campanile BC62-63
quai du port (Pt de Nogent) ☎ 01 48 72 51 98, *Fax 01 48 72 05 09*
– ch, – 30. AE GB
Repas *(72)* - 92 bc/119 bc, enf. 39 – 36 – **91 ch** 340.

PEUGEOT Gar. Royal Nogent, 44 Gde r. Ch.-de-Gaulle ☎ 01 48 73 68 90

Le Parc Disneyland Paris et la découverte de ses environs touristiques,

c'est ce que propose le Guide Vert Michelin DISNEYLAND PARIS (disponible en français, en anglais).

Noisy-le-Grand

93160 Seine-St-Denis 101 ⑱, 24 25 *G. Île de France – 54 032 h alt. 82.*

Office de Tourisme Ancienne Mairie, 167 r. P.-Brossolette ☎ 01 43 04 51 55.
Paris 20 – Bobigny 15 – Lagny-sur-Marne 17 – Meaux 37.

Mercure BB 67
2 bd Levant ☎ 01 45 92 47 47, *Fax 01 45 92 47 10*
M, – 150. AE GB
Les Météores *(fermé dim. midi et sam.)* **Repas** *(135)*-165(déj.) carte environ 200 ♀, enf. 70 – 60 – **192 ch** 500/630.

Novotel Atria BB-BC67
2 allée Bienvenüe-quartier Horizon ☎ 01 48 15 60 60, *Fax 01 43 04 78 83*
M, – P – 250. AE GB
Repas *(100)* - 130 ♀, enf. 50 – 60 – **144 ch** 510/560.

Amphitryon AA 48
56 av. A. Briand ☎ 01 43 04 68 00, *Fax 01 43 04 68 10*
GB
fermé août et dim. soir sauf fériés – **Repas** 110 (déj.), 145/210 ♀.

AUDI, VOLKSWAGEN Gar. de la Pointe, 65 av. E.-Cossonneau ☎ 01 48 15 58 30

PEUGEOT Gar. Métin Noisy, 56 av. du Pavé Neuf ☎ 01 48 15 95 00

Orgeval *78630 Yvelines* 101 ⑪ – *4 509 h alt. 100.*

Paris 31 – Mantes-la-Jolie 25 – Pontoise 25 – Rambouillet 47 – St-Germain-en-Laye 11 – Versailles 22.

Moulin d'Orgeval
r. Abbaye, Sud : 1,5 km ✆ 01 39 75 85 74, *Fax 01 39 75 48 52*
, , « Parc ombragé avec étang », – TV ☎ P – 30. AE GB
Repas *(fermé 20 au 30 déc. et dim. soir du 1er nov. au 31 mars)* (140) - 210/350 ♀ – 60 – **14 ch** 600/800.

Orly (Aéroports de Paris) *94310 Val-de-Marne* 101 ㉖, 24 25 – *21 646 h alt. 89.*

✆ 01 49 75 15 15.

Paris 16 – Corbeil-Essonnes 19 – Créteil 11 – Longjumeau 13 – Villeneuve-St-Georges 9.

Hilton Orly BR 51
près aérogare ✉ 94544 ✆ 01 45 12 45 12, *Fax 01 45 12 45 00*
M, – TV ☎ P – 300. AE GB JCB
Repas 195/245 ♀ – 95 – **357 ch** 1080/1500.

Mercure
N 7, Z.I. Nord, Orlytech ✉ 94547 ✆ 01 46 87 23 37, *Fax 01 46 87 71 92*
M – TV ☎ P – 40. AE GB
Repas (105) - carte 160 à 230 ♀, enf. 50 – 67 – **190 ch** 695/865.

Aérogare d'Orly Ouest :

Maxim's
2e étage ✉ 94547 ✆ 01 49 75 16 78, *Fax 01 46 87 05 39*
. AE GB
fermé 31 juil. au 30 août, 25 déc. au 3 janv., sam., dim. et fériés – **Repas** 230/480 et carte 290 à 420
Spéc. Terrine de canard "Alex Humbert". Sole braisée au vermouth. Filet de boeuf aux pommes Maxim's.

à Orly ville : – *21 646 h. alt. 71.*

Air Plus BN 54
58 voie Nouvelle (près Parc G. Méliès) ✆ 01 41 80 75 75, *Fax 01 41 80 12 12*
M, – TV ☎ P. AE GB
Repas *(fermé sam. midi et dim. midi)* (65) - 85/129 ♀ – 50 – **72 ch** 440/510.

*Voir aussi à **Rungis***

RENAULT S.A.P.A., Bât.225, Aérogares ✆ 01 41 73 08 00

Orsay *91400 Essonne* 101 ㉞, 25 *G. Ile de France – 14 863 h alt. 90.*

Paris 28 – Arpajon 19 – Évry 28 – Rambouillet 32.

Boudin Sauvage
6 r. Versailles ✆ 01 69 28 42 93, *Fax 01 69 86 19 48*
, « Jardin fleuri » – AE GB JCB
fermé août et week-ends – **Repas** 200 bc (déj.), 350/450 et carte 400 à 500 ♀.

CITROEN Gd Gar. d'Orsay, 8 pl. de la République ✆ 01 69 28 40 26

Ozoir-la-Ferrière *77330 S.-et-M.* 101 ㉚, 106 ㉝ – *19 031 h alt. 110.*

Syndicat d'Initiative pl. de la Mairie, 43 av. du Gén.-de-Gaulle ✆ 01 64 40 10 20, Fax 01 64 40 09 91.

Paris 34 – Coulommiers 41 – Lagny-sur-Marne 17 – Melun 30 – Sézanne 82.

XXX **Gueulardière**
66 av. Gén. de Gaulle ☎ 01 60 02 94 56, *Fax 01 60 02 98 51*
– AE GB
fermé août, vacances de fév., dim. et lundi – **Repas** 150/230 et carte 300 à 420.

XX **Relais d'Ozoir**
73 av. Gén. de Gaulle ☎ 01 60 02 91 33, *Fax 01 64 40 40 91*
GB
fermé 14 juil. au 4 août, dim. soir et lundi – **Repas** *(78 bc)* - 97/245.

FIAT Couffignal, 38 av. Gén.-de-Gaulle ☎ 01 60 02 60 77

Palaiseau
91120 Essonne 101 ㉞, 22 25 – 28 395 h alt. 101.
Paris 22 – Arpajon 19 – Chartres 71 – Évry 20 – Rambouillet 48.

Novotel BS 43
Z.I. de Massy ☎ 01 69 20 84 91, *Fax 01 64 47 17 80*
M, – P – 180. AE GB
Repas carte environ 170 ♀, enf. 50 – 60 – **147 ch** 625/720.

CITROEN J.-Jaurès Autom., 33 av. J.-Jaurès ☎ 01 60 14 03 92

Pantin
93500 Seine-St-Denis 101 ⑯, 20 25 – 47 303 h alt. 26.
Voir *Centre international de l'Automobile*★, **G. Île de France.**
Office de Tourisme 25 ter r. du Pré-St-Gervais ☎ 01 48 44 93 72, Fax 01 48 44 18 51.
Paris 8 – Bobigny 4 – Montreuil 6 – St-Denis 5.

Référence H.
22 av. J. Lolive ☎ 01 48 91 66 00, *Fax 01 48 44 12 17*
M, – – 80. AE GB JCB.
Repas *(fermé août, week-ends et fêtes) (120)* - 180 ♀ – 75 – **120 ch** 795/860, 3 appart.

Mercure Porte de Pantin AV-AW54
r. Scandicci ☎ 01 48 46 70 66, *Fax 01 48 46 07 90*
M – – 25 à 100. AE GB
Repas *(80)* - 100 , enf. 55 – 60 – **129 ch** 635, 9 appart.

CITROEN Succursale, 68-70 av. Gén.-Leclerc ☎ 01 49 15 10 00
RENAULT Succursale, 13 av. Gén.-Leclerc ☎ 01 48 10 42 19
Maillot Pneus, 160 av. J.-Jaurès ☎ 01 48 45 25 85
Steier-Pneus - Point S, 217 av. J.-Lolive ☎ 01 48 44 36 80

Le Perreux-sur-Marne
94170 Val-de-Marne 101 ⑱, 24 25 – 28 477 h alt. 50.
Office de Tourisme pl. R.-Belvaux ☎ 01 43 24 26 58.
Paris 16 – Créteil 12 – Lagny-sur-Marne 23 – Villemomble 9 – Vincennes 6.

XXX **Les Magnolias** BC 63
48 av. de Bry ☎ 01 48 72 47 43, *Fax 01 48 72 22 28*
. AE GB
fermé 10 au 30 août, sam. midi et dim. – **Repas** 190/230 et carte 300 à 390.

CITROEN S.A.G.A., 131 av. P.-Brossolette, niv. A4 ☎ 01 43 24 13 50
PEUGEOT Gar. Sabrié, 9-15 av. République à Fontenay-sous-Bois ☎ 01 48 75 10 00 N ☎ 08 00 44 24 24
RENAULT Gar. Hoel, 44 46 av. Bry ☎ 01 43 24 52 00 N ☎ 08 00 05 15 15
RENAULT Rel. des Nations, 258 av. République à Fontenay-sous-Bois ☎ 01 48 76 42 72

Maison du Pneu 94, 103 bd Alsace-Lorraine ☎ 01 43 24 41 43

Petit-Clamart *92 Hauts-de-Seine* 101 ㉔, 22 25 – ✉ *92140 Clamart.*

Voir *Bièvres : Musée français de la photographie★ S : 1 km,* **G. Ile de France.**

Paris 13 – Antony 8 – Clamart 5 – Meudon 5 – Nanterre 18 – Versailles 8.

XX **Au Rendez-vous de Chasse** **BK 40**

1 av. du Gén. Eisenhower ✆ 01 46 31 11 95, *Fax 01 40 94 11 40*

▤. AE ⓓ GB

fermé dim. soir – **Repas** *(130)* - 170 et carte 220 à 380 ♀, enf. 95.

Poissy *78300 Yvelines* 101 ⑫ *G. Île de France.*

Voir *Collégiale Notre-Dame★.*

18 *(privé) Bethemont Chisan Country Club* ✆ 01 39 75 51 13.

ℹ *Office de Tourisme 132 r. du Gén.-de-Gaulle* ✆ *01 30 74 60 65, Fax 01 39 65 07 00.*

Paris 33 ③ – Mantes-la-Jolie 30 ④ – Pontoise 20 ② – Rambouillet 49 ④ – St-Germain-en-Laye 6 ③.

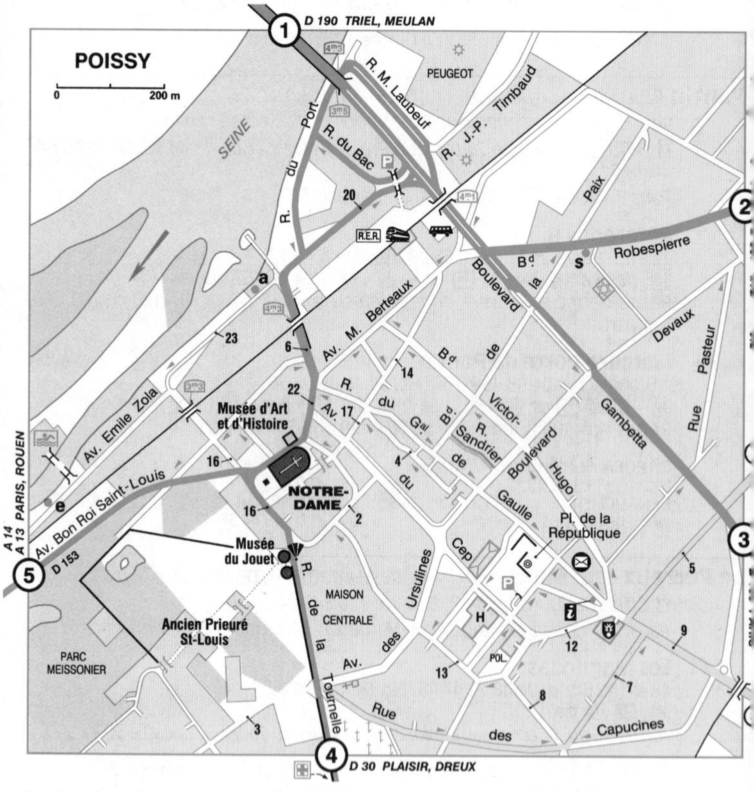

Cep (Av. du)
Gambetta (Bd)
Gaulle (R. Gén.-de)
Victor-Hugo (Bd)

Abbaye (R. de l') 2
Blanche-de-Castille (Av.) 3
Bœuf (R. du) 4
Foch (Av. Mar.) 5
Gare (R. de la) 6
Grands-Champs (R. des) 7
Joly (Av. A.) 8
Lefebvre (Av. F.) 9
Lemelle (Bd L.) 12
Libération (R. de la) 13
Mary (R. J.-Cl.) 14
Meissonier (Av.) 16
Pain (R. au) 17
Pont-Ancien (R. du) 20
St-Louis (R.) 22
14-Juillet (Cours du) 23

XX **L' Esturgeon**
6 cours 14-Juillet **(a)** ✆ 01 39 65 00 04
← – AE ⓓ GB
fermé août, dim. soir et jeudi – **Repas** 200 et carte 280 à 410.

XX **Bon Vivant**
30 av. É. Zola **(e)** ✆ 01 39 65 02 14, *Fax 01 39 65 28 05*
←, 🏡 – GB
fermé août, vacances de fév., dim. soir et lundi – **Repas** 200/230.

XX **Clos du Roy**
36 bd Robespierre **(s)** ✆ 01 39 65 52 52, *Fax 01 39 79 46 36*
GB
fermé 4 au 26 août, dim. soir et lundi – Repas (nombre de couverts limité, prévenir) 130.

FORD Gar. Gambetta, 45 bd Gambetta ✆ 01 39 65 17 67
RENAULT Gar. Pihan, 88 bd Robespierre par ② ✆ 01 39 65 40 94 N ✆ 01 39 11 50 00
Euromaster, 40 bd Robespierre ✆ 01 39 65 29 09

CONSTRUCTEUR : P.S.A. 45 r. J.P.-Timbaud ✆ 01 30 19 30 00

If you intend sightseeing in the capital use the Michelin Green Guide to PARIS (In English).

Pontault-Combault
77340 S.-et-M. 101 ㉙, 24 25 – *26 804 h alt. 94.*
Paris 28 – Créteil 24 – Lagny-sur-Marne 16 – Melun 32.

Saphir H.
aire des Berchères sur N 104 ✆ 01 64 43 45 47, *Fax 01 64 40 52 43*
M, 🏡, ℒ, 🏊, 🎾 – 🛗 ▤ TV ☎ ✆ ♿ 🚗 P – 🏛 150. AE ⓓ GB
Jardin grill **Repas** *(87)* - 117/160 🍷, enf. 50 – ☕ 52 – **159 ch** 485/550, 20 appart.

Le Port-Marly
78560 Yvelines 101 ⑬, 18 25 – *4 181 h alt. 30.*
Paris 21 – St-Germain-en-Laye 2 – Versailles 11.

XX **Aub. du Relais Breton** AX 29
27 r. Paris ✆ 01 39 58 64 33, *Fax 01 39 58 35 75*
🏡, 🌳 – AE GB
fermé août, dim. soir et lundi – **Repas** 159/229 bc et carte 200 à 370.

MERCEDES CPMB Autom., 10 r. St-Germain ✆ 01 39 17 31 17

Le Pré St-Gervais
93310 Seine-St-Denis 101 ⑯, 20 25 – *15 373 h alt. 82.*
Paris 9 – Bobigny 5 – Lagny-sur-Marne 30 – Meaux 37 – Senlis 45.

X **Au Pouilly Reuilly** AW 55
68 r. A. Joineau ✆ 01 48 45 14 59
bistrot – AE ⓓ GB
fermé fin juil. à début sept., sam. et dim. – **Repas** carte 150 à 300.

Puteaux
92800 Hauts-de-Seine 101 ⑭, 18 25 – *42 756 h alt. 36.*
Paris 9 – Nanterre 4 – Pontoise 30 – St-Germain-en-Laye 13 – Versailles 16.

Syjac AX 41
20 quai de Dion-Bouton ✆ 01 42 04 03 04, *Fax 01 45 06 78 69*
M sans rest, « Élégante installation » – 🛗 TV ☎ ♿ – 🏛 30. AE ⓓ GB
☕ 60 – **33 ch** 570/980.

Princesse Isabelle AX 41
72 r. J. Jaurès ✆ 01 47 78 80 06, *Fax 01 47 75 25 20*
M sans rest, – TV. AE GB
50 – **29 ch** 685.

Dauphin AX 41
45 r. J. Jaurès ✆ 01 47 73 71 63, *Fax 01 46 98 08 82*
M sans rest, – TV. AE GB
40 – **30 ch** 470/560.

Chaumière AX 39
127 av. Prés. Wilson - rd-pt des Bergères ✆ 01 47 75 05 46, *Fax 01 47 75 05 46*
. AE GB
fermé 9 au 29 août, sam. midi, dim. soir et lundi soir – **Repas** 155 et carte 200 à 310.

Maison André, 20 r. des Fusillés ✆ 01 47 75 36 31

La Queue-en-Brie *94510 Val-de-Marne* 101 ㉙, 24 25 – *9 897 h alt. 95.*
Paris 23 – Coulommiers 50 – Créteil 14 – Lagny-sur-Marne 21 – Melun 32 – Provins 66.

Relais de Pincevent BH 68
av. Hippodrome ✆ 01 45 94 61 61, *Fax 01 45 93 32 69*
– TV P – 80. GB
Repas 96/132 – 35 – **56 ch** 280.

Aub. du Petit Caporal BJ 70
42 r. Gén. de Gaulle (N 4) ✆ 01 45 76 30 06
. AE GB
fermé mardi soir, merc. soir et dim. – **Repas** 160 et carte 260 à 370.

Quincy-sous-Sénart *91480 Essonne* 101 ㊳ – *7 079 h alt. 76.*
Paris 33 – Brie-Comte-Robert 8 – Évry 11 – Melun 20.

Lisière de Sénart
33 r. Libération ✆ 01 69 00 87 15
– AE GB
fermé vacances de fév., mardi soir et merc. – **Repas** 90/175 et carte 210 à 340.

Roissy-en-France (Aéroports de Paris) *95700 Val-d'Oise* 101 ⑧ – *2 054 h alt. 85.*

Charles-de-Gaulle ✆ 01 48 62 22 80.
Paris 26 – Chantilly 26 – Meaux 36 – Pontoise 36 – Senlis 27.

à Roissy-ville :

Copthorne
allée Verger ✆ 01 34 29 33 33, *Fax 01 34 29 03 05*
M, , , – TV – 150. AE GB JCB
Repas *(fermé dim. midi et sam.) (99 bc)* - 160 bc (déj.), 200/250 – 85 – **237 ch** 1050/1450.

Mercure
allée Verger ✆ 01 34 29 40 00, *Fax 01 34 29 00 18*
– TV P – 90. AE GB
Repas *(76 bc)* - 146 bc, enf. 50 – 70 – **202 ch** 800, 4 appart.

Bleu Marine
Z.A. parc de Roissy ✆ 01 34 29 00 00, *Fax 01 34 29 00 11*
M, – – 80. AE GB JCB
Repas (95) - 145 ♀, enf. 49 – 60 – **153 ch** 610.

Campanile
Z.A. parc de Roissy ✆ 01 34 29 80 40, *Fax 01 34 29 80 39*
M, – – 100. AE GB
Repas (72) - 92 bc/119 bc, enf. 39 – 36 – **269 ch** 400.

Ibis
av. Raperie ✆ 01 34 29 34 34, *Fax 01 34 29 34 19*
M – – 70. AE GB
Repas (75) - 95 bc et carte environ 140, enf. 39 – 42 – **291 ch** 650.

à l'aérogare n° 2 :

Sheraton
Aérogare n° 2 ✆ 01 49 19 70 70, *Fax 01 49 19 70 71*
M, « Architecture contemporaine originale », –
– 80. AE GB JCB
Les Étoiles *(fermé août, sam. et dim.)* **Repas** 310
Les Saisons : **Repas** (200) - 260 ♀ – 130 – **242 ch** 1500/3700, 14 appart.

à Roissypole :

Hilton
✆ 01 49 19 77 77, *Fax 01 49 19 77 78*
M, , – – 500. AE GB JCB.
rest
Gourmet *(fermé 14 juil. au 15 août, sam. et dim.)* **Repas** 220/400 ♀, enf. 55
Aviateurs - brasserie **Repas** 79/185 ♀, enf. 55
Oyster bar - produits de la mer *(fermé 14 juil. au 15 août, dim. et lundi)*
Repas carte environ 250 ♀, enf. 55 – 95 – **378 ch** 1450/1800, 4 appart.

Sofitel
Zone centrale Ouest ✆ 01 49 19 29 29, *Fax 01 49 19 29 00*
M, , – – 150. AE GB JCB
Repas brasserie (99) - 145 bc – 100 – **344 ch** 980/1520, 8 appart.

Novotel
✆ 01 49 19 27 27, *Fax 01 49 19 27 99*
M – – 60. AE GB JCB
Repas carte environ 170 ♀, enf. 50 – 65 – **201 ch** 860/900.

Ibis
✆ 01 49 19 19 19, *Fax 01 49 19 19 21*
M, – – 80. AE GB. rest
Repas (75) - 95 , enf. 39 – 39 – **556 ch** 425.

Z.I. Paris Nord II – ✉ *95912 :.*

Hyatt Regency
351 av. Bois de la Pie ✆ 01 48 17 12 34, *Fax 01 48 17 17 17*
M, , « Original décor contemporain », , , –
– 300. AE GB
Repas 185/220 ♀ – 105 – **383 ch** 1500, 5 appart.

Voir aussi *ressources hôtelières au* **Mesnil-Amelot (77 S.-et-M.)**

Romainville *93230 Seine-St-Denis* 101 ⑰, 20 25 – *23 563 h alt. 110.*
Paris 10 – Bobigny 3 – St-Denis 16 – Vincennes 5.

XXX **Chez Henri** AV 57
72 rte Noisy ✆ 01 48 45 26 65, *Fax 01 48 91 16 74*
P. AE GB
fermé 2 au 24 août, lundi soir, sam. midi, dim. et fériés – **Repas** 160 et carte 270 à 360.

Rosny-sous-Bois *93110 Seine-St-Denis* 101 ⑰, 20 25 – *37 489 h alt. 80.*
9 ✆ 01 48 94 01 81.
Paris 13 – Bobigny 9 – Le Perreux-sur-Marne 4 – St-Denis 16.

Holiday Inn Garden Court AY 61
4 r. Rome ✆ 01 48 94 33 08, *Fax 01 48 94 30 05*
– rest, TV P – 25 à 150. AE GB JCB
Vieux Carré : **Repas** *(120)*-149 ♀, enf. 60 – 50 – **97 ch** 510.

Comfort Inn AX 61
1 r. Lisbonne ✆ 01 48 94 78 78, *Fax 01 45 28 83 69*
rest, TV P – 80. AE GB
Repas *(fermé août, sam. et dim.)* *(87 bc)* - 128 ♀ – 45 – **100 ch** 390/420.

Euromaster, 183 bd d'Alsace-Lorraine ✆ 01 45 28 15 96

Rueil-Malmaison *92500 Hauts-de-Seine* 101 ⑭, 18 25 *G. Ile de France – 66 401 h alt. 40.*
Voir *Château de Bois-Préau★ – Buffet d'orgues★ de l'église – Malmaison : musée★★ du château.*
9 ✆ 01 47 49 64 67.
Office de Tourisme 160 av. Paul Doumer ✆ *01 47 32 35 75.*
Paris 14 – Argenteuil 11 – Nanterre 3 – St-Germain-en-Laye 9 – Versailles 12.

Novotel Atria AW 34
21 av. Ed. Belin ✆ 01 47 16 60 60, *Fax 01 47 51 09 29*
M – TV – 140. AE GB JCB
Repas *(120)* - 150 ♀, enf. 51 – 60 – **118 ch** 705/755, 4 appart.

Cardinal AY 35
1 pl. Richelieu ✆ 01 47 08 20 20, *Fax 01 47 08 35 84*
sans rest – TV. AE GB
50 – **63 ch** 585/690.

Arts AX 35
3 bd Mar. Joffre ✆ 01 47 52 15 00, *Fax 01 47 14 90 19*
sans rest – TV. AE GB
40 – **33 ch** 490/540.

XX **Rastignac** AW 34
1 pl. Europe ✆ 01 47 32 92 29, *Fax 01 47 32 93 35*
. AE GB
fermé 8 au 23 août, 24 déc. au 3 janv., sam. sauf le soir de sept. à juin et dim. – **Repas** 189/395 et carte 220 à 310 ♀.

XX **Bonheur de Chine** AZ 37
6 allée A. Maillol ✆ 01 47 49 88 88
AE GB
Repas - cuisine chinoise - 89 (déj.)/130 et carte environ 180 .

XX **Relais de St-Cucufa** AZ 34
114 r. Gén. Miribel ✆ 01 47 49 79 05, *Fax 01 47 14 96 58*
– AE GB
fermé 10 au 20 août, dim. soir et lundi soir – **Repas** 250 bc et carte 280 à 430.

XX **Pavillon Joséphine** AY 34
191 av. Napoléon Bonaparte ✆ 01 47 49 96 96, *Fax 01 47 49 07 88*
– ▤. AE ⓓ GB JCB
Repas 125/289 bc et carte 150 à 220 ♀.

Rungis *94150 Val-de-Marne* 101 ㉖, 24 25 – *2 939 h alt. 80 Marché d'Intérêt National.*
Paris 14 – Antony 5 – Corbeil-Essonnes 27 – Créteil 10 – Longjumeau 10.

à Pondorly : *accès : de Paris, A6 et bretelle d'Orly ; de province, A6 et sortie Rungis*

Gd H. Mercure Orly BM 50
20 av. Ch. Lindbergh ✉ 94656 ✆ 01 46 87 36 36, *Fax 01 46 87 08 48*
M, – ▤ TV ☎ P – 180. AE ⓓ GB
La Rungisserie : **Repas** *(130)* - 190 ♀, enf. 65 – ☕ 66 – **190 ch** 830/930.

Holiday Inn BM 50
4 av. Ch. Lindbergh ✉ 94656 ✆ 01 46 87 26 66, *Fax 01 45 60 91 25*
M – ▤ TV ☎ ♿ P – 150. AE ⓓ GB
Repas *(95)* - 140 ♀ – ☕ 70 – **172 ch** 860/1060.

Novotel
Zone du Delta, 1 r. Pont des Halles ✆ 01 45 12 44 12, *Fax 01 45 12 44 13*
M, , – ▤ TV ☎ ♿ P – 150. AE ⓓ GB
Repas carte environ 170 ♀, enf. 55 – ☕ 65 – **181 ch** 680/850.

Ibis BM 50
1 r. Mondétour ✉ 94656 ✆ 01 46 87 22 45, *Fax 01 46 87 84 72*
– TV ☎ ♿ P – 60. AE ⓓ GB
Repas *(75)* - 95 ♀, enf. 39 – ☕ 39 – **119 ch** 350.

à Rungis-ville :

XX **Charolais** BN 50
13 r. N.-Dame ✆ 01 46 86 16 42
AE ⓓ GB
fermé 12 août au 2 sept., sam. et dim. – **Repas** *(118)* - 150 et carte 260 à 390.

Euromaster, 2 r. des Transports Centre Routier ✆ 01 46 86 46 01

St-Cloud *92210 Hauts-de-Seine* 101 ⑭, 22 25 *G. Ile de France – 28 597 h alt. 63.*
Voir *Parc*★★ *(Grandes Eaux*★★*)* – *Église Stella Matutina*★.
18 18 *(privé)* ✆ 01 47 01 01 85 parc de Buzenval à Garches, O : 4 km ; 9 *Paris Country Club (Hippodrome)* ✆ 01 47 71 39 22.
Paris 12 – Nanterre 7 – Rueil-Malmaison 5 – St-Germain 17 – Versailles 11.

Villa Henri IV et rest. Le Bourbon BB 38
43 bd République ✆ 01 46 02 59 30, *Fax 01 49 11 11 02*
TV ☎ P. AE ⓓ GB
Repas *(fermé 25 juil. au 24 août et dim. soir) (90)* - 120/178 ♀ – ☕ 48 – **36 ch** 460/550.

Quorum BB 38
2 bd République ✆ 01 47 71 22 33, *Fax 01 46 02 75 64*
M, – , ▤ rest, TV ☎ ♿ . AE ⓓ GB
Repas *(fermé sam. midi et dim.) (78)* - 98 – ☕ 40 – **58 ch** 460/500.

St-Denis

93200 Seine-St-Denis 101 ⑯, 20 25 *G. Ile de France – 89 988 h alt. 33.*

Voir *Basilique★★★.*

Office de Tourisme 1 r. de la République ☎ *01 55 87 08 70, Fax 01 48 20 24 11.*

Paris 10 – Argenteuil 10 – Beauvais 72 – Bobigny 11 – Chantilly 42 – Pontoise 27 – Senlis 42.

Campanile AP 51
14 r. J. Jaurès ☎ 01 48 20 74 31, *Fax 01 48 20 74 26*
M – 25. AE GB
Repas *(72)* - 92 bc/119 bc, enf. 39 – 36 – **99 ch** 340.

CITROEN Succursale, 43 bd Libération ☎ 01 49 33 10 00
FORD Gar. Bocquet, 13 bis bd Carnot ☎ 01 48 22 20 95
PEUGEOT Gar. Neubauer, 227 bd A.-France ☎ 01 49 33 60 60
RENAULT Succursale, 93 r. de la Convention à La Courneuve ☎ 01 49 92 65 65 N ☎ 08 00 05 15 15
S.M.J., 64 bd M.-Sembat ☎ 01 42 43 31 20

Bertrand Pneus Vulco, 29 r. R.-Salengro à Villetaneuse ☎ 01 48 21 20 24
Pégaud Pneus Vulco, 16 av. R.-Semat ☎ 01 48 22 12 14
St-Denis Pneus, 20 bis r. G.-Péri ☎ 01 48 20 10 77

St-Germain-en-Laye

78100 Yvelines 101 ⑬, 18 25 *G. Ile de France – 39 926 h alt. 78.*

Voir *Terrasse★★* BY – *Jardin anglais★* BY – *Château★* BZ : *musée des Antiquités nationales★★ – Musée du Prieuré★* AZ.

9 18 *(privé)* ☎ 01 39 10 30 30, par ④ : 3 km ; 9 9 9 *de Fourqueux (privé)* ☎ 01 34 51 41 47, par r. de Mareil AZ.

Office de Tourisme 38 r. Au Pain ☎ *01 34 51 05 12, Fax 01 34 51 36 01.*

Paris 24 ③ – Beauvais 81 ① – Chartres 81 ③ – Dreux 69 ③ – Mantes-la-Jolie 35 ④ – Versailles 13 ③.

Plan page ci-contre

Ermitage des Loges AY x
11 av. Loges ☎ 01 39 21 50 90, *Fax 01 39 21 50 91*
M, – 30 à 150. AE GB.
Repas *(98)* - 160 ♀, enf. 60 – 58 – **56 ch** 550/660.

Feuillantine AZ a
10 r. Louviers ☎ 01 34 51 04 24
AE GB
Repas *(85)* - 130 ♀.

par ① *et D 284 : 2,5 km – ✉ 78100 St-Germain-en-Laye :*

Forestière
1 av. Prés. Kennedy ☎ 01 39 10 38 38, *Fax 01 39 73 73 88*
M, « En lisière de forêt » – – 30. AE GB JCB
voir rest. ***Cazaudehore*** ci-après – 75 – **25 ch** 790/990, 5 appart.

Cazaudehore
1 av. Prés. Kennedy ☎ 01 34 51 93 80, *Fax 01 39 73 73 88*
, « Jardin fleuri » – P. AE GB JCB
fermé lundi sauf fériés – **Repas** *(190)* - 290 bc (déj.), 370 bc/500 bc et carte 260 à 420.

CITROEN Ouest Autom., 45 r. de Mantes N 13 à Chambourcy par ④ ☎ 01 30 74 90 00
PEUGEOT Vauban Autom., pl. Vauban par ④ ☎ 01 30 87 15 15
RENAULT Gar. Adde, 112 r. du Prés.-Roosevelt ☎ 01 39 73 32 64

Relais du Pneu - Point S, 22 r. Péreire ☎ 01 34 51 19 33

ST-GERMAIN EN-LAYE

Bonnenfant (R.A.) . . . . . AZ 3
Marché-Neuf (Pl. du) . . . AZ
Pain (R. au) . . . . AZ 20
Paris (R. de) . . . . AZ
Poissy (R. de) . . . . AZ 22
Vieux-Marché (R. du) . . . AZ 33

Coches (R. des) . . . . AZ 4
Denis (R. M.) . . . . AZ 5
Detaille (Pl.) . . . . AY 6
Giraud-Teulon (R.) . . . . . BZ 9
Gde-Fontaine (R.) . . . . AZ 10
Loges (Av. des) . . . . AY 14
Malraux (Pl. A.) . . . . BZ 16
Mareil (Pl.) . . . . AZ 19
Pologne (R. de) . . . . AY 23
Surintendance (R. de la) . AY 28
Victoire (Pl. de la) . . . . AY 30
Vieil-Abreuvoir (R. du) . . . AZ 32

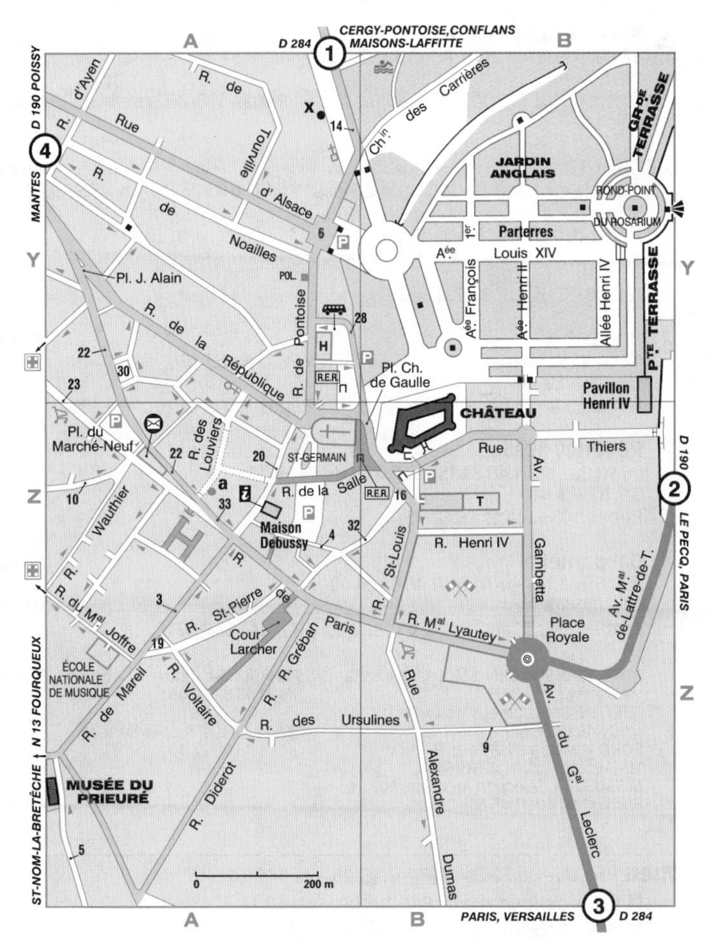

Visitez la capitale avec le ***guide Vert Michelin PARIS***

St-Mandé *94160 Val-de-Marne* 101 ㉗, 24 25 *G. Ile de France – 18 684 h alt. 50.*
Paris 6 – Créteil 10 – Lagny-sur-Marne 28 – Maisons-Alfort 5 – Vincennes 2.

Aux Capucins — BB 56
44 av. Gén. de Gaulle ✆ 01 43 28 23 93, *Fax 01 43 28 10 90*
AE ⓓ GB
fermé 1er au 21 août, sam. midi et dim. – **Repas** 125/170 ♀.

PORSCHE Fast Autom., 8-12 av V.-Hugo ✆ 01 43 28 18 18

Gar. Drécourt, 186 av. Gallieni ✆ 01 43 28 30 21

St-Maur-des-Fossés *94100 Val-de-Marne* 101 ㉗, 24 25 – *77 206 h alt. 38.*

Office de Tourisme 70 av. République ✆ 01 42 83 84 74, Fax 01 42 83 84 74.
Paris 13 – Créteil 6 – Nogent-sur-Marne 5.

XX **Aub. de la Passerelle** **BH 61**
37 quai de la Pie ✆ 01 48 83 59 65, *Fax 01 48 89 91 24*
▤. AE GB
fermé 15 au 31 août, dim. soir et lundi – **Repas** 190/260 et carte 200 à 340, enf. 110.

XX **Gourmet** **BH 62**
150 bd Gén. Giraud (quartier de la Pie) ✆ 01 48 86 86 96, *Fax 01 48 86 86 96*
– GB
fermé dim. soir et lundi – **Repas** *(99 bc)* - 130/200 et carte 190 à 260.

à La Varenne-St-Hilaire – ✉ *94210 :*

XXX **Bretèche** **BJ 64**
171 quai Bonneuil ✆ 01 48 83 38 73, *Fax 01 42 83 63 19*
– ▤. AE GB
fermé 15 au 28 fév., dim. soir et lundi – **Repas** 160 et carte 220 à 350.

XX **Régency 1925** **BH 65**
96 av. Bac ✆ 01 48 83 15 15, *Fax 01 48 89 99 74*
▤. AE ⓓ GB
Repas 140 et carte 180 à 310.

X **Gargamelle** **BG 65**
23-25 av. Ch. Péguy ✆ 01 48 86 04 40
– AE ⓓ GB
fermé 16 au 31 août, dim. soir et lundi – **Repas** *(85)* - 155 bc/185 ♀.

AUDI, VOLKSWAGEN SMCDA, 48 r. de la Varenne ✆ 01 48 86 41 42
CITROEN Gar. Léglise, 7 bis av. Foch ✆ 01 48 83 06 83
FORD Avantage Sce Ford, 9-11 bd M.-Berteaux ✆ 01 42 83 64 41
MITSUBISHI Sélection Auto Sce, 102 av. Foch ✆ 01 48 85 45 55
RENAULT Gar. Chevant, 2 bd Gén.-Giraud ✆ 01 48 83 05 43

Selz Pneus, 5 av. L.-Blanc ✆ 01 48 85 27 33

St-Ouen *93400 Seine-St-Denis* 101 ⑯, 18 25 – *42 343 h alt. 36.*

Office de Tourisme pl. République ✆ 01 40 11 77 36, Fax 01 40 11 01 70.
Paris 9 – Bobigny 14 – Chantilly 45 – Meaux 49 – Pontoise 27 – St-Denis 3.

Sovereign **AS 49**
54 quai Seine ✆ 01 40 12 91 29, *Fax 01 40 10 89 49*
M – TV ☎ P – 45. AE ⓓ GB JCB
Repas *(fermé dim. et fériés) (75)* - 85/110 ♀ – 37 – **104 ch** 305/340.

XX **Coq de la Maison Blanche** **AT 49**
37 bd J. Jaurès ✆ 01 40 11 01 23, *Fax 01 40 11 67 68*
– ▤. AE ⓓ GB
fermé dim. – **Repas** 180 et carte 210 à 360 ♀.

FORD Gar. Bocquet, 45-57 av. Michelet ✆ 01 40 11 13 10

Sté Nlle du Pneumatique, 87 bd V.-Hugo ✆ 01 40 11 08 66

St-Pierre-du-Perray *91100 Essonne 101 ㊳ – 3 342 h alt. 88.*

Paris 41 – Brie-Comte-Robert 16 – Évry 9 – Melun 17.

Novotel
01 69 89 75 75, Fax 01 69 89 75 50
M, – 120. AE GB JCB
Repas *(98)* - carte environ 180 ♀, enf. 50 – ☕ 60 – **78 ch** 520/620.

St-Quentin-en-Yvelines *78 Yvelines 101 ㉑, 25 G. Ile de France.*

Paris 33 – Houdan 32 – Palaiseau 21 – Rambouillet 20 – Versailles 13.

Montigny-le-Bretonneux *– 31 687 h. alt. 162 – ✉ 78180.*

Mercure BJ 23
9 pl. Choiseul *01 30 57 00 57, Fax 01 30 57 15 22*
M, – 70. AE GB
Repas *(fermé vend. soir, dim. midi et sam.)* 120/175, enf. 55 – ☕ 60 – **74 ch** 580/630.

Aub. du Manet BL 21
61 av. Manet *01 30 64 89 00, Fax 01 30 64 55 10*
AE GB
Repas 130/205 ♀, enf. 50 – ☕ 56 – **31 ch** 390/550, 4 appart – ½ P 405/450.

Voisins-le-Bretonneux *– 11 220 h. alt. 163 – ✉ 78960.*

Novotel St-Quentin Golf National BN 25
au Golf National, Est : 2 km par D 36 ✉ 78114 Magny-lès-Hameaux
01 30 57 65 65, Fax 01 30 57 65 00
M – 200. AE GB JCB
Repas *(89)* - carte environ 170 ♀, enf. 50 – ☕ 60 – **130 ch** 550/630.

Relais de Voisins BM 23
av. Grand-Pré *01 30 44 11 55, Fax 01 30 44 02 04*
M, – 40. GB.
fermé 1er au 16 août – **Repas** *(fermé dim. soir)* 79/159 – ☕ 32 – **54 ch** 310/370.

Port Royal BM 24
20 r. H. Boucher *01 30 44 16 27, Fax 01 30 57 52 11*
sans rest, – GB
☕ 32 – **40 ch** 270/290.

AUDI, VOLKSWAGEN M.B.A., ZAS 10 av. des Prés 01 30 44 12 12
FIAT Sodiam 78, 1 r. N. Copernic à Guyancourt 01 30 43 39 39
PEUGEOT SOVEDA, N 286 à Montigny-le-Bretonneux 01 30 45 09 42 N 08 00 44 24 24

RENAULT Gar. Cedam, 43 av. de Manet à Montigny-le-Bretonneux 01 30 43 25 79 N 08 00 05 15 15

St-Rémy-lès-Chevreuse *78470 Yvelines 101 ㉜ – 5 589 h alt. 73.*

Voir *Chevreuse : site★ – Vallée de Chevreuse★.*

Env. *Château de Breteuil★★ SO : 8 km,* G. Ile de France.

9 *de Chevry II* 01 60 12 40 33, SE : 4,5 km.

Office de Tourisme 1 r. Ditte 01 30 52 22 49 (ouvert merc., sam., dim. et jours fériés) Bureau d'Accueil en face de la Gare du RER.

Paris 38 – Chartres *60 – Longjumeau 22 – Rambouillet 22 – Versailles 16.*

XX **Cressonnière**

46 r. de Port Royal, direction Milon ✆ 01 30 52 00 41, *Fax 01 30 47 28 31*

– AE GB

fermé 16 au 31 août, dim. soir de nov. à avril, mardi et merc. – **Repas** 190/400

TOYOTA Gar. du Claireau ✆ 01 30 52 41 00

Ste-Geneviève-des-Bois *91700 Essonne* 101 ㉟ ㊱ *G. Ile de France – 31 286 h alt. 78.*

Office de Tourisme Le Donjon 8 av. du Château ✆ 01 60 16 29 33, Fax 01 60 15 56 78.

Paris 27 – Arpajon 11 – Corbeil-Essonnes 15 – Étampes 30 – Évry 9 – Longjumeau 10.

XX **Table d'Antan**

38 av. Gde Charmille, près H. de Ville ✆ 01 60 15 71 53, *Fax 01 60 15 71 53*

GB

fermé mi-août à mi-sept., dim. soir, merc. soir et lundi sauf fériés – **Repas** 145/280 et carte 220 à 310.

AUDI, VOLKSWAGEN Gar. du Donjon, 107 rte de Corbeil ✆ 01 60 15 11 82
FIAT, MERCEDES Gar. du Parc, 51 av. G.-Péri ✆ 01 69 46 00 55
OPEL Gar. du Château, 166 rte de Corbeil ✆ 01 60 15 29 27
RENAULT Gar. Hippeau, 110 rte de Corbeil ✆ 01 60 15 37 78
SEAT Gar. Atlantico, 17-19 rte de Corbeil ✆ 01 69 04 39 55

Sartrouville *78500 Yvelines* 101 ⑬, 18 25 – *50 329 h alt. 46.*

Paris 21 – Argenteuil 9 – Maisons-Laffitte 2 – Pontoise 22 – St-Germain-en-Laye 8 – Versailles 20.

XX **Jardin Gourmand** — **AN 37**

109 rte Pontoise (N 192) ✆ 01 39 13 18 88

AE ⓓ GB JCB

fermé dim. soir – **Repas** 140/280 et carte 230 à 320, enf. 60.

C.B. Maintenance, 34 av. G.-Clémenceau ✆ 01 39 13 56 18

Savigny-sur-Orge *91600 Essonne* 101 ㊱ – *33 295 h alt. 81.*

Paris 22 – Arpajon 18 – Corbeil-Essonnes 16 – Évry 11 – Longjumeau 5.

XX **Au Menil**

24 bd A. Briand ✆ 01 69 05 47 48, *Fax 01 69 44 09 44*

. AE GB

fermé 20 juil. au 15 août, lundi soir et mardi – **Repas** 99 bc/240.

CITROEN Essauto Diffusion, 91 rte de Corbeil à Morsang-sur-Orge ✆ 01 69 04 21 68
RENAULT Gar. Sard, 10 bd A.-Briand ✆ 01 69 05 04 50

Sceaux *92330 Hauts-de-Seine* 101 ㉕, 22 25 *G. Ile de France – 18 052 h alt. 101.*

Voir *Parc★★ et Musée de l'Ile-de-France★ – L'Hay-les-Roses : roseraie★★ E : 3 km – Châtenay-Malabry : église St-Germain l'Auxerrois★, Maison de Chateaubriand★ SO : 3 km.*

Office de Tourisme 70 r. Houdan ✆ 01 46 61 19 03.

Paris 12 – Antony 4 – Bagneux 4 – Corbeil-Essonnes 30 – Nanterre 22 – Versailles 15.

BMW Gar. Loiseau, 3 r. de la Flèche ✆ 01 47 02 72 50
Vaysse, 77 r. V.-Fayo à Châtenay-Malabry ✆ 01 46 61 14 18

Senlisse *78720 Yvelines 101 ㉛ – 425 h alt. 103.*
Paris 47 – Chartres 54 – Longjumeau 28 – Rambouillet 14 – Versailles 21.

Aub. du Gros Marronnier
pl. Église 01 30 52 51 69, *Fax 01 30 52 55 91*
avec ch., – AE GB
fermé 30 nov. au 31 janv., dim. soir et lundi du 15 oct. au 15 mars – **Repas** 130/295 – 40 – **15 ch** 335/385 – ½ P 320/345.

Sevran *93270 Seine-St-Denis 101 ⑱, 20 25 – 48 478 h alt. 50.*
Paris 22 – Bobigny 10 – Meaux 27 – Villepinte 4.

Campanile AN 65
5 r. A. Léonov 01 43 84 67 77, *Fax 01 43 83 27 40*
– 25. AE GB
Repas *(72)* - 92 bc/119 bc, enf. 39 – 36 – **58 ch** 340.

Otico Sevran, 7 allée du Mar.-Bugeaud 01 43 84 36 30

Sèvres *92310 Hauts-de-Seine 101 ㉔, 22 25 G. Ile de France – 21 990 h alt. 48.*
Voir *Musée National de céramique★★ – Étangs★ de Ville d'Avray O : 3 km.*
Paris 12 – Boulogne-Billancourt 3 – Nanterre 10 – St-Germain-en-Laye 19 – Versailles 7.

Novotel BD 39
13 Grande Rue 01 46 23 20 00, *Fax 01 46 23 02 32*
M, – , rest, – 120. AE GB
Repas *(98)* - 125, enf. 50 – 65 – **95 ch** 770/835.

Aub. Garden BF 38
24 rte Pavé des Gardes 01 46 26 50 50, *Fax 01 46 26 58 58*
– AE GB
fermé 1er au 23 août, sam. midi et dim. soir – **Repas** 168.

CITROEN Gar. Pont de Sèvres, ZAC, 2 av. Cristallerie 01 45 34 01 93 N 08 00 05 24 24

Sucy-en-Brie *94370 Val-de-Marne 101 ㉘, 24 25 – 25 839 h alt. 96.*
Voir *Château de Gros Bois★ : mobilier★★ S : 5 km,* **G. Ile de France.**
Paris 18 – Créteil 7 – Chennevières-sur-Marne 4.

quartier les Bruyères *Sud-Est : 3 km :*

Tartarin BM 68
carrefour de la Patte d'Oie 01 45 90 42 61, *Fax 01 45 90 52 55*
, – – 30. GB
Repas *(fermé août, mardi soir, merc. soir, jeudi soir et lundi)* 120/260 et carte 200 à 310 – 30 – **11 ch** 295/310.

Terrasse Fleurie BM 68
1 r. Marolles 01 45 90 40 07, *Fax 01 45 90 40 07*
– AE GB
fermé 3 au 26 août, 4 au 12 janv., le soir (sauf vend. et sam.) et merc. – **Repas** 120/220 et carte 210 à 310, enf. 75.

PEUGEOT Gar. Paulmier, 89 r. Gén.-Leclerc 01 49 82 96 96

RENAULT Boissy Autom., 51 av. Gén. Leclerc à Boissy-St-Léger 01 45 10 30 00 N 08 00 05 15 15

Suresnes *92150 Hauts-de-Seine* 101 ⑭, 18 25 *G. Ile de France – 35 998 h alt. 42.*

Voir *Fort du Mont Valérien (Mémorial National de la France combattante).*

Office de Tourisme 50 bd Henri-Sellier ✆ 01 48 18 18 76, Fax 01 41 18 18 78

Paris 11 – Nanterre 4 – Pontoise 34 – St-Germain-en-Laye 14 – Versailles 13.

Novotel AY 40

7 r. Port aux Vins ✆ 01 40 99 00 00, *Fax 01 45 06 60 06*

M – 25 à 100. AE GB

Repas *(91)* - 155 bc – 65 – **107 ch** 740/770.

Atrium AZ 39

68 bd H. Sellier ✆ 01 42 04 60 76, *Fax 01 46 97 71 61*

M sans rest, – 60. AE GB JCB

55 – **42 ch** 610/715.

Astor AY 39

19 bis r. Mt Valérien ✆ 01 45 06 15 52, *Fax 01 42 04 65 29*

sans rest – . AE GB

30 – **51 ch** 350.

Les Jardins de Camille AY 39

70 av. Franklin Roosevelt ✆ 01 45 06 22 66, *Fax 01 47 72 42 25*

– AE GB JCB

fermé dim. soir – **Repas** 160.

Euromaster, 4 r. E.-Nieuport ✆ 01 47 72 43 21

Taverny *95150 Val-d'Oise* 101 ④ *G. Ile de France – 25 151 h alt. 92.*

Voir *église★.*

Paris 26 – Beauvais 60 – Chantilly 30 – L'Isle-Adam 14 – Pontoise 12.

Campanile

centre commercial les Portes de Taverny ✆ 01 30 40 10 85, *Fax 01 30 40 10 87*

– – 25. AE GB

Repas *(66)* - 84 bc/107 bc, enf. 39 – 34 – **76 ch** 278.

CITROEN Gar. Vincent, 183 r. d'Herblay ✆ 01 39 95 44 00
HYUNDAI Gar. Autocat, 201 r. d'Herblay ✆ 01 34 13 10 52
PEUGEOT Gar. des Lignières, 29 r. de Beauchamp ✆ 01 39 60 13 58
RENAULT Gar. de la Diligence, 75 r. d'Herblay ✆ 01 39 60 75 68

Tremblay-en-France *93290 Seine-St-Denis* 101 ⑱, 20 25 – *31 385 h alt. 60.*

Paris 24 – Aulnay-sous-Bois 7 – Bobigny 13 – Villepinte 4.

au Tremblay-Vieux-Pays :

Cénacle AJ 68

1 r. Mairie ✆ 01 48 61 32 91, *Fax 01 48 60 43 89*

AE GB JCB

fermé août, sam. midi et dim. – **Repas** 175 bc/340 et carte 300 à 420, enf. 100.

Triel-sur-Seine *78510 Yvelines 101 ① ② G. Ile de France – 9 615 h alt. 20.*

Voir *Église St-Martin★*

Paris 39 – Mantes-la-Jolie 27 – Pontoise 14 – Rambouillet 55 – St-Germain-en-Laye 12 – Versailles 25.

St-Martin
2 r. Galande (face Poste) ☎ 01 39 70 32 00, *Fax 01 39 74 30 34*
GB
fermé 5 au 25 août, dim. soir et merc. – Repas (nombre de couverts limité, prévenir) 98/180, enf. 50.

RENAULT Bagros Heid, 1 r. du Pont ☎ 01 39 70 60 29

Vanves *92170 Hauts-de-Seine 101 ㉕, 22 25 – 25 967 h alt. 61.*

Paris 7 – Boulogne-Billancourt 4 – Nanterre 15.

Mercure Porte de la Plaine BD 45
36 r. Moulin ☎ 01 46 48 55 55, *Fax 01 46 48 56 56*
260. AE GB JCB
Repas *(90)* - carte 140 à 260, enf. 45 – 61 – **384 ch** 880/940, 4 appart.

Parc des Expositions BD 44
18 r. E. Baudouin ☎ 01 41 46 06 46, *Fax 01 41 46 06 47*
M sans rest – 30. AE GB
58 – **55 ch** 680/780.

Ibis BD 45
43 r. J. Bleuzen ☎ 01 40 95 80 00, *Fax 01 40 95 96 99*
M sans rest – AE GB
39 – **71 ch** 395/430.

Pavillon de la Tourelle BE 44
10 r. Larmeroux ☎ 01 46 42 15 59, *Fax 01 46 42 06 27*
AE GB JCB
fermé 27 juil. au 24 août, 15 au 22 fév., dim. soir et lundi – **Repas** 200/260 bc et carte 350 à 460.

Pyramide BD 45
9 r. Gaudray ☎ 01 46 45 42 76, *Fax 01 46 45 88 70*
AE GB
fermé août, dim. soir et lundi – **Repas** 120 et carte 190 à 290, enf. 80.

Varennes-Jarcy *91480 Essonne 101 ㊳ – 1 687 h alt. 55.*

Paris 30 – Brunoy 6 – Évry 15 – Melun 23.

Host. de Varennes
☎ 01 69 00 97 03, *Fax 01 69 00 80 08*
, parc – AE GB
fermé août, 4 au 10 janv., lundi soir et mardi – **Repas** 125/195.

Vaucresson *92420 Hauts-de-Seine 101 ㉓, 22 25 – 8 118 h alt. 160.*

Voir *Etang de St-Cucufa★ NE : 2,5 km – Institut Pasteur - Musée des Applications de la Recherche★ à Marnes-la-Coquette SO : 4 km,* **G. Ile de France.**

Paris 17 – Mantes-la-Jolie 44 – Nanterre 12 – St-Germain-en-Laye 11 – Versailles 5.

Voir plans de Versailles

Poularde U a
36 bd Jardy (près autoroute) D 182 ☎ 01 47 41 13 47, *Fax 01 47 01 41 32*
AE GB
fermé août, vacances de fév., dim. soir, mardi soir et merc. – **Repas** 175 et carte 250 à 380.

RENAULT Gar. Moriceau, 106 bd République ☎ 01 47 41 12 40 N ☎ 08 00 05 15 15

Vaujours *93410 Seine-St-Denis 101 ⑱, 25 – 5 214 h alt. 61.*
Paris 22 – Bobigny 12 – Chelles 8 – Meaux 25 – St-Denis 24 – Senlis 42.

XX **Relais de Vaujours** **P 49**
1 pl. Fêtes ☎ 01 48 60 10 20, *Fax 01 48 60 10 20*
– GB
fermé août, 17 au 24 fév., mardi soir, sam. midi, dim. soir et lundi – **Repas** 178 et carte 220 à 330.

Vélizy-Villacoublay *78140 Yvelines 101 ㉔, 22 25 – 20 725 h alt. 164.*
Paris 24 – Antony 13 – Chartres 77 – Meudon 8 – Versailles 6.

Holiday Inn **BJ 39**
av. Europe, près centre commercial Vélizy II ☎ 01 39 46 96 98, *Fax 01 34 65 95 21*
M, – TV ☎ & P – 25 à 250. AE GB JCB
Repas 139/225 ♀, enf. 65 – ☕ 75 – **182 ch** 895/1100.

XX **Orée du Bois** **BH 35**
2 r. M. Sembat ☎ 01 39 46 38 40, *Fax 01 30 70 88 67*
– P. AE GB
fermé 3 au 23 août, sam. et dim. – **Repas** 180 et carte 200 à 330.

RENAULT BSE-Vélizy, av. L.-Bréguet ☎ 01 39 46 96 03 N ☎ 08 00 05 15 15

Vernouillet *78540 Yvelines 101 ① G. Île de France – 8 676 h alt. 24.*
Voir *Clocher★ de l'église.*
Paris 37 – Mantes-la-Jolie 25 – Pontoise 16 – Rambouillet 53 – St-Germain-en-Laye 17 – Versailles 28.

XX **Charmilles**
38 av. P. Doumer ☎ 01 39 71 64 02, *Fax 01 39 65 98 62*
avec ch, , – TV ☎ P – 30. GB
Repas *(fermé dim. soir et lundi)* 140/210 ♀ – ☕ 32 – **9 ch** 190/330 – ½ P 292/317.

Versailles P *78000 Yvelines 101 ㉓, 22 25 G. Ile de France – 87 789 h alt. 130.*
Voir *Château★★★* Y – *Jardins★★★ (Grandes Eaux★★★ et fêtes de nuit★★★ en été)* V – *Ecuries Royales★* Y – *Trianon★★* V – *Musée Lambinet★* Y **M.**

Env. *Jouy-en-Josas : la "Diège"★ (statue) dans l'église, 7 km par ③.*
9 18 18 *de la Boulie (privé)* ☎ 01 39 50 59 41, par ③ : **2,5 km.**
Office de Tourisme 7 r. des Réservoirs ☎ 01 39 50 36 22, Fax 01 39 50 68 07 et (fermé lundi) îlot des Manèges, 6 av. du Gén.-de-Gaulle ☎ 01 39 53 31 63.
Paris 26 ① – Beauvais 95 ⑦ – Dreux 61 ⑥ – Évreux 89 ⑦ – Melun 59 ③ – Orléans 121 ③.

Plans pages suivantes

Trianon Palace X **r**
1 bd Reine ☎ 01 30 84 38 00, *Fax 01 39 49 00 77*
M, <, parc, « Élégant décor début de siècle », , , – , ch, TV ☎ P – 30. AE GB JCB
voir rest. ***Les Trois Marches*** ci-après
Brasserie La Fontaine ☎ 01 30 84 38 47 **Repas** *(120)* et carte 180 à 290 ♀ – ☕ 140 – **163 ch** 1400/2100, 27 appart.

VERSAILLES

Bellevue (Av. de) .... U 2
Coste (R.). .... V 9
Dr-Schweitzer (Av. du)... U 12
Franchet-d'Esperey (Av. du Mar.) .... U 15
Glatigny (Bd de) .... U 19
Leclerc (Av. du Gén.) .... V 22
Marly-le-Roi (R. de) ..... U 26
Mermoz (R. Jean)....... V 27
Moxouris (R.) .... U 29
Napoléon III (Rte)....... U 30
Pelin (R. L.) .... U 32
Porchefontaine (Av. de)............... V 33
Pottier (R.)............. U 35
Rocquencourt (Av. de).... U 39
St-Antoine (Allée) .... V 40
Sports (R. des) .... U 43
Vauban (R.) .... V 45

Les **guides Rouges,** les **guides Verts** et les **cartes Michelin** sont complémentaires.
Utilisez-les ensemble.

VERSAILLES

Carnot (R.) . . . . Y
Clemenceau
(R. Georges) . . . . Y 7
États-Généraux (R. des) . . Z
Foch (R. du Mar.) . . . . . . XY
Hoche (R.) . . . . Y

Leclerc (R. du Gén.) . . . . . Z 24
Orangerie (R. de l') . . . . . YZ
Paroisse (R. de la) . . . . . . Y
Royale (R.) . . . . Z
Satory (R. de) . . . . YZ 42
Vieux-Versailles (R. du) . YZ 47

Chancellerie (R. de la) . . . Y 3
Chantiers (R. des) . . . . Z 5

Cotte (R. Robert-de) . . . . . . Y 10
Europe (Av. de l') . . . . Y 14
Gambetta (Pl.) . . . . Y 17
Gaulle (Av. Gén.-de) . . . . . YZ 18
Indép. Américaine (R. de l') Y 20
Mermoz (R. Jean) . . . . Z 27
Nolhac (R. Pierre-de) . . . . . Y 31
Porte de Buc (R. de la) . . . . Z 34
Rockefeller (Av.) . . . . Y 37

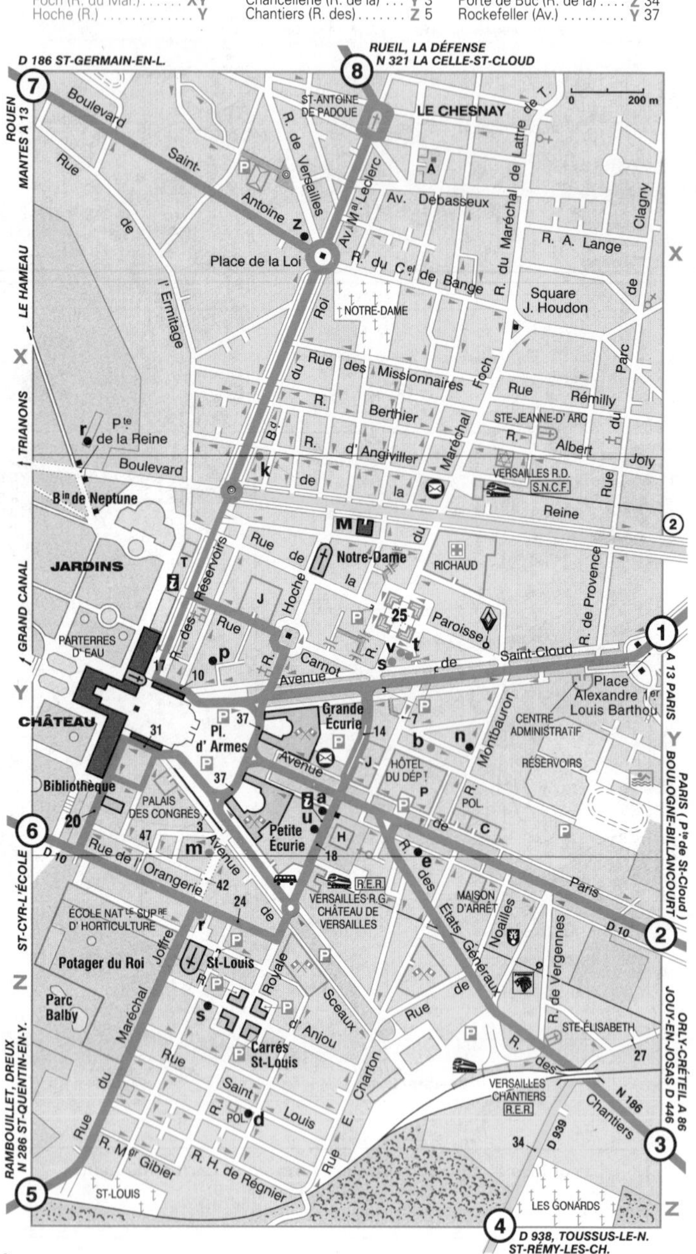

Sofitel Château de Versailles Y a
2 av. Paris ✆ 01 39 07 46 46, *Fax 01 39 07 46 47*
M, – 150. AE GB JCB
Repas *(150)* - 195/320 et carte 260 à 450 ♀, enf. 80 – ☐ 105 – **146 ch** 1200, 6 appart.

Versailles Y p
7 r. Ste-Anne (Petite place) ✆ 01 39 50 64 65, *Fax 01 39 02 37 85*
M sans rest – P. AE GB JCB
☐ 57 – **46 ch** 480/580.

Résidence du Berry Z s
14 r. Anjou ✆ 01 39 49 07 07, *Fax 01 39 50 59 40*
M sans rest – . AE GB JCB
☐ 50 – **38 ch** 420/750.

Relais Mercure Y n
19 r. Ph. de Dangeau ✆ 01 39 50 44 10, *Fax 01 39 50 65 11*
M sans rest – – 35. AE GB JCB
☐ 42 – **60 ch** 410/430.

Ibis Y u
4 av. Gén. de Gaulle ✆ 01 39 53 03 30, *Fax 01 39 50 06 31*
sans rest – . AE GB
☐ 39 – **85 ch** 390/490.

Paris YZ e
14 av. Paris ✆ 01 39 50 56 00, *Fax 01 39 50 21 83*
sans rest – . AE GB JCB
☐ 39 – **37 ch** 300/380.

Home St-Louis Z d
28 r. St-Louis ✆ 01 39 50 23 55, *Fax 01 30 21 62 45*
sans rest – . AE GB JCB
☐ 32 – **25 ch** 220/320.

Les Trois Marches (Vié) X r
1 bd Reine ✆ 01 39 50 13 21, *Fax 01 30 21 01 25*
<, – P. AE GB JCB
fermé 1er août au 2 sept. – **Repas** 270 (déj.)/610 et carte 470 à 740
Spéc. Gâteau de poireaux, mousse de morilles, escalope de foie gras. Homard rôti aux aromates. Côte de veau rôtie en cocotte "grand-mère".

Rescatore Y s
27 av. St-Cloud ✆ 01 39 25 06 34, *Fax 01 39 51 68 11*
AE GB
fermé août, sam. midi et dim. – **Repas** - produits de la mer - *(150)* - 180 et carte 280 à 340.

Valmont Y v
20 r. au Pain ✆ 01 39 51 39 00, *Fax 01 30 83 90 99*
. AE GB
fermé dim. soir et lundi – **Repas** *(118)* - 160.

Potager du Roy Z r
1 r. Mar.-Joffre ✆ 01 39 50 35 34, *Fax 01 30 21 69 30*
. AE GB
fermé dim. soir et lundi – **Repas** *(120)* - 169.

XX **Marée de Versailles** Y t
22 r. au Pain ✆ 01 30 21 73 73, *Fax 01 39 50 55 87*
. AE GB
fermé 3 au 15 août, 22 au 25 déc., vacances de fév., lundi soir et dim. – **Repas** - produits de la mer - 260 et carte 200 à 280 ♀.

XX **Étape Gourmande** V n
125 r. Yves Le Coz ✆ 01 30 21 01 63
– GB
fermé dim. soir et merc. – **Repas** 98 (déj.)/138 et carte 150 à 280 ♀.

X **Cuisine Bourgeoise** XY k
10 bd Roi ✆ 01 39 53 11 38, *Fax 01 39 53 25 26*
AE GB
fermé 9 au 24 août, sam. midi et dim. – **Repas** *(110)* - 168/290 bc et carte 250 à 340 ♀.

X **Chevalet** Y b
6 r. Ph. de Dangeau ✆ 01 39 02 03 13, *Fax 01 39 50 81 41*
GB JCB
fermé 10 au 25 août, vacances de fév., lundi soir et dim. – **Repas** *(89)* - 118 (déj.), 145/180 ♀.

X **Le Falher** Y m
22 r. Satory ✆ 01 39 50 57 43, *Fax 01 39 49 04 66*
AE GB.
fermé 14 au 26 août, sam. midi et dim. – **Repas** *(110)* - 128/180 et carte 220 à 300 ♀.

au Chesnay – *29 542 h. alt. 120 – ✉ 78150 :*

Novotel X z
4 bd St-Antoine ✆ 01 39 54 96 96, *Fax 01 39 54 94 40*
M – – 25 à 150. AE GB
Repas *(95)* - 120 ♀, enf. 50 – 60 – **105 ch** 560.

Mercure U e
r. Marly-le-Roi, face centre commercial Parly II ✆ 01 39 55 11 41, *Fax 01 39 55 06 22*
M sans rest – P. AE GB JCB
55 – **80 ch** 580.

Ibis U n
av. Dutartre, centre commercial Parly II ✆ 01 39 63 37 93, *Fax 01 39 55 18 66*
sans rest – . AE GB JCB
39 – **72 ch** 390.

XX **Au Comptoir Nordique** U r
6 av. Rocquencourt ✆ 01 39 55 13 31, *Fax 01 39 55 40 57*
– P. AE GB
fermé vacances de printemps, 2 au 23 août, vacances de Noël et dim. – **Repas** 145 et carte 170 à 240 ♀
Brasserie : **Repas** *(65)* - 90 ♀, enf. 49.

XX **Connemara** U b
41 rte Rueil ✆ 01 39 55 63 07, *Fax 01 39 55 63 07*
AE GB
fermé 20 juil. au 15 août, vacances de fév., dim. soir et lundi – **Repas** *(135)* - 170/300 et carte 200 à 290, enf. 85.

AUDI, VOLKSWAGEN Gar. des Chantiers, 58 r. des Chantiers ✆ 01 39 50 04 97
BMW Gar. Lostanlen, 10 r. de la Celle Au Chesnay ✆ 01 39 54 75 20
CITROEN Succursale, 124 av. des Etats-Unis ✆ 01 39 25 11 95 N ✆ 08 00 05 24 24
HONDA International Autom., 36-40 av. de St-Cloud ✆ 01 39 07 24 01
JAGUAR, NISSAN Paris-Versailles Autom., 60bis r. de Versailles Au Chesnay ✆ 01 39 63 35 37
LANCIA Gar. de Versailles, 18-22 r. de Conde ✆ 01 39 51 06 68
OPEL, SAAB Espace Vergennes, 18 r. de Vergennes ✆ 01 30 21 56 56
PEUGEOT Le Chesnay Autom., 36 r. Moxouris Parly 2 Au Chesnay ✆ 01 39 54 52 76 N ✆ 08 00 44 24 24
RENAULT Succursale, 81 r. de la Paroisse ✆ 01 30 84 60 00 N ✆ 08 00 05 15 15
ROVER Espace Franklin, 9 r. Benjamin-Franklin ✆ 01 39 07 11 50
Espace Franklin-Clagny, 15 r. de Clagny ✆ 01 39 07 11 30

Euromaster, 77 r. des Chantiers ✆ 01 30 21 24 25

Le Vésinet *78110 Yvelines 101 ⑬, 18 25 – 15 945 h alt. 44.*

Office de Tourisme Hôtel-de-Ville, 60 bd Carnot ✆ 01 30 15 47 00 et 3 av. des Pages ✆ 01 30 15 47 80.

Paris 18 – Maisons-Laffitte 9 – Pontoise 24 – St-Germain-en-L. 3 – Versailles 15.

Aub. des Trois Marches — AW 31
15 r. J. Laurent (pl. Église) ✆ 01 39 76 10 30, *Fax 01 39 76 62 58*
TV AE GB
fermé 9 au 16 août – **Repas** *(fermé dim. soir) (105)* - 145 et carte 210 à 300 – 40 – **15 ch** 450/510.

Pavillon de l'Ile aux Ibis — AV 31
Grand Lac ✆ 01 39 52 10 38, *Fax 01 39 52 82 66*
– AE GB
fermé dim. soir – **Repas** *(155)* - 195/290, enf. 85.

Villejuif *94800 Val-de-Marne 101 ㉖, 22 25 – 48 405 h alt. 100.*

Paris 7 – Créteil 11 – Orly 7 – Vitry-sur-Seine 3.

Relais Mercure Timing — BH 50
116 r. Éd. Vaillant ✆ 01 47 26 06 06, *Fax 01 46 77 80 21*
, – , ch, TV P – 150. AE GB
Repas *(fermé le midi du 14 juil. au 23 août) (115 bc)* - 145 bc, enf. 55 – 60 – **148 ch** 495/535.

Campanile — BG 50
20 r. Dr Pinel ✆ 01 46 78 10 11, *Fax 01 46 77 88 94*
– TV P – 50. AE GB
Repas *(72)* - 92 bc/119 bc, enf. 39 – 36 – **72 ch** 340.

La Pneumathèque-Point S, 21 r. de Verdun ✆ 01 46 77 06 06

Villejust *91140 Essonne 101 ㉞ – 1 324 h alt. 162.*

Paris 24 – Chartres 65 – Étampes 31 – Évry 21 – Longjumeau 4 – Melun 42 – Versailles 23.

à Courtaboeuf 7 *sur D 118 : 2 km – ✉ 91971 :.*

Campanile
av.des Deux Lacs ✆ 01 69 31 16 17, *Fax 01 69 31 07 18*
– TV P. AE GB
Repas *(72)* - 86/99 ♀, enf. 39 – 34 – **79 ch** 280.

Villeneuve-la-Garenne *92390 Hauts-de-Seine 101 ⑮, 20 25 – 23 824 h alt. 30.*

Paris 12 – Nanterre 13 – Pontoise 25 – St-Denis 2 – St-Germain-en-Laye 23.

XXX **Les Chanteraines** AP 48
av. 8 Mai 1945 ☏ 01 47 99 31 31, *Fax 01 41 21 31 17*
<, – P. AE GB
fermé 10 au 30 août, dim. soir et sam. – **Repas** 180 et carte 260 à 340 ♀.

RENAULT Gar. Raynal, 16 av. Sangnier ☏ 01 47 94 09 09

Euromaster, 8 av. de la Redoute ZI ☏ 01 47 94 22 85

Villeneuve-sous-Dammartin *77230 S.-et-M. 101 ⑨ – 413 h alt. 70.*

Paris 35 – Bobigny 25 – Goussainville 17 – Meaux 26 – Melun 71 – Senlis 28.

Host. du Château
28 r. Paris ☏ 01 60 54 60 80, *Fax 01 60 54 61 00*
M sans rest, parc – TV ☎ P. GB
55 – **6 ch** 600, 6 duplex 1200.

XXX **Amarande**
28 r. Paris ☏ 01 60 54 92 92, *Fax 01 60 54 92 92*
, parc – P. AE GB
fermé 3 au 24 août, dim. soir et lundi – **Repas** 145 (déj.), 170/295 et carte 310 à 420.

Villeparisis *77270 S.-et-M. 101 ⑲, 25 – 18 790 h alt. 72.*

Paris 25 – Bobigny 14 – Chelles 9 – Tremblay-en-France 5.

Relais du Parisis
Z.I. L'Ambrésis ☏ 01 64 27 83 83, *Fax 01 64 27 94 49*
, – TV ☎ P. AE GB
Repas *(fermé dim. soir)* 82/210 ♀, enf. 45 – 42 – **44 ch** 280.

Villepinte *93420 Seine-St-Denis 101 ⑧, 20 25 – 30 303 h alt. 60.*

Paris 24 – Bobigny 13 – Meaux 29 – St-Denis 21.

Campanile AL 68
2 r. J. Fourgeaud ☏ 01 48 60 35 47, *Fax 01 48 61 49 33*
– TV ☎ P – 25. AE GB
Repas *(66)* - 84 bc/107 bc, enf. 39 – 34 – **53 ch** 278.

Parc des Expositions *Paris Nord II – ✉ 93420 Villepinte :*

Ibis AL 64
sortie visiteurs ☏ 01 48 63 89 50, *Fax 01 48 63 23 10*
M – TV ☎ P – 30. AE GB
Repas *(75)* - 95/135 ♀, enf. 39 – 39 – **124 ch** 495/560.

RENAULT Gar. Verdier, 4 av. G.-Clémenceau ☏ 01 48 61 96 65 N ☏ 08 00 05 15 15

Reis in de omgeving van Parijs met de **Michelinkaarten**
nrs. 101 (schaal 1:50 000) Banlieue de Paris
106 (schaal 1:100 000) Environs de Paris
237 (schaal 1:200 000) Ile de France

Villiers-le-Bâcle 91190 Essonne 101 ㉓, 22 25 – 953 h alt. 153.

Paris 31 – Arpajon 26 – Rambouillet 29 – Versailles 11.

XX Petite Forge — BS 30

01 60 19 03 88

– AE GB

fermé sam. midi et dim. – **Repas** 250 et carte 320 à 410.

Vincennes 94300 Val-de-Marne 101 ⑰, 24 25 – 42 267 h alt. 51.

Voir *Château★★ – Bois de Vincennes★★ : Zoo★★, Parc floral de Paris★★, Musée des Arts d'Afrique et d'Océanie★*, **G. Paris.**

Office de Tourisme 11 av. Nogent 01 48 08 13 00, Fax 01 43 74 81 01.

Paris 7 – Créteil 11 – Lagny-sur-Marne 26 – Meaux 39 – Melun 50 – Montreuil 2 – Senlis 48.

St-Louis — BB 57

2 bis r. R. Giraudineau 01 43 74 16 78, *Fax 01 43 74 16 49*

M sans rest – TV – 25. AE GB

45 – **25 ch** 550/850.

Daumesnil Vincennes — BB 57

50 av. Paris 01 48 08 44 10, *Fax 01 43 65 10 94*

sans rest – TV . AE GB JCB

38 – **50 ch** 370/470.

Donjon — BB 57

22 r. Donjon 01 43 28 19 17, *Fax 01 49 57 02 04*

sans rest – TV . GB

fermé 25 juil. au 24 août

30 – **25 ch** 280/370.

X Rigadelle — BB 57

26 r. Montreuil 01 43 28 04 23

AE GB

fermé août, dim. soir et lundi – **Repas** (nombre de couverts limité, prévenir) *(120)* - 160/270 et carte 200 à 330.

CITROEN Succursale, 120 av. de Paris 01 49 57 96 96
FORD Gar. Deshayes, 230 r. de Fontenay 01 43 74 97 40
OPEL Démaria, 2-4 av. P.-Déroulède 01 43 28 16 33
PEUGEOT Gar. Sabrie, 3 av. de Paris 01 43 28 37 54 N 08 00 44 24 24

Pneu Service, 12 r. de Fontenay 01 43 28 14 79

Viroflay 78220 Yvelines 101 ㉔, 22 – 14 689 h alt. 115.

Paris 16 – Antony 15 – Boulogne-Billancourt 8 – Versailles 4.

XX Aub. la Chaumière — BG 34

3 av. Versailles 01 30 24 48 76, *Fax 01 30 24 59 69*

– GB

fermé 11 au 17 août et lundi – **Repas** *(140)* - 170/270.

PEUGEOT Gar. de l'Ile-de-France 17 av. du Gén.-Leclerc 01 30 84 87 00 N 08 00 44 24 24

Euromaster, 199 av. du Gén.-Leclerc 01 30 24 49 96

Viry-Châtillon *91170 Essonne 101 ㊱ – 30 580 h alt. 34.*

Paris 26 – Corbeil-Essonnes 15 – Évry 8 – Longjumeau 9 – Versailles 31.

XXX **Dariole de Viry**
21 r. Pasteur ✆ 01 69 44 22 40, *Fax 01 69 96 88 87*
▤. AE GB
fermé 1er au 19 août, 23 déc. au 5 janv., sam. midi et dim. – **Repas** 200.

MERCEDES Gar. de L'Essonne, 137 av. Gén.-de-Gaulle ✆ 01 69 21 35 90
PEUGEOT Besse et Guilbaud, 38 av. cour France à Juvisy-sur-Orge ✆ 01 69 21 55 33
RENAULT Come et Bardon, 119 av. Gén.-de-Gaulle ✆ 01 69 54 53 53 N ✆ 08 00 05 15 15

SEAT Gar. Marchand, 113 av. Gén.-de-Gaulle ✆ 01 69 05 38 49

Euromaster, 134 Nationale 7 ✆ 01 69 44 30 07

Transports

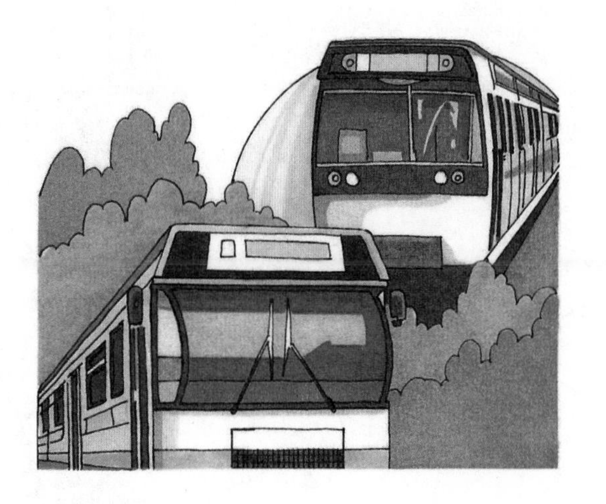

SNCF - RER
MÉTRO - TAXI

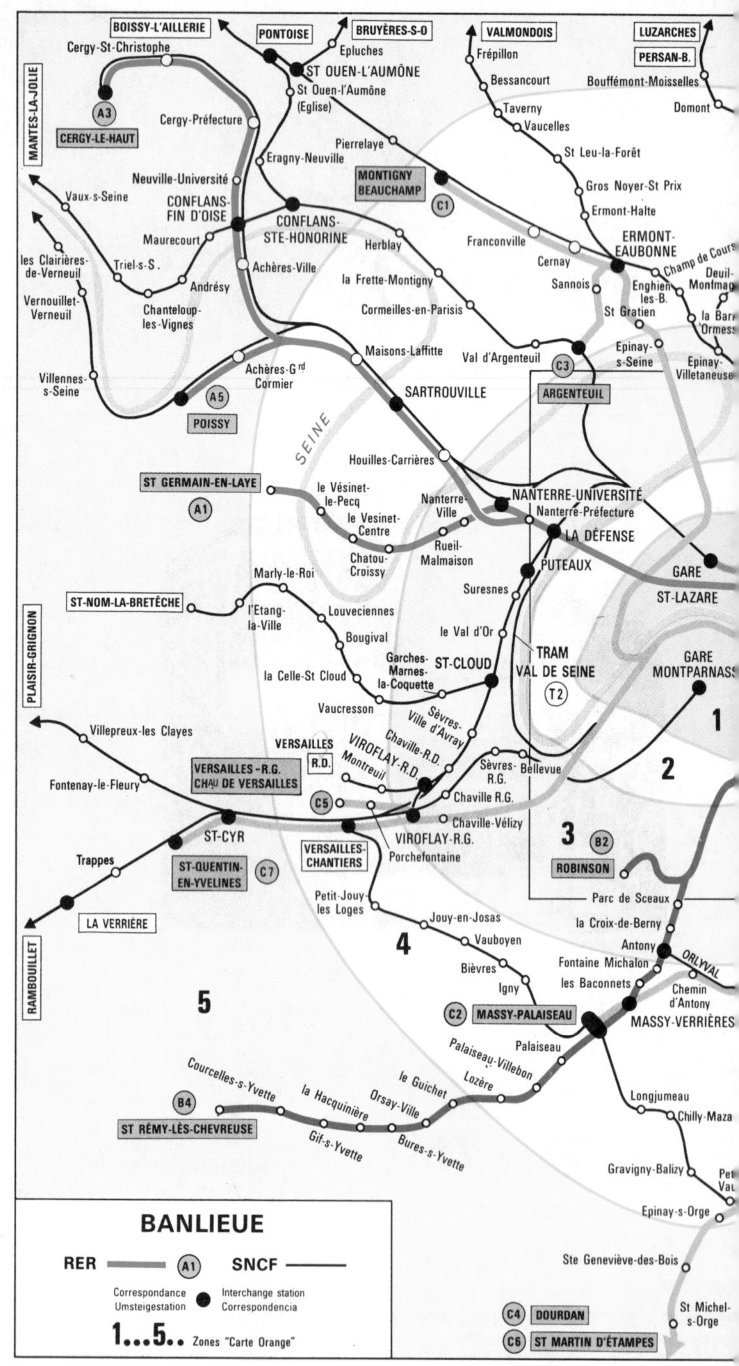
BANLIEUE
RER
SNCF
Correspondance
Umsteigestation
Interchange station
Correspondencia
1...5.. Zones "Carte Orange"
BOISSY-L'AILLERIE
PONTOISE
BRUYÈRES-S-O
VALMONDOIS
LUZARCHES
PERSAN-B.
MANTES-LA-JOLIE
CERGY-LE-HAUT
MONTIGNY BEAUCHAMP
ARGENTEUIL
POISSY
ST GERMAIN-EN-LAYE
ST-NOM-LA-BRETÊCHE
PLAISIR-GRIGNON
VERSAILLES-R.G. CHAU DE VERSAILLES
VERSAILLES R.D.
VERSAILLES-CHANTIERS
ST-QUENTIN-EN-YVELINES
LA VERRIÈRE
RAMBOUILLET
ROBINSON
MASSY-PALAISEAU
ST RÉMY-LÈS-CHEVREUSE
DOURDAN
ST MARTIN D'ÉTAMPES
SEINE
TRAM VAL DE SEINE
ORLYVAL
GARE ST-LAZARE
GARE MONTPARNASS
LA DÉFENSE
NANTERRE-UNIVERSITÉ
SARTROUVILLE
ST-CLOUD
ST-CYR
MASSY-VERRIÈRES
ERMONT-EAUBONNE
ST OUEN-L'AUMÔNE
CONFLANS-FIN D'OISE
CONFLANS-STE-HONORINE
VIROFLAY-R.D.
VIROFLAY-R.G.
PUTEAUX
Cergy-St-Christophe
Cergy-Préfecture
Epluches
St Ouen-l'Aumône (Eglise)
Frépillon
Bessancourt
Taverny
Vaucelles
St Leu-la-Forêt
Gros Noyer-St Prix
Ermont-Halte
Bouffémont-Moisselles
Domont
Pierrelaye
Eragny-Neuville
Neuville-Université
Vaux-s-Seine
Maurecourt
Herblay
Franconville
Cernay
Champ de Cours
Deuil-Montmag
Enghien-les-B.
Sannois
St Gratien
la Barr
Ormess
Epinay-s-Seine
Epinay-Villetaneuse
les Clairières-de-Verneuil
Triel-s-S.
Achères-Ville
Andrésy
la Frette-Montigny
Cormeilles-en-Parisis
Vernouillet-Verneuil
Chanteloup-les-Vignes
Maisons-Laffitte
Val d'Argenteuil
Villennes-s-Seine
Achères-Grd Cormier
Houilles-Carrières
le Vésinet-le-Pecq
le Vesinet-Centre
Nanterre-Ville
Nanterre-Préfecture
Rueil-Malmaison
Chatou-Croissy
Marly-le-Roi
l'Etang-la-Ville
Louveciennes
Bougival
Suresnes
le Val d'Or
Garches-Marnes-la-Coquette
la Celle-St Cloud
Vaucresson
Sèvres-Ville d'Avray
Chaville-R.D.
Montreuil
Sèvres-R.G.
Bellevue
Chaville R.G.
Chaville-Vélizy
Porchefontaine
Villepreux-les Clayes
Fontenay-le-Fleury
Trappes
Petit-Jouy-les Loges
Jouy-en-Josas
Vauboyen
Bièvres
Igny
Parc de Sceaux
la Croix-de-Berny
Antony
Fontaine Michalon
les Baconnets
Chemin d'Antony
Palaiseau
Palaiseau-Villebon
Lozère
le Guichet
Orsay-Ville
Bures-s-Yvette
la Hacquinière
Gif-s-Yvette
Courcelles-s-Yvette
Longjumeau
Chilly-Maza
Gravigny-Balizy
Epinay-s-Orge
Ste Geneviève-des-Bois
St Michel-s-Orge
A1
A3
A5
B2
B4
C1
C2
C3
C4
C5
C6
C7
T2
1
2
3
4
5

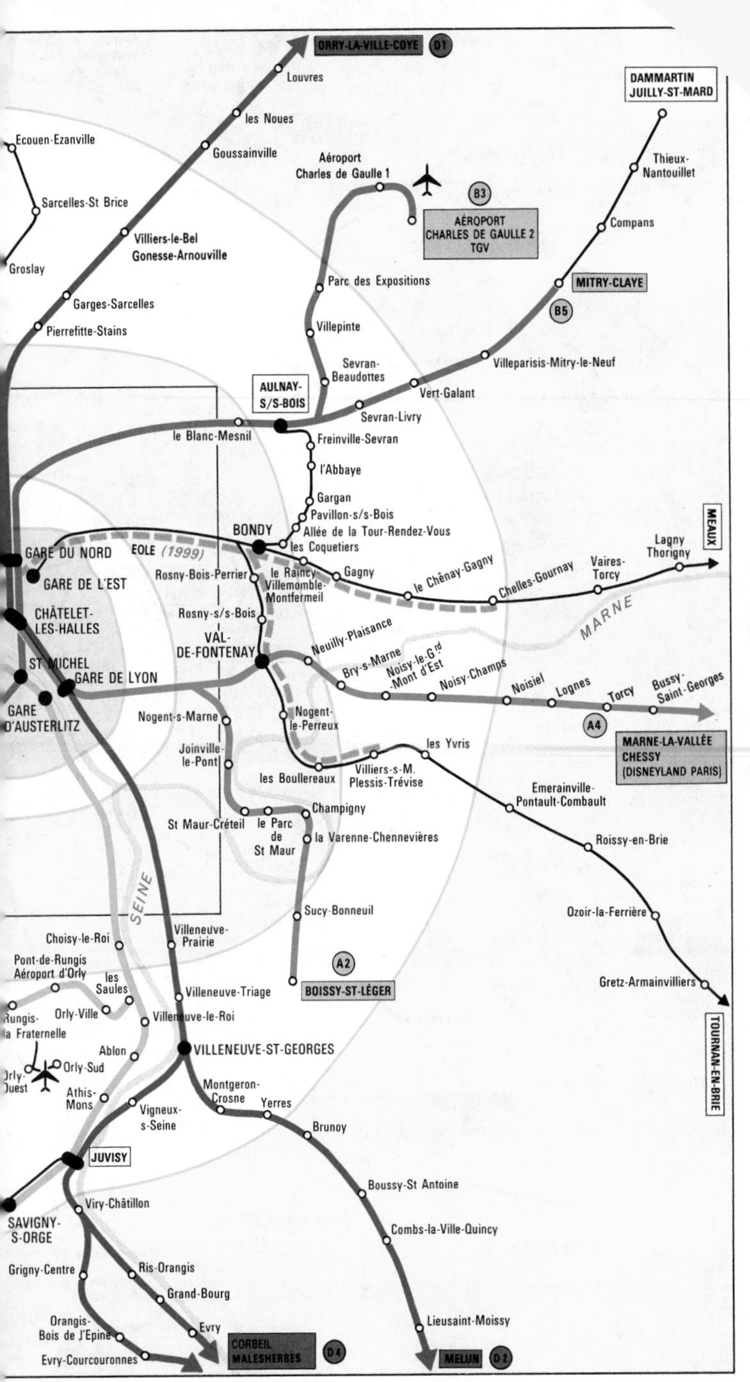
ORRY-LA-VILLE-COYE
D1
Louvres
les Noues
Goussainville
Ecouen-Ezanville
Sarcelles-St Brice
Groslay
Villiers-le-Bel
Gonesse-Arnouville
Garges-Sarcelles
Pierrefitte-Stains
Aéroport
Charles de Gaulle 1
B3
AÉROPORT
CHARLES DE GAULLE 2
TGV
DAMMARTIN
JUILLY-ST-MARD
Thieux-
Nantouillet
Compans
MITRY-CLAYE
B5
Parc des Expositions
Villepinte
Sevran-
Beaudottes
Villeparisis-Mitry-le-Neuf
Vert-Galant
Sevran-Livry
AULNAY-
S/S-BOIS
le Blanc-Mesnil
Freinville-Sevran
l'Abbaye
Gargan
Pavillon-s/s-Bois
Allée de la Tour-Rendez-Vous
les Coquetiers
BONDY
GARE DU NORD
EOLE (1999)
GARE DE L'EST
Rosny-Bois-Perrier
le Raincy-
Villemomble-
Montfermeil
Gagny
le Chênay-Gagny
Chelles-Gournay
Vaires-
Torcy
Lagny
Thorigny
MEAUX
MARNE
CHÂTELET-
LES-HALLES
Rosny-s/s-Bois
VAL-
DE-FONTENAY
Neuilly-Plaisance
Bry-s-Marne
Noisy-le-Gd
-Mont d'Est
Noisy-Champs
Noisiel
Lognes
Torcy
Bussy-
Saint-Georges
A4
MARNE-LA-VALLÉE
CHESSY
(DISNEYLAND PARIS)
ST MICHEL
GARE DE LYON
GARE
D'AUSTERLITZ
Nogent-s-Marne
Nogent-
le-Perreux
Joinville-
le-Pont
les Yvris
les Boullereaux
Villiers-s-M.
Plessis-Trévise
Emerainville-
Pontault-Combault
St Maur-Créteil
le Parc
de
St Maur
Champigny
la Varenne-Chennevières
Roissy-en-Brie
Sucy-Bonneuil
Ozoir-la-Ferrière
SEINE
Villeneuve-
Prairie
Choisy-le-Roi
A2
BOISSY-ST-LÉGER
Pont-de-Rungis
Aéroport d'Orly
les
Saules
Villeneuve-Triage
Gretz-Armainvilliers
Rungis-
la Fraternelle
Orly-Ville
Villeneuve-le-Roi
TOURNAN-EN-BRIE
Ablon
VILLENEUVE-ST-GEORGES
Orly-
Ouest
Orly-Sud
Athis-
Mons
Montgeron-
Crosne
Yerres
Vigneux-
s-Seine
Brunoy
JUVISY
Boussy-St Antoine
Viry-Châtillon
SAVIGNY-
S-ORGE
Combs-la-Ville-Quincy
Grigny-Centre
Ris-Orangis
Grand-Bourg
Orangis-
Bois de l'Epine
Evry
Lieusaint-Moissy
Evry-Courcouronnes
CORBEIL
MALESHERBES
D4
MELUN
D2

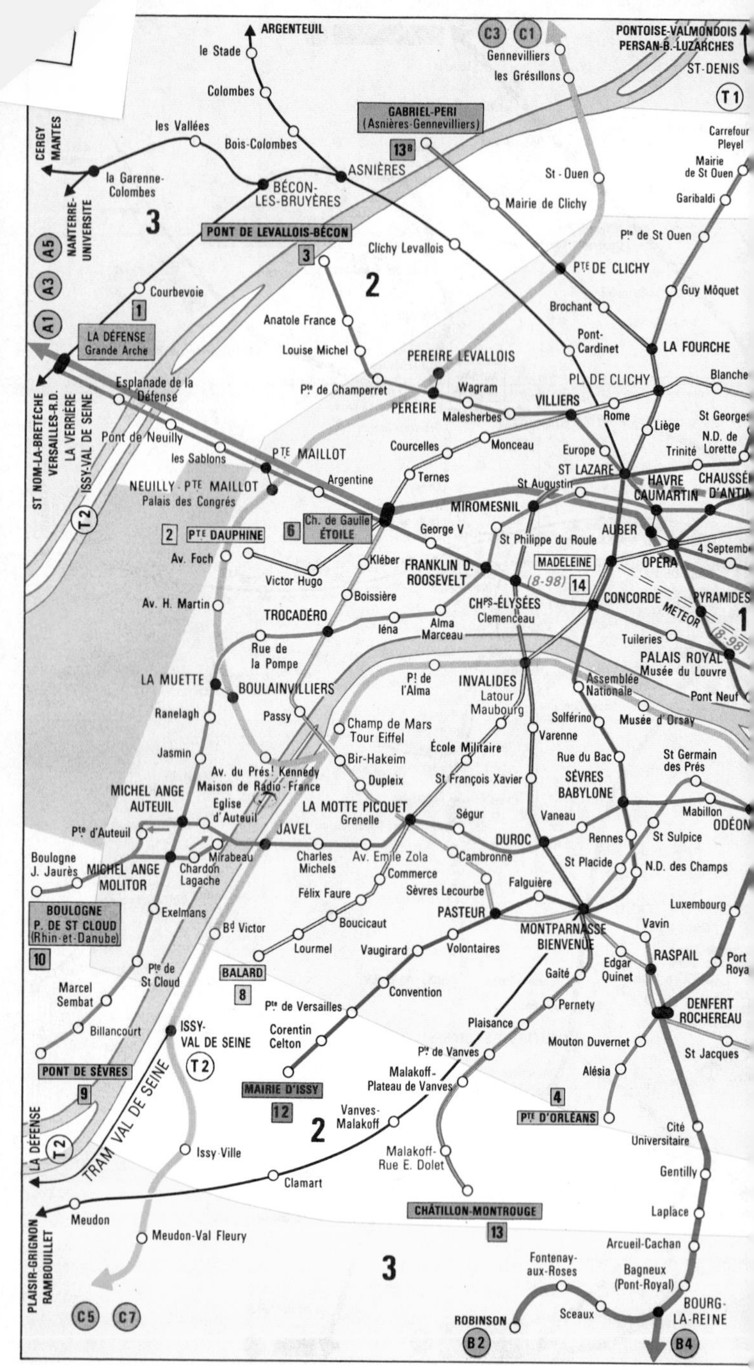
ARGENTEUIL
le Stade
Colombes
les Vallées
Bois-Colombes
la Garenne-Colombes
BÉCON-LES-BRUYÈRES
ASNIÈRES
CERGY MANTES
NANTERRE-UNIVERSITE
GABRIEL-PERI (Asnières-Gennevilliers)
PONT DE LEVALLOIS-BÉCON
Gennevilliers
les Grésillons
PONTOISE-VALMONDOIS
PERSAN-B.-LUZARCHES
ST-DENIS
Carrefour Pleyel
Mairie de St Ouen
Garibaldi
St - Ouen
Mairie de Clichy
Pte de St Ouen
PTE DE CLICHY
Guy Môquet
Clichy Levallois
Courbevoie
LA DÉFENSE Grande Arche
Anatole France
Louise Michel
Brochant
Pont-Cardinet
LA FOURCHE
PEREIRE LEVALLOIS
Pte de Champerret
PEREIRE
Wagram
Malesherbes
VILLIERS
PL. DE CLICHY
Rome
Blanche
Liège
St Georges
N.D. de Lorette
Trinité
Esplanade de la Défense
Pont de Neuilly
les Sablons
PTE MAILLOT
Courcelles
Monceau
Europe
ST LAZARE
HAVRE CAUMARTIN
CHAUSSÉE D'ANTIN
NEUILLY - PTE MAILLOT Palais des Congrès
Argentine
Ternes
St Augustin
MIROMESNIL
AUBER
OPÉRA
4 Septembre
ST NOM-LA-BRETÈCHE
VERSAILLES-R.D.
LA VERRIÈRE
ISSY-VAL DE SEINE
PTE DAUPHINE
Ch. de Gaulle ÉTOILE
George V
St Philippe du Roule
MADELEINE
(8-98)
Av. Foch
Victor Hugo
Kléber
FRANKLIN D. ROOSEVELT
CHPS-ÉLYSÉES Clemenceau
CONCORDE
PYRAMIDES
METEOR
Av. H. Martin
Boissière
TROCADÉRO
Iéna
Alma Marceau
Tuileries
PALAIS ROYAL Musée du Louvre
Rue de la Pompe
LA MUETTE
BOULAINVILLIERS
Pt de l'Alma
INVALIDES
Latour Maubourg
Assemblée Nationale
Pont Neuf
Musée d'Orsay
Ranelagh
Passy
Champ de Mars Tour Eiffel
Solférino
Varenne
Jasmin
Bir-Hakeim
École Militaire
Rue du Bac
St Germain des Prés
Av. du Prést Kennedy Maison de Radio-France
Dupleix
St François Xavier
SÈVRES BABYLONE
MICHEL ANGE AUTEUIL
Eglise d'Auteuil
LA MOTTE PICQUET Grenelle
Ségur
Vaneau
Mabillon
ODÉON
Pte d'Auteuil
JAVEL
DUROC
Rennes
St Sulpice
Boulogne J. Jaurès
MICHEL ANGE MOLITOR
Mirabeau
Chardon Lagache
Charles Michels
Av. Emile Zola
Cambronne
St Placide
N.D. des Champs
Commerce
Félix Faure
Sèvres Lecourbe
Falguière
Luxembourg
BOULOGNE P. DE ST CLOUD (Rhin-et-Danube)
Exelmans
Bd Victor
Boucicaut
PASTEUR
MONTPARNASSE BIENVENUE
Vavin
Lourmel
Vaugirard
Volontaires
Edgar Quinet
RASPAIL
Port Royal
Pte de St Cloud
BALARD
Gaîté
Marcel Sembat
Convention
Pernety
DENFERT ROCHEREAU
Pte de Versailles
Plaisance
Billancourt
ISSY-VAL DE SEINE
Corentin Celton
Mouton Duvernet
St Jacques
Pte de Vanves
PONT DE SÈVRES
Malakoff-Plateau de Vanves
Alésia
MAIRIE D'ISSY
PTE D'ORLÉANS
Vanves-Malakoff
Cité Universitaire
LA DÉFENSE
TRAM VAL DE SEINE
Issy-Ville
Malakoff-Rue E. Dolet
Gentilly
Clamart
Meudon
CHÂTILLON-MONTROUGE
Laplace
PLAISIR-GRIGNON RAMBOUILLET
Meudon-Val Fleury
Arcueil-Cachan
Fontenay-aux-Roses
Bagneux (Pont-Royal)
Sceaux
BOURG-LA-REINE
ROBINSON

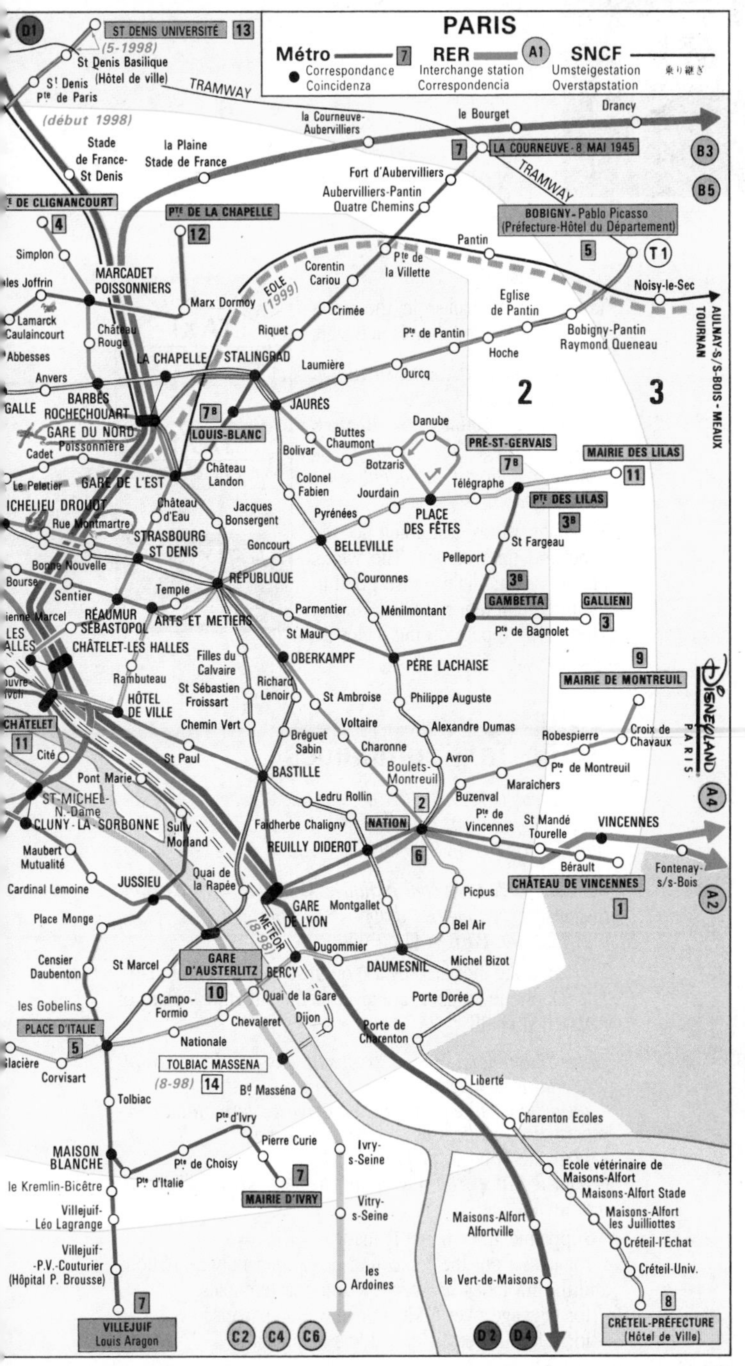
PARIS
Métro
7
Correspondance
Coincidenza
RER
A1
Interchange station
Correspondencia
SNCF
Umsteigestation
Overstapstation
乗り継ぎ
D1
ST DENIS UNIVERSITÉ
13
(5-1998)
St Denis Basilique
(Hôtel de ville)
St Denis
Pte de Paris
TRAMWAY
(début 1998)
Stade
de France-
St Denis
la Plaine
Stade de France
la Courneuve-
Aubervilliers
le Bourget
Drancy
LA COURNEUVE - 8 MAI 1945
B3
B5
Fort d'Aubervilliers
TRAMWAY
Aubervilliers-Pantin
Quatre Chemins
BOBIGNY- Pablo Picasso
(Préfecture-Hôtel du Département)
5
T1
PTE DE CLIGNANCOURT
4
PTE DE LA CHAPELLE
12
Simplon
MARCADET
POISSONNIERS
les Joffrin
Lamarck
Caulaincourt
Château
Rouge
Abbesses
Marx Dormoy
EOLE
(1999)
Corentin
Cariou
Pte de
la Villette
Pantin
Noisy-le-Sec
AULNAY-S/S-BOIS - MEAUX
TOURNAN
Crimée
Eglise
de Pantin
Riquet
Pte de Pantin
Bobigny-Pantin
Raymond Queneau
Hoche
LA CHAPELLE
STALINGRAD
Laumière
Ourcq
Anvers
BARBÈS
ROCHECHOUART
2
3
GALLE
JAURÈS
7B
LOUIS-BLANC
GARE DU NORD
Poissonnière
Cadet
Bolivar
Buttes
Chaumont
Danube
PRÉ-ST-GERVAIS
Botzaris
7B
MAIRIE DES LILAS
11
Le Peletier
GARE DE L'EST
Château
Landon
Colonel
Fabien
Jourdain
Télégraphe
PTE DES LILAS
3B
ICHELIEU DROUOT
Rue Montmartre
Château
d'Eau
Jacques
Bonsergent
Pyrénées
PLACE
DES FÊTES
STRASBOURG
ST DENIS
Goncourt
BELLEVILLE
St Fargeau
Pelleport
Bonne Nouvelle
Bourse
RÉPUBLIQUE
Couronnes
3B
GAMBETTA
GALLIENI
3
Sentier
Temple
Parmentier
Ménilmontant
Pte de Bagnolet
ienne Marcel
RÉAUMUR
SÉBASTOPOL
ARTS ET METIERS
St Maur
LES
HALLES
CHÂTELET-LES HALLES
Filles du
Calvaire
OBERKAMPF
PÈRE LACHAISE
9
MAIRIE DE MONTREUIL
DISNEYLAND
PARIS
Rambuteau
St Sébastien
Froissart
Richard
Lenoir
St Ambroise
Philippe Auguste
HÔTEL
DE VILLE
CHÂTELET
11
Chemin Vert
Voltaire
Alexandre Dumas
Robespierre
Croix de
Chavaux
Bréguet
Sabin
Charonne
Cité
St Paul
Avron
Pte de Montreuil
Boulets-
Montreuil
Maraichers
Pont Marie
BASTILLE
Buzenval
A4
ST-MICHEL-
N.-Dame
Ledru Rollin
2
CLUNY - LA SORBONNE
Sully
Morland
Faidherbe Chaligny
NATION
Pte de
Vincennes
St Mandé
Tourelle
VINCENNES
REUILLY DIDEROT
6
Bérault
Maubert
Mutualité
Quai de
la Rapée
Fontenay-
s/s-Bois
CHÂTEAU DE VINCENNES
Cardinal Lemoine
JUSSIEU
Picpus
1
A2
GARE
DE LYON
Montgallet
Place Monge
METEOR
(8-98)
Bel Air
Censier
Daubenton
St Marcel
GARE
D'AUSTERLITZ
BERCY
Dugommier
DAUMESNIL
Michel Bizot
10
Quai de la Gare
Porte Dorée
les Gobelins
Campo-
Formio
Chevaleret
Dijon
PLACE D'ITALIE
Porte de
Charenton
5
Nationale
Glacière
Corvisart
TOLBIAC MASSENA
(8-98)
14
Bd Masséna
Liberté
Tolbiac
Pte d'Ivry
Charenton Ecoles
Pierre Curie
Ivry-
s-Seine
MAISON
BLANCHE
Pte de Choisy
Ecole vétérinaire de
Maisons-Alfort
Pte d'Italie
7
le Kremlin-Bicêtre
MAIRIE D'IVRY
Maisons-Alfort Stade
Villejuif-
Léo Lagrange
Vitry-
s-Seine
Maisons-Alfort
Alfortville
Maisons-Alfort
les Juilliottes
Créteil-l'Echat
Villejuif-
-P.V.-Couturier
(Hôpital P. Brousse)
les
Ardoines
le Vert-de-Maisons
Créteil-Univ.
7
8
VILLEJUIF
Louis Aragon
C2
C4
C6
D2
D4
CRÉTEIL-PRÉFECTURE
(Hôtel de Ville)

Taxis

Un taxi est libre lorsque le lumineux placé sur le toit est éclairé.

Taxis may be hailed in the street when showing the illuminated sign.

Le prix d'une course varie suivant la zone desservie et l'heure.
Les voyants lumineux A, B ou C (blanc, orange ou bleu) et le compteur intérieur indiquent le tarif en vigueur.

The rate varies according to the zone and time of day. The white, orange or blue lights correspond to the three different rates A, B and C. These also appear on the meter inside the cab.

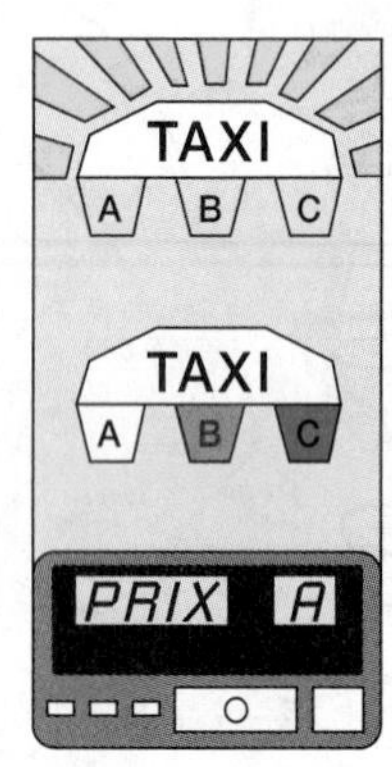

Compagnies de Radio-Taxis
Radio-Taxi companies

Taxis Bleus (01.49.36.10.10)
Taxis G7 Radio (01.47.39.47.39)
Alpha Taxis (01.45.85.85.85)
Taxis Étoile (01.41.27.27.27)
Artaxi (01.42.41.50.50)

Les stations de taxis sont indiquées ◘ sur les plans d'arrondissements. Numéros d'appels : Consulter les plans MICHELIN de Paris n° 9 ou 11.

Taxi ranks are indicated by a ◘ on the arrondissement maps. The telephone numbers are given in the MICHELIN plans of Paris nos 9 or 11.

Outre la somme inscrite au compteur, l'usager devra acquitter certains suppléments :
– au départ d'une gare parisienne ou des terminaux d'aéroports des Invalides et de l'Avenue Carnot.
– pour des bagages de plus de 5 kg.
– pour le transport d'une quatrième personne ou d'un animal domestique.

A supplementary charge is made:
– for taxis from the forecourts of Parisian railway stations and the Invalides or Avenue Carnot air terminals.
– for baggage over 5 kilos or unwieldy parcels
– for a fourth person or a domestic animal.

Zones de tarification
Taxi fare zones

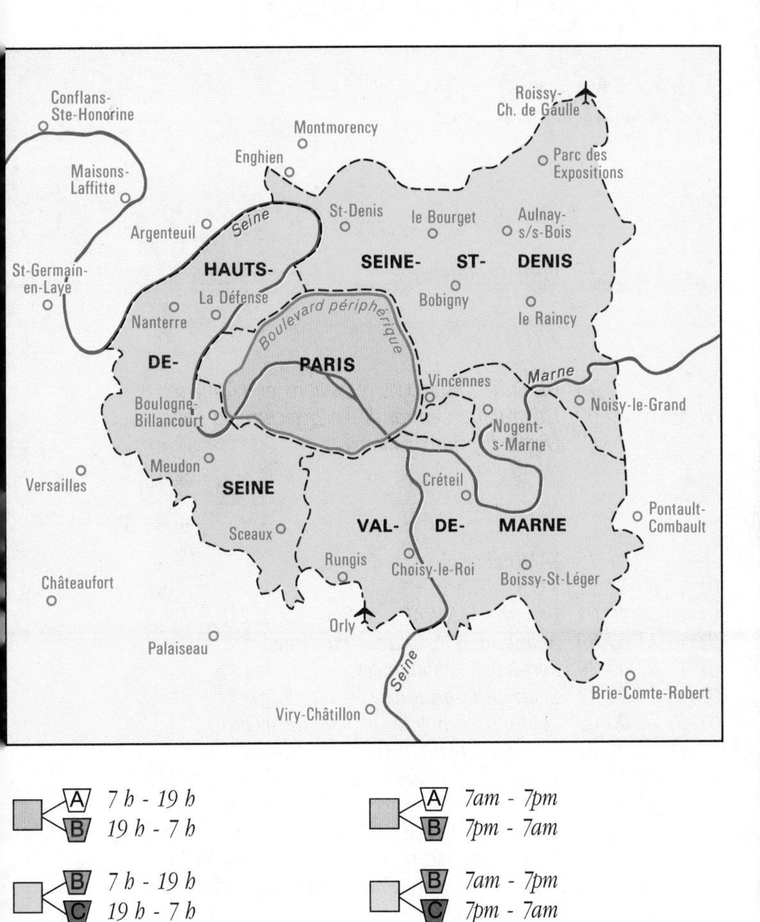

Zone 1	A: 7 h - 19 h B: 19 h - 7 h	A: 7am - 7pm B: 7pm - 7am
Zone 2	B: 7 h - 19 h C: 19 h - 7 h	B: 7am - 7pm C: 7pm - 7am
Zone 3	C: *Trajet simple* A: *Aller et retour 7 h-19 h* B: *Aller et retour 19 h-7 h*	C: *Single journey* A: *Return journey 7am-7pm* B: *Return journey 7pm-7am*

Renseignements pratiques

Police-Secours

17	*Paris et banlieue*

Pompiers

18	*Incendies, asphyxies, y compris en banlieue*
01 55 76 20 00	*Laboratoire Central de la Préfecture de Police (Explosifs, intoxications)*

Santé

15	*SAMU (Paris)*
01 47 07 77 77	*S.O.S. Médecin*
01 48 28 40 04	*Urgences médicales de Paris* (24 h/24)
01 45 13 67 89	*Ambulances Assistance Publique*
01 47 07 37 39	*Port-Royal Ambulances*
01 46 25 23 42	*Centre anti-brûlures (hôpital Foch)*
01 45 74 00 04	*Centre anti-drogue (hôpital Marmottan)*
01 40 37 04 04	*Centre anti-poison (hôpital Fernand-Widal)*
01 42 61 12 00	*S.O.S. Urgences dentaires* (dimanches et jours fériés)
01 43 37 51 00	*S.O.S. Dentaire* (tous les jours de 20 h à 23 h 40 et de 9 h 20 à 12 h 10 et 14 h 20 à 19 h 10 les samedis, dimanches, vacances scolaires et jours fériés)
08 36 68 99 33	*S.O.S. Vétérinaire Paris* (nuits, dimanches et jours fériés 24 h/24)

Pharmacies

01 45 62 02 41	*84 av. des Champs-Élysées (galerie Les Champs), 8e* 24 h/24)
01 48 74 65 18	*6, pl. Clichy, 9e* (24 h/24)
01 44 24 19 72	*Angle av. Italie/r. de Tolbiac, 13e* (8 h à 24 h – dim. et jours fériés à partir de 9 h)
01 43 35 44 88	*106 bd du Montparnasse, 14e* (8 h 30 à 24 h – sam. de 9 h à 24 h, dim. et jours fériés 17 h à 22 h)
01 46 36 67 42	*6 r. de Belleville, 20e* (t.l.j. sauf dim. de 8 h à 21 h 30 – sam. de 9 h à 21 h)

Circulation - Transports

01 53 90 20 20 *SNCF Informations, horaires et tarifs (Ile de France)*
01 43 46 14 14 *RATP – Renseignements – 55 quai Gds-Augustins, 6e*
01 42 76 53 53 *Allo information Voirie* (de 9 h à 17 h – stationnement, travaux)
01 42 76 52 52 *Voirie (Fermeture du boulevard périphérique et des voies sur berge)*
01 42 20 12 34 *F.I.P. (FM 105,1 – circulation à Paris)*
01 48 99 33 33 *Centre Régional d'Information et de Coordination Routière de l'Ile-de-France*
01 47 07 99 99 *S.O.S. Dépannage 24 h/24, 8, r. du Champs de l'Alouette, 13e*
01 53 71 53 71 *Préfecture de Police, 9 bd du Palais, 4e*

Salons - Foires - Expositions

01 46 92 12 12 *Centre National des Industries et des Techniques (CNIT) – La Défense*
01 49 52 53 54 *Office du Tourisme et des Congrès de Paris, 127 av. des Champs-Élysées, 8e*
01 49 09 60 00 *Comité des Expositions de Paris – Boulogne-Billancourt – 55, quai Alphonse Le Gallo*
01 45 56 09 09 *Espace Austerlitz – 30, quai d'Austerlitz, 13e*
01 40 55 19 55 *Espace Champerret – pl. Porte de Champerret, 17e*
01 40 03 75 75 *Grande Halle de la Villette – 211, av. Jean-Jaurès, 19e*
01 48 00 20 20 *Drout-Richelieu (hôtel des ventes) – 9, r. Drouot, 9e*
01 48 00 20 80 *Drouot-Montaigne (hôtel des ventes) – 15 av. Montaigne, 8e*
01 40 68 22 22 *Palais des Congrès – 2, pl. de la Pte-Maillot, 17e*
01 43 95 37 00 *Parc des Expositions – Pte-de-Versailles, 15e*
01 48 63 30 30 *Parc d'expositions de Paris-Nord – Villepinte – Z.A.C. – Paris-Nord II*

Divers

01 40 28 20 00 *Paris Louvre RP (Recette Principale), 52 r. du Louvre, 1er* (24 h/24)
01 55 76 20 20 *Objets trouvés, 36 r. des Morillons, 15e*
01 42 77 11 90 *Perte Carte Bleue (Visa)* (24 h/24)
01 47 77 72 00 *Perte Carte American Express* (24 h/24)

Index

A

127 Abaca Messidor
70 Abbaye (de l')
173 Abbaye des Vaux de Cernay (Cernay-la-Ville)
183 ABC Champerret (Levallois-Perret)
129 Aberotel
150 Abrial
159 Abricotel
108 Acadia
169 Acanthe (Boulogne-Billancourt)
128 Acropole
169 Adagio (Boulogne-Billancourt)
134 Agape (L')
73 Agora St-Germain
187 Aigle d'Or (L') (Marne-la-Vallée)
126 Aiglon (L')
64 Aiguière (L')
194 Air Plus (Orly)
142 Al Mounia
141 Alain Ducasse
109 Alba
74 Albe
107 Albert 1er
127 Alésia Montparnasse
139 Alexander
64 Alisier (L')
170 Alixia (Bourg-la-Reine)
127 Alizé Grenelle
77 Allard
118 Allegro Nation
63 Allegro République
71 Alliance St-Germain-des-Prés
159 Allobroges (Les)
102 Alsace (L')
113 Alsaco Winstub (L')
165 Amandier (L') (Antony)
216 Amarande (Villeneuve-sous-Dammartin)
64 Ambassade d'Auvergne
98 Ambassadeurs (Les)
106 Ambassador
64 Ambroisie (L')
109 Amiral Duperré
65 Amognes (Les)
193 Amphitryon (Noisy-le-Grand)
174 Amphitryon (L') (Charenton-le-Pont)
151 Amphyclès
134 Amuse Bouche (L')
121 Anacréon
101 Androuët
70 Angleterre
107 Anjou-Lafayette
66 Anjou-Normandie
151 Apicius
127 Apollinaire
88 Apollon
128 Apollon Montparnasse
102 Appart' (L')
97 Arc Élysée
148 Arc-en-Ciel (L') (H. Concorde La Fayette)
95 Arcade (L')
57 Ardoise (L')
128 Arès
129 Ariane Montparnasse
133 Armoise (L')
84 Arpège
76 Arrosée (L')
119 Arts (13e)
200 Arts (Rueil-Malmaison)
158 Arts (des)
65 Astier
92 Astor (8e)
208 Astor (Suresnes)
99 Astor (L')
97 Astoria
172 Astrée (Cergy-Pontoise Ville Nouvelle)
150 Astrid
76 Atelier Maître Albert
109 Athènes
96 Atlantic H.
208 Atrium (Suresnes)

87 Aub. Bressane
204 Aub. de la Passerelle
(St-Maur-des-Fossés)
76 Aub. des Deux Signes
152 Aub. des Dolomites
166 Aub. des Saints Pères
(Aulnay-sous-Bois)
215 Aub. des Trois Marches
(Le Vésinet)
180 Aub. du 14 Juillet
(La Garenne-Colombes)
177 Aub. du Château "Table des Blot"
(Dampierre-en-Yvelines)
207 Aub. du Gros Marronnier
(Senlisse)
205 Aub. du Manet
(St-Quentin-en-Yvelines)
168 Aub. du Moulin Bateau
(Bonneuil-sur-Marne)
198 Aub. du Petit Caporal
(La Queue-en-Brie)
171 Aub. du Pont de Bry
(Bry-sur-Marne)
197 Aub. du Relais Breton
(Le Port-Marly)
120 Aub. Etchégorry
207 Aub. Garden
(Sèvres)
217 Aub. la Chaumière
(Viroflay)
178 Aub. Landaise
(Enghien-les-Bains)
167 Aub. Ravoux
(Auvers-sur-Oise)
177 Aub. St-Pierre
(Dampierre-en-Yvelines)
169 Auberge (L')
(Boulogne-Billancourt)
160 Aucune Idée ?
151 Augusta
121 Avant Goût (L')
199 Aviateurs
(H. Hilton)
(Roissy-en-France)
108 Axel
62 Axial Beaubourg

B

127 Bailli de Suffren
153 Ballon des Ternes
148 Balmoral
138 Baltimore
93 Balzac
78 Balzar
86 Bamboche
149 Banville
86 Bar au Sel
52 Bar Vendôme
(H. Ritz)
175 Barrière de Clichy
(Clichy)
65 Bascou (Au)
76 Bastide Odéon
54 Baudelaire Opéra
77 Bauta
152 Béatilles (Les)
85 Beato
94 Beau Manoir
62 Beaubourg
83 Beaugency
128 Beaugrenelle St-Charles
143 Beaujolais d'Auteuil
63 Beauséjour
159 Beauvilliers
188 Beaver Creek Tavern
(H. Séquoia Lodge)
(Marne-la-Vallée)
93 Bedford
63 Bel Air
62 Belle Époque
(H. Holiday Inn)
82 Bellechasse
85 Bellecour
186 Bellejame
(Marcoussis)
143 Bellini
72 Belloy St-Germain
126 Benkay
(H. Nikko)
64 Benoît
106 Bergère Opéra
83 Bersoly's
138 Bertie's
(H. Baltimore)
152 Beudant
121 Biche au Bois (A La)9
169 Bijou H.
(Boulogne-Billancourt)
152 Billy Gourmand
131 Bistro 121
112 Bistro de Gala
102 Bistro de l'Olivier
112 Bistro des Deux Théâtres
154 Bistro du 17e
154 Bistrot d'à Côté Flaubert
192 Bistrot d'à Côté Neuilly
(Neuilly-sur-Seine)
77 Bistrot d'Alex
144 Bistrot de l'Étoile
154 Bistrot de l'Étoile
126 Bistrot de la Gaîté
(H. Mercure Montparnasse)
120 Bistrot de la Porte Dorée
86 Bistrot de Paris
160 Bistrot du 19e

65 Bistrot du Dôme (4e)
133 Bistrot du Dôme (14e)
101 Bistrot du Sommelier
111 Bistrot Papillon
57 Bistrot St-Honoré
107 Blanche Fontaine
182 Bleu Marine (Joinville-le-Pont)
167 Bleu Marine (Le Blanc-Mesnil)
170 Bleu Marine (Le Bourget)
199 Bleu Marine (Roissy-en-France)
64 Blue Elephant
64 Bofinger
88 Bon Accueil (Au)
197 Bon Vivant (Poissy)
175 Bonheur de Chine (Chennevières-sur-Marne)
200 Bonheur de Chine (Rueil-Malmaison)
57 Bonne Fourchette
76 Bookinistes (Les)
176 Bord de l'Eau (Au) (Conflans-Ste-Honorine)
178 Botanic (Le) (H. Sofitel La Défense) (La Défense)
76 Bouchons de François Clerc (Les) (5e)
102 Bouchons de François Clerc (Les) (8e)
102 Boucoléon
194 Boudin Sauvage (Orsay)
76 Bouillon Racine
85 Boule d'Or
168 Bouquet Garni (Bois-Colombes)
82 Bourdonnais (La)
185 Bourgogne (Maisons-Alfort)
82 Bourgogne et Montana
97 Bradford Élysées
153 Braisière
75 Brasserie (R. Closerie des Lilas) (6e)
214 Brasserie (R. Comptoir Nordique (Au)) (Versailles)
126 Brasserie (La) (H. Sofitel Porte de Sèvres)
52 Brasserie 234 Rivoli (H. Inter - Continental)
110 Brasserie Café de la Paix
111 Brasserie Flo
106 Brasserie Haussmann : (H. Millennium Commodore)
210 Brasserie La Fontaine (H. Trianon Palace) (Versailles)
52 Brasserie Le Louvre (H. Louvre (du))
70 Brasserie Lutétia (H. Lutétia)
126 Brasserie Pont Mirabeau (H. Nikko)
73 Bréa
106 Brébant
204 Bretèche (St-Maur-des-Fossés)
62 Bretonnerie
92 Bristol
98 Bristol
54 Britannique
71 Buci (de)
177 Buissonnière (Croissy-sur-Seine)
143 Butte Chaillot

C

83 Cadran (du)
148 Café Arlequin (H. Meridien)
154 Café d'Angel
55 Café Drouant (R. Drouant)
126 Café Français (Le) (H. Sofitel Forum Rive Gauche)
93 Café M (H. Hyatt Regency)
57 Café Marly
94 Café Terminus (H. Concorde St-Lazare)
77 Cafetière
87 Calèche
74 California (5e)
93 California (8e)
187 California (H. Disneyland Hôtel) (Marne-la-Vallée)
53 Cambon
168 Camélia (Bougival)
76 Campagne et Provence
63 Campanile (11e)
150 Campanile (17e)
165 Campanile (Arcueil)
165 Campanile (Argenteuil)
167 Campanile (Bagnolet)

167 Campanile (Bobigny)
168 Campanile (Bonneuil-sur-Marne)
171 Campanile (Buc)
172 Campanile (Cergy-Pontoise Ville Nouvelle)
173 Campanile (Cergy-Pontoise Ville Nouvelle)
181 Campanile (Issy-les-Moulineaux)
182 Campanile (Le Kremlin-Bicêtre)
193 Campanile (Nogent-sur-Marne)
199 Campanile (Roissy-en-France)
207 Campanile (Sevran)
202 Campanile (St-Denis)
208 Campanile (Taverny)
215 Campanile (Villejuif)
215 Campanile (Villejust)
216 Campanile (Villepinte)
193 Canotier (Le) (H. Mercure Nogentel) (Nogent-sur-Marne)
174 Canotiers (Chatou)
188 Cantina (La) (H. Santa Fé) (Marne-la-Vallée)
85 Cantine des Gourmets
102 Cap Vernet
188 Cape Cod (H. Newport Bay Club) (Marne-la-Vallée)
109 Capucines
203 Capucins (Aux) (St-Mandé)
200 Cardinal (Rueil-Malmaison)
129 Carladez Cambronne
107 Carlton's H.
62 Caron de Beaumarchais
131 Caroubier
92 Carpaccio (H. Royal Monceau)
192 Carpe Diem (Neuilly-sur-Seine)
55 Carré des Feuillants
112 Casa Olympe
52 Castille
113 Catherine - Le Poitou (Chez)
193 Catounière (Neuilly-sur-Seine)
154 Caves Petrissans
82 Cayré
202 Cazaudehore (St-Germain-en-Laye)
55 Céladon
129 Célébrités (Les)
108 Celte La Fayette
208 Cénacle (Tremblay-en-France)
176 Central (Courbevoie)
100 Cercle Ledoyen
133 Cévennes (Les)
84 Champ-de-Mars
86 Champ de Mars
183 Champagne H. (Levallois-Perret)
109 Champagne-Mulhouse
148 Champerret Elysées
150 Champerret-Héliopolis
185 Chandelles (Aux) (Louveciennes)
216 Chanteraines (Les) (Villeneuve-la-Garenne)
65 Chardenoux
176 Charleston Brasserie (H. Mercure La Défense 5) (Courbevoie)
110 Charlot "Roi des Coquillages"
210 Charmilles (Vernouillet)
201 Charolais (Rungis)
175 Chasses (des) (Clichy)
75 Chat Grippé
93 Château Frontenac
133 Château Poivre
94 Chateaubriand
110 Chateaubriant (Au)
129 Châtillon H.
132 Chaumière (15e)
159 Chaumière (19e)
198 Chaumière (Puteaux)
131 Chaumière des Gourmets
168 Chefson (Bois-Colombes)
130 Chen
214 Chevalet (Versailles)
149 Cheverny
188 Cheyenne (Marne-la-Vallée)
86 Chez Eux (D')
99 Chiberta
165 Chinagora H. (Alfortville)
173 Chiquito (Cergy-Pontoise Ville Nouvelle)

83 Chomel
188 Chuck Wagon Café (H. Cheyenne) (Marne-la-Vallée)
182 Cinépole (Joinville-le-Pont)
159 Clair de la Lune (Au)
94 Claridge-Bellman
176 Clarine (Courbevoie)
189 Clarine (Marne-la-Vallée)
87 Clémentine
174 Climat de France (Chelles)
180 Climat de France (Fontenay-aux-Roses)
185 Climat de France (Maisons-Laffitte)
185 Climat de France (Malakoff)
197 Clos du Roy (Poissy)
66 Clos du Vert Bois
73 Clos Médicis
132 Clos Morillons
75 Closerie des Lilas
99 Clovis
190 Coeur de la Forêt (Au) (Montmorency)
97 Colisée
87 Collinot (Chez)
200 Comfort Inn (Rosny-sous-Bois)
111 Comme Chez Soi
178 Communautés (Les) (La Défense)
214 Comptoir Nordique (Au) (Versailles)
169 Comte de Gascogne (Au) (Boulogne-Billancourt)
148 Concorde La Fayette
94 Concorde St-Lazare
95 Concortel
176 Confluent de l'Oise (Au) (Conflans-Ste-Honorine)
214 Connemara (Versailles)
142 Conti
133 Contre-Allée
100 Copenhague
132 Copreaux
198 Copthorne (Roissy-en-France)
204 Coq de la Maison Blanche (St-Ouen)
181 Coquibus (Issy-les-Moulineaux)
96 Cordélia
107 Corona
52 Costes
87 Côté 7ème (Du)
134 Coteaux (Les)
159 Cottage Marcadet
131 Coupole
172 Coupoles (Les) (Cergy-Pontoise Ville Nouvelle)
92 Cour Jardin (La) (H. Plaza Athénée)
93 Couronne (La) (H. Warwick)
206 Cressonnière (St-Rémy-lès-Chevreuse)
92 Crillon
158 Crimée
63 Croix de Malte
214 Cuisine Bourgeoise (Versailles)
143 Cuisinier François

D

70 d'Aubusson
128 Daguerre
158 Damrémont
218 Dariole de Viry (Viry-Châtillon)
217 Daumesnil Vincennes (Vincennes)
198 Dauphin (Puteaux)
127 Delambre
83 Derby Eiffel H.
131 Dernière Valse
152 Dessirier
143 Detourbe Duret
178 2 Arcs (Les) (H. Sofitel La Défense) (La Défense)
112 Deux Canards (Aux)
63 Deux Iles
131 Dînée
187 Disneyland Hôtel (Marne-la-Vallée)
130 Dôme
76 Dominique
217 Donjon (Vincennes)
144 Driver's
55 Drouant
130 Duc (Le)
82 Duc de Saint-Simon
54 Ducs de Bourgogne

E

52 Échelle (L') (H. Normandy)
174 Écu de France (Chennevières-sur-Marne)
177 Écuries du Château (Dampierre-en-Yvelines)
158 Eden H.
52 Édouard VII
188 Egleny (Marne-la-Vallée)
141 Eiffel Kennedy
82 Eiffel Park H.
100 El Mansour
95 Élysée (de l')
99 Élysées (Les)
139 Élysées Bassano
96 Élysées Mermoz
95 Élysées-Ponthieu et Résidence
138 Élysées Régencia
139 Élysées Sablons
93 Élysées Star
84 Empereur (L')
169 Entracte (L') (H. Latitudes) (Boulogne-Billancourt)
58 Entre Ciel et Terre
77 Épi Dupin (L')
153 Epicure 108
133 Épopée (L')
131 Erawan
159 Eric Frechon
202 Ermitage des Loges (St-Germain-en-Laye)
121 Escapade en Touraine (L')
166 Escargot (A l') (Aulnay-sous-Bois)
184 Escargot de Linas (L') (Linas)
182 Espace Champerret (Levallois-Perret)
54 Espadon (L')
197 Esturgeon (L') (Poissy)
132 Etape (L')
214 Étape Gourmande (Versailles)
150 Étoile d'Or (L')
95 Étoile Friedland
140 Étoile Maillot
149 Étoile Park H.
150 Étoile Péreire
148 Étoile St-Ferdinand
199 Étoiles (Les) (H. Sheraton) (Roissy-en-France)
160 Étrier (L')
175 Europe (L') (Clichy)
64 Excuse (L')
113 Excuse Mogador (L')

F

214 Falher (Le) (Versailles)
74 Familia
151 Faucher
141 Faugeron
53 Favart
165 Ferme d'Argenteuil (Argenteuil)
169 Ferme de Boulogne (Boulogne-Billancourt)
102 Ferme des Mathurins
85 Ferme St-Simon
101 Fermette Marbeuf 1900
66 Fernandises (Les)
71 Ferrandi
202 Feuillantine (St-Germain-en-Laye)
192 Feuilles Libres (Les) (Neuilly-sur-Seine)
132 Filoche
183 Flamboyant (Lieusaint)
96 Flèche d'Or
72 Fleurie (de)
100 Flora Danica (R. Copenhague)
139 Floride Étoile
87 Florimond
86 Foc Ly (7e)
192 Foc Ly (Neuilly-sur-Seine)
129 Fondary
143 Fontaine d'Auteuil
87 Fontaine de Mars
132 Fontana Rosa
168 Forest Hill (Bougival)
190 Forest Hill (Meudon)
202 Forestière (St-Germain-en-Laye)
96 Fortuny

108 Français
83 France
121 Françoise (Chez)
107 Franklin
96 Franklin Roosevelt
188 Frantour (Marne-la-Vallée)
107 Frantour Paris-Est
120 Frégate
139 Frémiet

G

190 Gaillard (Montreuil)
96 Galiléo
56 Gallopin
139 Garden Élysée
108 Gare du Nord
204 Gargamelle (St-Maur-des-Fossés)
133 Gastroquet
132 Gauloise
86 Gaya Rive Gauche
54 Gd H. de Besançon
54 Gd H. de Champagne
107 Gd H. Haussmann
201 Gd H. Mercure Orly (Rungis)
176 George Sand (Courbevoie)
57 Georges (Chez) (2e)
153 Georges (Chez) (17e)
55 Gérard Besson
143 Géraud (Chez)
86 Gildo
142 Giulio Rebellato
86 Glénan (Les)
93 Golden Tulip St-Honoré
187 Golf H. (Marne-la-Vallée)
108 Gotty
55 Goumard-Prunier
120 Gourmandise
134 Gourmands (Les)
199 Gourmet (H. Hilton) (Roissy-en-France)
170 Grâce de Dieu (A La) (Brie-Comte-Robert)
204 Gourmet (St-Maur-des-Fossés)
152 Graindorge
110 Grand Café Capucines
57 Grand Colbert
178 Grand Hôtel (Enghien-les-Bains)
106 Grand Hôtel Inter-Continental
63 Grand Prieuré
54 Grand Vefour
144 Grande Cascade
72 Grands Hommes
110 Grange Batelière
100 Grenadin
57 Grille St-Honoré (A La)
65 Grizzli
195 Gueulardière (Ozoir-la-Ferrière)
150 Guy Savoy
153 Guyvonne (Chez)

H - I

140 Hameau de Passy
149 Harvey
101 Hédiard
200 Henri (Chez) (Romainville)
183 Hermès (Levallois-Perret)
126 Hilton (15e)
199 Hilton (Roissy-en-France)
194 Hilton Orly (Orly)
62 Holiday Inn (11e)
158 Holiday Inn (19e)
187 Holiday Inn (Marne-la-Vallée)
201 Holiday Inn (Rungis)
210 Holiday Inn (Vélizy-Villacoublay)
118 Holiday Inn Bastille
140 Holiday Inn Garden Court (16e)
200 Holiday Inn Garden Court (Rosny-sous-Bois)
70 Holiday Inn Saint Germain des Prés
118 Holiday Inn Tolbiac
213 Home St-Louis (Versailles)
53 Horset Opéra (L')
106 Horset Pavillon (L')
209 Host. de Varennes (Varennes-Jarcy)
216 Host. du Château (Villeneuve-sous-Dammartin)

167 Host. du Nord (Auvers-sur-Oise)
154 Huitrier (L')
188 Hunter's Grill (H. Séquoia Lodge) (Marne-la-Vallée)
93 Hyatt Regency (8e)
199 Hyatt Regency (Roissy-en-France)
112 I Golosi
188 Ibis (Marne-la-Vallée)
187 Ibis (Marne-la-Vallée)
199 Ibis (Roissy-en-France)
199 Ibis (Roissy-en-France)
201 Ibis (Rungis)
209 Ibis (Vanves)
213 Ibis (Versailles)
214 Ibis (Versailles)
216 Ibis (Villepinte)
179 Ibis (Épinay-sur-Seine)
179 Ibis (Évry (Agglomération d'))
128 Ibis Brancion
109 Ibis Gare de l'Est
118 Ibis Gare de Lyon
119 Ibis Italie Tolbiac
178 Ibis La Défense (La Défense)
109 Ibis Lafayette
119 Ibis Place d'Italie
55 Il Cortile
151 Il Ristorante
153 Impatient (L')
75 Inagiku
100 Indra
183 Instant Gourmand (L') (Levallois-Perret)
52 Inter - Continental
187 Inventions (H. Disneyland Hôtel) (Marne-la-Vallée)
128 Istria

J - K

121 Jacky (Chez)
74 Jacques Cagna
141 Jamin
99 Jardin (8e)
183 Jardin (Levallois-Perret)
197 Jardin (H. Saphir H.) (Pontault-Combault)
73 Jardin de Cluny
73 Jardin de l'Odéon
191 Jardin de Neuilly (Neuilly-sur-Seine)
92 Jardin des Cygnes (H. Prince de Galles)
106 Jardin des Muses (H. Scribe)
206 Jardin Gourmand (Sartrouville)
82 Jardins d'Eiffel (Les)
208 Jardins de Camille (Les) (Suresnes)
72 Jardins du Luxembourg
139 Jardins du Trocadéro (Les)
192 Jarrasse (Neuilly-sur-Seine)
112 Jean (Chez)
120 Jean-Pierre Frelet
62 Jeu de Paume
77 Joséphine "Chez Dumonet"
84 Jules Verne
110 Julien
126 Justine (H. Méridien Montparnasse)
138 K. Palace
56 Kinugawa (1er)
101 Kinugawa (8e)
139 Kléber
102 Kok Ping

L

178 Lac (Enghien-les-Bains)
106 Lafayette
130 Lal Qila
92 Lancaster
98 Lasserre
169 Latitudes (Boulogne-Billancourt)
158 Laumière
98 Laurent
84 Le Divellec
98 Ledoyen
70 Left Bank St-Germain
127 Lenox Montparnasse
82 Lenox Saint-Germain
153 Léon (Chez)

179 Léonard de Vinci (Évry (Agglomération d'))
58 Lescure
95 Lido
128 Lilas Blanc
128 Lion (du)
198 Lisière de Sénart (Quincy-sous-Sénart)
62 Little Palace
71 Littré
83 Londres
97 Lord Byron
52 Lotti
171 Lotus de Brou (Brou-sur-Chantereine)
93 Louis d'Or (H. Trémoille)
130 Lous Landès
52 Louvre (du)
54 Louvre St-Honoré
98 Lucas Carton
100 Luna
62 Lutèce
70 Lutétia

M

55 Macéo
97 Madeleine Haussmann
70 Madison
148 Magellan
195 Magnolias (Les) (Le Perreux-sur-Marne)
99 Maison Blanche
85 Maison de l'Amérique Latine
75 Maître Paul (Chez)
138 Majestic
54 Malte Opéra
181 Mancelière (Gometz-le-Chatel)
187 Manhattan Restaurant (H. New-York) (Marne-la-Vallée)
181 Manoir de Gressy (Gressy)
151 Manoir de Paris
73 Manoir St-Germain des Prés (Au)
53 Mansart
65 Mansouria
181 Manufacture (Issy-les-Moulineaux)
100 Marcande
168 Maréchaux (Bougival)
99 Marée (La)
214 Marée de Versailles (Versailles)
160 Marie-Louise
152 Marines de Pétrus (Les)
143 Marius
101 Marius et Janette
77 Marlotte
93 Marriott
73 Marronniers
120 Marronniers (Les)
75 Marty
140 Massenet
95 Mathurins
87 Maupertu
75 Mavrommatis
74 Maxim
194 Maxim's (Orly)
96 Mayflower
181 Médian (Goussainville)
206 Menil (Au) (Savigny-sur-Orge)
149 Mercédès
180 Mercure (Fontenay-sous-Bois)
180 Mercure (Gentilly)
189 Mercure (Massy)
189 Mercure (Maurepas)
191 Mercure (Montrouge)
193 Mercure (Noisy-le-Grand)
194 Mercure (Orly)
198 Mercure (Roissy-en-France)
205 Mercure (St-Quentin-en-Yvelines)
214 Mercure (Versailles)
179 Mercure (Évry (Agglomération d'))
118 Mercure Blanqui
149 Mercure Étoile
191 Mercure La Défense (Nanterre)
176 Mercure La Défense 5 (Courbevoie)
158 Mercure Montmartre
126 Mercure Montparnasse
107 Mercure Monty
193 Mercure Nogentel (Nogent-sur-Marne)
127 Mercure Paris XV

118 Mercure Pont de Bercy
209 Mercure Porte de la Plaine (Vanves)
195 Mercure Porte de Pantin (Pantin)
127 Mercure Porte de Versailles
127 Mercure Tour Eiffel
118 Mercure Vincent Auriol
190 Mercuree Ermitage de Villebon (Meudon)
148 Meridien
126 Méridien Montparnasse
62 Meslay République
193 Météores (Les) (H. Mercure) (Noisy-le-Grand)
52 Meurice
55 Meurice (Le)
122 Michel
112 Michel (Chez)
150 Michel Rostang
130 Mille Colonnes
106 Millennium Commodore
73 Millésime H.
97 Ministère
64 Miravile
109 Modern' Est
129 Modern H. Val Girard
78 Moissonnier
54 Molière
149 Monceau
150 Monceau Élysées
149 Monceau Étoile
65 Monde des Chimères
130 Moniage Guillaume
131 Monsieur Lapin
94 Montaigne
82 Montalembert
108 Monterosa
130 Montparnasse 25
110 Montréal
130 Morot Gaudry
108 Moulin
77 Moulin à Vent "Chez Henri"
194 Moulin d'Orgeval (Orgeval)
173 Moulin de la Renardière (Cergy-Pontoise Ville Nouvelle)
83 Muguet
140 Murat
180 Musardière (Fontenay-sous-Bois)
110 Muses (Les)
179 Myriades (Épinay-sur-Seine)

N

94 Napoléon
131 Napoléon et Chaix
149 Neuville (de)
149 Neva
97 New Orient
95 New Roblin et rest. le Mazagran
187 New-York (Marne-la-Vallée)
188 Newport Bay Club (Marne-la-Vallée)
96 Newton Opéra
142 Ngo (Chez)
63 Nice (de)
141 Nicolo
126 Nikko
53 Noailles (de)
63 Nord et Est
52 Normandy
73 Notre Dame
119 Nouvel H.
166 Novotel (Aulnay-sous-Bois)
172 Novotel (Cergy-Pontoise Ville Nouvelle)
177 Novotel (Créteil)
170 Novotel (Le Bourget)
187 Novotel (Marne-la-Vallée)
195 Novotel (Palaiseau)
199 Novotel (Roissy-en-France)
201 Novotel (Rungis)
205 Novotel (St-Pierre-du-Perray)
208 Novotel (Suresnes)
207 Novotel (Sèvres)
214 Novotel (Versailles)
179 Novotel (Évry (Agglomération d'))
174 Novotel Atria (Charenton-le-Pont)
193 Novotel Atria (Noisy-le-Grand)
200 Novotel Atria (Rueil-Malmaison)

118 Novotel Bercy
178 Novotel La Défense
(La Défense)
53 Novotel Les Halles
126 Novotel Porte d'Orléans
167 Novotel Porte de Bagnolet
(Bagnolet)
205 Novotel St-Quentin Golf National
(St-Quentin-en-Yvelines)
126 Novotel Vaugirard

O

76 O à la Bouche (L')
92 Obélisque (L')
(H. Crillon)
73 Odéon (de l')
72 Odéon H.
87 Oeillade (L')
112 Oenothèque (L')
86 Olivades (Les)
169 Olympic H.
(Boulogne-Billancourt)
107 Opéra Cadet
52 Opéra Richepanse
97 Orangerie (L')
210 Orée du Bois
(Vélizy-Villacoublay)
127 Orléans Palace H.
134 Os à Moelle (L')
120 Oulette (L')
182 Oustalou (L')
(Ivry-sur-Seine)
199 Oyster bar
(H. Hilton)
(Roissy-en-France)

P

86 P'tit Troquet
111 P'tite Tonkinoise
133 P'tits Bouchons de François Clerc (Les)
129 Paix (de la)
107 Paix République
140 Palais de Chaillot
56 Palais Royal
78 Palanquin
150 Palma (17e)
158 Palma (20e)
112 Paludier
171 Panoramic de Chine
(Carrières-sur-Seine)
72 Panthéon
111 Paprika
129 Parc (14e)
138 Parc (16e)
183 Parc
(Levallois-Perret)
192 Parc
(Neuilly-sur-Seine)
209 Parc des Expositions
(Vanves)
73 Parc St-Séverin
74 Paris (6e)
169 Paris
(Boulogne-Billancourt)
213 Paris
(Versailles)
118 Paris Bastille
191 Paris Neuilly
(Neuilly-sur-Seine)
187 Parkside Diner
(H. New-York)
(Marne-la-Vallée)
73 Pas-de-Calais
140 Passy Eiffel
129 Pasteur
126 Patio
(H. Sofitel Forum Rive Gauche)
121 Paul (Chez)
143 Paul Chêne
84 Paul Minchelli
56 Pauline (Chez)
93 Pavillon
(H. Marriott)
118 Pavillon Bastille
215 Pavillon de l'Ile aux Ibis
(Le Vésinet)
62 Pavillon de la Reine
209 Pavillon de la Tourelle
(Vanves)
101 Pavillon Élysée
189 Pavillon Européen
(Massy)
201 Pavillon Joséphine
(Rueil-Malmaison)
130 Pavillon Montsouris
142 Pavillon Noura
159 Pavillon Puebla
56 Pays de Cocagne
65 Péché Mignon
133 Père Claude
138 Pergolèse
142 Pergolèse
112 Petit Batailley
65 Petit Bofinger (4e)
193 Petit Bofinger
(Neuilly-sur-Seine)
171 Petit Chez Soi (Au)
(La Celle-St-Cloud)

152 Petit Colombier
85 Petit Laurent
134 Petit Mâchon
120 Petit Marguery
133 Petit Plat
183 Petit Poste (Levallois-Perret)
111 Petit Riche (Au)
153 Petite Auberge (17e)
166 Petite Auberge (Asnières-sur-Seine)
132 Petite Bretonnière
217 Petite Forge (Villiers-le-Bâcle)
184 Petite Marmite (Livry-Gargan)
154 Petite Provence
112 Petite Sirène de Copenhague
143 Petite Tour
151 Pétrus
108 Peyris
56 Pharamond
130 Philippe Detourbe
102 Pichet (Le)
56 Pied de Cochon (Au)
56 Pierre " A la Fontaine Gaillon "
133 Pierre (Chez)
56 Pierre Au Palais Royal
99 Pierre Gagnaire
74 Pierre Nicole
132 Pierre Vedel
53 Place du Louvre
92 Plaza Athénée
96 Plaza Élysées
57 Poquelin
142 Port Alma
205 Port Royal (St-Quentin-en-Yvelines)
213 Potager du Roy (Versailles)
197 Pouilly Reuilly (Au) (Le Pré St-Gervais)
209 Poularde (Vaucresson)
159 Poulbot Gourmet
57 Poule au Pot
95 Powers
108 Pré (du)
111 Pré Cadet
144 Pré Catelan
119 Pressoir (Au)
92 Prince de Galles
63 Prince Eugène
198 Princesse Isabelle (Puteaux)
108 Printania
75 Procope
141 Prunier-Traktir
209 Pyramide (Vanves)

Q

191 Quality Inn (Nanterre)
148 Quality Inn Pierre
94 Queen Elizabeth
96 Queen Mary
111 Quercy (9e)
133 Quercy (14e)
120 Quincy
201 Quorum (St-Cloud)

R

189 Radisson (Le Mesnil-Amelot)
138 Raphaël
127 Raspail Montparnasse
200 Rastignac (Rueil-Malmaison)
85 Récamier
195 Référence H. (Pantin)
134 Régalade
98 Régence
204 Régency 1925 (St-Maur-des-Fossés)
71 Régent
148 Regent's Garden
53 Régina
140 Régina de Passy
158 Regyn's Montmartre
106 Relais (Le) (H. St-Pétersbourg)
112 Relais Beaujolais
83 Relais Bosquet
70 Relais Christine
141 Relais d'Auteuil
195 Relais d'Ozoir (Ozoir-la-Ferrière)
184 Relais de Courlande (Les Loges-en-Josas)
118 Relais de Lyon
198 Relais de Pincevent (La Queue-en-Brie)
126 Relais de Sèvres (H. Sofitel Porte de Sèvres)
201 Relais de St-Cucufa (Rueil-Malmaison)
210 Relais de Vaujours (Vaujours)

205 Relais de Voisins
(St-Quentin-en-Yvelines)
159 Relais des Buttes
184 Relais des Chartreux
(Longjumeau)
190 Relais des Gardes
(Meudon)
53 Relais du Louvre
138 Relais du Parc
(H. Parc)
216 Relais du Parisis
(Villeparisis)
188 Relais Fleuri
(Marne-la-Vallée)
75 Relais Louis XIII
70 Relais Médicis
213 Relais Mercure
(Versailles)
118 Relais Mercure Bercy
96 Relais Mercure Opéra Garnier
215 Relais Mercure Timing
(Villejuif)
92 Relais-Plaza
(H. Plaza Athénée)
70 Relais St-Germain
71 Relais St-Jacques
65 Relais St-Paul
72 Relais St-Sulpice
173 Relais Ste-Jeanne
(Cergy-Pontoise Ville Nouvelle)
93 Relais Vermeer
(H. Golden Tulip St-Honoré)
78 Reminet
178 Renaissance
(La Défense)
196 Rendez-vous de Chasse (Au)
(Petit-Clamart)
65 Repaire de Cartouche
213 Rescatore
(Versailles)
140 Résidence Chambellan Morgane
213 Résidence du Berry
(Versailles)
108 Résidence du Pré
94 Résidence du Roy
140 Résidence Foch
72 Résidence Henri IV
139 Résidence Impériale
140 Résidence Marceau
95 Résidence Monceau
129 Résidence St-Lambert
119 Résidence Vert Galant
110 Rest. Opéra
182 Réveillon
(Lésigny)
121 Rhône
192 Riad (Le)
(Neuilly-sur-Seine)
185 Ribot
(Maisons-Laffitte)
109 Riboutté-Lafayette
106 Richmond Opéra
217 Rigadelle
(Vincennes)
52 Ritz
71 Rives de Notre-Dame
63 Rivoli Notre Dame
94 Rochester Champs-Élysées
158 Roma Sacré Coeur
175 Romantica
(Clichy)
76 Rond de Serviette
139 Rond-Point de Longchamp
97 Rond-Point des Champs-Elysées
143 Rosimar
77 Rôtisserie :
(R. Joséphine "Chez Dumonet')
(6e)
183 Rôtisserie
(Levallois-Perret)
191 Rôtisserie
(Nanterre)
153 Rôtisserie d'Armaillé
77 Rôtisserie d'en Face
77 Rôtisserie du Beaujolais
56 Rôtisserie Monsigny
185 Rôtisserie Vieille Fontaine
(Maisons-Laffitte)
77 Rotonde (6e)
166 Rotonde
(Athis-Mons)
192 Roule
(Neuilly-sur-Seine)
95 Royal Alma
140 Royal Élysées
94 Royal H.
149 Royal Magda
92 Royal Monceau
53 Royal St-Honoré
72 Royal St-Michel
201 Rungisserie (La)
(H. Gd H. Mercure Orly)
(Rungis)

S

191 Sabayon
(Morangis)
71 Sainte Beuve
111 Saintongeais
72 Saints-Pères
148 Saisons (Les)
(H. Concorde La Fayette) (17e)
199 Saisons (Les) (H. Sheraton)
(Roissy-en-France)
138 Salle à Manger (La)
(H. Raphaël)
92 San Régis
192 San Valero
(Neuilly-sur-Seine)

188 Santa Fé
(Marne-la-Vallée)
197 Saphir H.
(Pontault-Combault)
100 Sarladais
57 Saudade
94 Saveurs (Les)
(H. Sofitel Champs-Élysées)
144 Scheffer
106 Scribe
87 Sédillot
72 Select
169 Sélect H.
(Boulogne-Billancourt)
132 Senteurs de Provence (Aux)
188 Séquoia Lodge
(Marne-la-Vallée)
139 Sévigné
74 Sèvres Azur
128 Sèvres-Montparnasse
83 Sèvres Vaneau
199 Sheraton
(Roissy-en-France)
101 Shozan
121 Sipario
85 6 Bosquet
119 Slavia
199 Sofitel
(Roissy-en-France)
93 Sofitel Arc de Triomphe
94 Sofitel Champs-Élysées
213 Sofitel Château de Versailles
(Versailles)
177 Sofitel CNIT
(La Défense)
126 Sofitel Forum Rive Gauche
178 Sofitel La Défense
(La Défense)
126 Sofitel Porte de Sèvres
187 Sol Inn Paris Bussy
(Marne-la-Vallée)
74 Sorbonne
151 Sormani
57 Souletin
153 Soupière
64 Sousceyrac (A)
175 Sovereign
(Clichy)
204 Sovereign
(St-Ouen)
82 Splendid
148 Splendid Étoile
183 Splendid'H.
(Levallois-Perret)
138 Square
121 St-Amarante
97 St-Augustin
73 St-Christophe
184 St-Georges
(Longjumeau)
83 St-Germain
71 St-Germain-des-Prés
71 St-Grégoire
138 St-James Paris
109 St-Laurent
217 St-Louis
(Vincennes)
209 St-Martin
(Triel-sur-Seine)
106 St-Pétersbourg
184 St-Pierre
(Longjumeau)
134 St-Vincent
101 Stella Maris
53 Stendhal
101 Stresa
109 Sudotel Promotour
109 Suède
72 Sully St-Germain
101 Suntory
158 Super H.
197 Syjac
(Puteaux)

T

206 Table d'Antan
(Ste-Geneviève-des-Bois)
110 Table d'Anvers
87 Table d'Eiffel
152 Table de Pierre
126 Table et la Forme (La)
(H. Sofitel Forum Rive Gauche)
98 Taillevent
153 Taïra
86 Tan Dinh
142 Tang
100 Tante Louise (Chez)
180 Tardoire
(Garches)
207 Tartarin
(Sucy-en-Brie)
185 Tastevin
(Maisons-Laffitte)
121 Temps des Cerises
119 Terminus-Lyon
106 Terminus Nord
111 Terminus Nord
128 Terminus Vaugirard
148 Ternes Arc de Triomphe
158 Terrass'H.
126 Terrasse (La)
(H. Hilton) (15e)
158 Terrasse (La)
(H. Terrass'H.) (17e)
144 Terrasse du Lac

52 Terrasse Fleurie (H. Inter - Continental) (1er)
207 Terrasse Fleurie (Sucy-en-Brie)
87 Thoumieux
149 Tilsitt Étoile
151 Timgad
75 Timonerie
132 Tour (de la)
74 Tour d'Argent
165 Tour de Marrakech (Antony)
127 Tour Eiffel Dupleix
107 Touraine Opéra
119 Touring H. Magendie
82 Tourville
76 Toutoune (Chez)
119 Train Bleu
126 Transatlantique (H. Novotel Vaugirard)
120 Traversière
93 Trémoille
100 30 - Fauchon (Le)
210 Trianon Palace (Versailles)
108 Trinité Plaza
213 Trois Marches (Les) (Versailles)
176 Trois Marmites (Courbevoie)
109 Trois Poussins
175 Trosy (du) (Clamart)
120 Trou Gascon (Au)
154 Troyon
192 Truffe Noire (Neuilly-sur-Seine)
75 Truffière
152 Truite Vagabonde
142 Tsé-Yang
84 Turenne

U - V

139 Union H. Étoile
213 Valmont (Versailles)
166 Van Gogh (Asnières-sur-Seine)
83 Varenne (de)
56 Vaudeville
106 Venantius (H. Ambassador)
132 Vendanges (Les)
62 Verlain
92 Vernet
82 Verneuil St-Germain
106 Verrière (La) (H. Grand Hôtel Inter-Contine)
128 Versailles (15e)
213 Versailles (Versailles)
119 Viator
58 Victoire Suprême du Coeur
139 Victor Hugo
70 Victoria Palace
200 Vieux Carré (H. Holiday Inn Garden Court) (Rosny-sous-Bois)
106 Vieux Pressoir (H. Brébant)
63 Vieux Saule
92 Vigny (de)
71 Villa
71 Villa des Artistes
201 Villa Henri IV et rest. Le Bourbon (St-Cloud)
138 Villa Maillot
143 Villa Vinci
186 Village (Marly-le-Roi)
102 Village d'Ung et Li Lam
64 Vin et Marée (11e)
131 Vin et Marée (14e)
144 Vin et Marée (16e)
85 Vin sur Vin
53 Violet
84 Violon d'Ingres
131 Vishnou
141 Vivarois
54 Vivienne

W - Y - Z

111 Wally Le Saharien
93 Warwick
95 West-End
52 Westminster
57 Willi's Wine Bar
188 Yacht Club (H. Newport Bay Club) (Marne-la-Vallée)
148 Yamato (Le) (H. Meridien)
75 Yugaraj
100 Yvan
131 Yves Quintard
142 Zébra Square
122 Zygomates (Les)

Notes

Notes

Manufacture française des pneumatiques Michelin
Société en commandite par actions au capital de 2 000 000 000 de francs
Place des Carmes-Déchaux – 63 Clermont-Ferrand (France)
R.C.S. Clermont-Fd B 855 200 507

Michelin et Cie, propriétaires-éditeurs, 1998
Dépôt légal : Mars 1998 – ISBN 2-06-068089-1 – Printed in the EU 2-98

Photocomposition : APS, Tours

Impression : MAURY Imprimeur S.A., Malesherbes
Brochage : S.I.R.C., Marigny-le-Châtel